Quem manda no mundo?

Quem manda no mundo?

Noam Chomsky

Tradução
Renato Marques

CRÍTICA

Copyright © L. Valéria Galvão Wasserman-Chomsky, 2016
Copyright © Editora Planeta do Brasil, 2017
Publicado em acordo com Metropolitan Books, uma divisão da Henry Holt and Company, LLC, Nova York.
Todos os direitos reservados.
Título original: *Who rules the world?*

Preparação: Ana Tereza Clemente
Revisão: Cida Medeiros, Juliana Rodrigues
Diagramação: Vivian Oliveira
Capa: Lucy Kim
Adaptação de capa: Fabio Oliveira

CIP-BRASIL. CATALOGAÇÃO NA PUBLICAÇÃO
SINDICATO NACIONAL DOS EDITORES DE LIVROS, RJ

C474q

Chomsky, Noam,
  Quem manda no mundo? / Noam Chomsky ; tradução Renato Marques.
1. ed. – São Paulo : Planeta, 2017.
  400 p.

  Tradução de: *Who rules the world?*
  ISBN: 978-85-422-1019-4

  1. Economia. 2. Política global. 3. Globalização. I. Marques, Renato. II. Título.

17-40732   CDD: 338.9
                                                                          CDU: 338.1

Ao escolher este livro, você está apoiando o manejo responsável das florestas do mundo

2025
Todos os direitos desta edição reservados à
EDITORA PLANETA DO BRASIL LTDA.
Rua Bela Cintra, 986 – 4º andar
01415-002 – Consolação – São Paulo-SP
www.planetadelivros.com.br
faleconosco@editoraplaneta.com.br

SUMÁRIO

INTRODUÇÃO...7

1. A RESPONSABILIDADE DOS INTELECTUAIS, *REDUX*..........13
2. TERRORISTAS PROCURADOS NO MUNDO INTEIRO..........33
3. OS MEMORANDOS DA TORTURA E A AMNÉSIA HISTÓRICA...45
4. A MÃO INVISÍVEL DO PODER............................61
5. DECLÍNIO NORTE-AMERICANO: CAUSAS E CONSEQUÊNCIAS 77
6. É O FIM DOS ESTADOS UNIDOS?........................89
7. A MAGNA CARTA, O DESTINO DELA E O NOSSO...........109
8. A SEMANA EM QUE O MUNDO PAROU....................129
9. OS ACORDOS DE PAZ DE OSLO: SEU CONTEXTO,
   SUAS CONSEQUÊNCIAS..................................147
10. À BEIRA DA DESTRUIÇÃO.............................163
11. ISRAEL-PALESTINA: AS OPÇÕES CONCRETAS.............171

12. "NADA PARA OS OUTROS": LUTA DE CLASSES NOS
    ESTADOS UNIDOS 181
13. SEGURANÇA PARA QUEM? COMO WASHINGTON
    PROTEGE A SI MESMO E AO SETOR CORPORATIVO 189
14. ATROCIDADE... 203
15. QUANTOS MINUTOS FALTAM PARA A MEIA-NOITE?......... 223
16. ACORDOS DE CESSAR-FOGO EM QUE AS VIOLAÇÕES
    NUNCA CESSAM... 235
17. OS EUA SÃO O PRINCIPAL ESTADO TERRORISTA........... 245
18. A HISTÓRICA MEDIDA DE OBAMA 251
19. "E PONTO FINAL".. 259
20. UM DIA NA VIDA DE UM LEITOR DO *THE NEW YORK TIMES*.... 265
21. "A AMEAÇA IRANIANA": QUEM É O MAIOR E MAIS GRAVE
    PERIGO PARA A PAZ MUNDIAL?........................... 271
22. O RELÓGIO DO JUÍZO FINAL............................. 285
23. MESTRES DA HUMANIDADE............................... 297

POSFÁCIO 319
NOTAS 331
HISTÓRICO DE PUBLICAÇÃO................................... 379
ÍNDICE REMISSIVO.. 381

Introdução

A pergunta suscitada pelo título deste livro não pode ter uma resposta simples, exata e definitiva. O mundo é variado demais, complexo demais para que isso seja possível. Mas não é difícil reconhecer as agudas diferenças no que tange à capacidade de moldar os assuntos e as questões do mundo, e não é difícil identificar os atores mais proeminentes e influentes.

Na comparação entre os países, a partir do final da Segunda Guerra Mundial, os Estados Unidos da América firmaram-se como o primeiro entre os desiguais, condição em que ainda permanecem. Em larga medida o país ainda hoje estabelece os termos do discurso global, numa abrangente gama de problemáticas questões que se estende de Israel-Palestina, Irã, América Latina, "guerra ao terror", organização econômica internacional, direitos e justiça e outros temas afins aos mais primordiais pontos do debate relativo à sobrevivência da civilização (guerra nuclear e destruição ambiental). O poder dos EUA, no entanto, vem diminuindo depois de ter atingido um historicamente inaudito ápice em 1945. E, com o inevitável declínio, o poder de Washington é até certo ponto compartilhado no âmbito do "governo mundial *de facto*" dos "mestres do universo", para tomar de empréstimo os termos do jornalismo econômico – em referência às maiores potências capitalistas, o grupo dos sete países mais ricos e industrializados do mundo (os integrantes do G7), juntamente com as instituições que eles controlam na "nova era imperial", tais como o Fundo Monetário Internacional (FMI) e as organizações de comércio global.[1]

É claro que os "mestres do universo" estão muito longe de ser representativos das populações das potências dominantes. Mesmo nos Estados mais democráticos, as populações exercem um impacto apenas limitado acerca de diretrizes políticas. Nos Estados Unidos, pesquisadores renomados forneceram evidências contundentes de que "elites econômicas e grupos organizados representantes de interesses comerciais causam substanciais impactos independentes sobre as políticas governamentais dos EUA, ao passo que cidadãos comuns e grupos de interesse de massas exercem pouca ou nenhuma influência independente". Os resultados de seus estudos, concluem os autores, "propiciam substancial sustentação a teorias de Dominação da Elite Econômica e Teorias de Pluralismo Tendencioso, mas não para teorias de Democracia Eleitoral Majoritária ou Pluralismo Majoritário". Outros estudos já demonstraram que a ampla maioria da população, na ponta mais baixa do espectro de renda/riqueza, é efetivamente excluída do sistema político, suas opiniões e atitudes são ignoradas por seus representantes formais, ao passo que um ínfimo setor que ocupa o topo da escala tem um grau de influência esmagador. Esses estudos também apontaram que, no decorrer de um longo período, o financiamento de campanha é um extraordinário previsor das decisões políticas.[2]

Uma consequência é a assim chamada apatia: supostamente as pessoas não se dão ao trabalho de votar e se autoexcluem das eleições. Isso tem uma significativa correlação com a classe social. As prováveis razões já foram discutidas 35 anos atrás por uma das maiores autoridades acadêmicas em política eleitoral, Walter Dean Burnham. O cientista político relacionou a abstenção a "uma importantíssima e decisiva peculiaridade comparativa do sistema político estadunidense: a total ausência de um partido político de massa socialista ou trabalhista como um competidor organizado no mercado eleitoral", o que, argumentou ele, explica boa parte das "taxas de abstenção enviesadas por classe", bem como a minimização e subestimação das opções de propostas políticas que podem ser apoiadas pela população em geral mas se contrapõem aos interesses das elites. As observações se estendem ao presente. Numa minuciosa análise da eleição de 2014, Burnham e Thomas Ferguson mostram que os índices de comparecimento às urnas "lembram os primeiros anos do século XIX", quando os direitos de voto restringiam-se praticamente aos homens livres e proprietários de terras. Os autores concluem que "tanto as evidências do número total de votos diretos como o senso comum confirmam que um imenso contingente de norte-americanos agora está ressabiado com os dois principais partidos políticos e cada vez mais aborrecido com as perspectivas de longo prazo. Muitos estão convencidos de que uns poucos e graúdos interesses controlam a política. Eles anseiam por uma ação efetiva que reverta o declínio econômico e a desenfreada desigualdade econômica, mas nada na escala exigida lhes será oferecido por nenhum dos dois maiores e mais expressivos partidos políticos dos EUA, ambos movidos por dinheiro. É provável que isso acelere somente a desintegração do sistema político, como ficou evidente nas eleições para o Congresso em 2014".[3]

Na Europa, a derrocada da democracia não é menos impressionante, à medida que a tomada de decisões sobre questões cruciais foi transferida para a burocracia de Bruxelas e as potências financeiras que ela representa. Seu desprezo pela democracia ficou patente na selvagem reação, em julho de 2015, à ideia de que o povo grego pudesse ter uma voz para determinar o destino de sua sociedade, estraçalhada pelas brutais políticas de austeridade da *troika* – Comissão Europeia, Banco Central Europeu (BCE) e FMI (especificamente os atores políticos do FMI, não seus economistas, bastante críticos das políticas destrutivas). Essas políticas de austeridade foram impostas com o objetivo declarado de reduzir a dívida grega. E, a bem da verdade, aumentaram a dívida com relação ao Produto Interno Bruto (PIB), enquanto a tessitura social grega foi despedaçada, e a Grécia serviu como um funil para enviar socorro financeiro aos bancos franceses e alemães que fizeram empréstimos de risco.

Há poucas surpresas aqui. A luta de classes, caracteristicamente unilateral, tem um longo e amargo histórico. No alvorecer da era dos modernos Estados capitalistas, Adam Smith condenou os "mestres da humanidade" de seu tempo, os "mercadores e industriais" da Inglaterra, que eram "de longe os principais arquitetos" da política, e que fizeram questão de garantir que seus interesses fossem "atendidos de forma mais especial", a despeito dos "atrozes" efeitos sobre outros povos (principalmente as vítimas da "selvagem injustiça" no exterior, mas também sobre boa parte da população da Inglaterra). A era neoliberal da última geração acrescentou seus próprios toques a esse retrato clássico, com os mestres figurando nos mais altos escalões de economias cada vez mais monopolizadas, as gigantescas e muitas vezes predatórias instituições financeiras, as multinacionais protegidas pelo poder estatal e as figuras políticas que representam largamente seus interesses.

Nesse ínterim, raramente passa um dia sem que haja novos relatos de agourentas descobertas científicas sobre o ritmo acelerado da destruição ambiental. Não é nada confortável ler que "nas latitudes intermediárias do hemisfério Norte as temperaturas médias vêm aumentado a uma taxa equivalente a um deslocamento para o sul de cerca de 10 metros (30 pés) por dia", um índice "aproximadamente cem vezes mais rápido que a maioria das alterações climáticas que podemos observar nos registros geológicos" – e talvez mil vezes mais rápido, de acordo com outros estudos técnicos.[4]

Não menos sombria é a crescente ameaça de guerra nuclear. O bem informado ex-secretário de Defesa dos EUA, William Perry, que não é nenhuma Cassandra, considera que "a probabilidade de uma calamidade nuclear [é] mais alta hoje" que durante a Guerra Fria, quando escapar do desastre inimaginável beirava um milagre. Nesse meio-tempo as grandes potências continuam investindo obstinadamente em seus programas de "insegurança nacional", na apropriada expressão do analista de longa data da Agência Central de Inteligência (Central Intelligence Agency – CIA, na sigla em inglês) Melvin Goodman. Perry também é um daqueles especialistas que recorreram ao presidente Obama para "extinguir o novo míssil de cruzeiro", uma arma nuclear com sistema de mira aperfeiçoado e poder de explosão mais baixo que poderia fomentar uma "guerra nuclear limitada", que rapidamente se agravaria e se intensificaria por dinâmica familiar até descambar no completo e absoluto desastre. Pior ainda, o novo míssil tem versões nucleares e não nucleares, de modo que um "inimigo sob ataque poderia supor o pior e reagir de maneira exagerada, iniciando a guerra atômica". Mas há pouca razão para esperar que alguém dê ouvidos ao conselho, uma vez que os planos de trilionário incremento dos sistemas de armamentos nucleares do Pentágono prosseguem a passadas largas, enquanto as potências menores dão seus passos rumo ao apocalipse.[5]

Os comentários anteriores parecem-me esboçar uma razoável estimativa do elenco de personagens principais. Os capítulos que se seguem buscam examinar a questão de quem comanda o mundo, o modo como procede em seus esforços e para onde seu empenho leva – e, ainda, como as "populações subjacentes", para utilizar a útil expressão de Thorstein Veblen, podem ter esperança de sobrepujar o poder dos negócios e a doutrina nacionalista de maneira a se tornar, nas palavras dele, "vivas e aptas a viver".

Não resta muito tempo.

CAPÍTULO 1

A responsabilidade dos intelectuais, *Redux**

Antes de pensarmos acerca da responsabilidade dos intelectuais, vale a pena esclarecer a quem estamos nos referindo.

O conceito de "intelectuais" em sentido moderno ganhou proeminência com o "Manifesto dos Intelectuais" de 1898, elaborado pelos dreyfusianos, que, inspirados pela carta-protesto aberta de Émile Zola ao presidente da França, condenavam a prisão do oficial de artilharia Alfred Dreyfus, acusado de espionagem, traição e conspiração contra a pátria a favor dos alemães, e o subsequente embuste dos militares num processo fraudulento e conduzido a portas fechadas na tentativa de encobrir o complô. A tomada de posição dos dreyfusianos nessa petição retrata a imagem dos intelectuais como defensores da justiça, enfrentando o poder com coragem e integridade. Mas eles

---

* A palavra latina *redux* significa redescoberto, revivido. O título do capítulo faz referência ao célebre ensaio de Chomsky "A responsabilidade dos intelectuais", originalmente publicado em 23 de fevereiro de 1967 na revista *The New York Review of Books*, durante a Guerra do Vietnã. Nele, Chomsky afirma que, vinte anos antes, lera um texto decisivo em sua formação, de autoria do jornalista Dwight MacDonald (1906-1982), questionando até que ponto os britânicos e norte-americanos eram responsáveis pelos aterrorizantes bombardeios sobre civis, executados pelas democracias ocidentais e culminando em Hiroshima e Nagasaki, um dos mais indizíveis crimes da história. Sob essa inspiração, Chomsky refletiu acerca da tarefa, a seu ver, essencial dos intelectuais: denunciar as mentiras dos governos e analisar suas ações, causas e intenções ocultas, dizer a verdade e denunciar as mentiras. O ensaio está incluído no livro *O poder americano e os novos mandarins*. Rio de Janeiro - São Paulo: Record, 2002. (N. T.)

não eram vistos assim à época. Fração minoritária das classes instruídas, os dreyfusianos foram implacavelmente condenados pelas correntes dominantes da vida intelectual, em particular por figuras de proa entre os "imortais da violentamente antidreyfusiana Académie Française", conforme escreve o sociólogo Steven Lukes. Para o romancista, político e líder antidreyfusiano Maurice Barrès, os dreyfusianos eram "anarquistas dos palanques de aulas e palestras". Para outro desses imortais, Ferdinand Brunetière, a própria palavra "intelectual" significava "uma das mais ridículas excentricidades do nosso tempo – refiro-me à pretensão de alçar escritores, cientistas, professores universitários e cientistas e filólogos à categoria de super-homens" que ousam "tratar nossos generais como idiotas, nossas instituições sociais como um absurdo e nossas tradições como insalubres".[1]

Quem eram, então, os intelectuais? A minoria inspirada por Zola (que foi condenado à prisão por calúnia e fugiu do país) ou os imortais da academia? A pergunta ressoa através dos tempos, de uma forma ou de outra.

Intelectuais: duas categorias

Uma resposta surgiu durante a Primeira Guerra Mundial, quando eminentes intelectuais da alta cultura e da pesquisa de todos os lados do conflito arregimentaram-se em apoio aos seus respectivos Estados. No "Manifesto dos 93", engajadas figuras de proa em um dos Estados mais cultos do mundo, respeitado por suas elevadas qualidades de erudição, pesquisa e criação, conclamaram o Ocidente, insistindo que "Acreditem-nos! Acreditem que nesta luta iremos até o fim como um povo civilizado, um povo para o qual o legado de um Goethe, de um Beethoven e de um Kant é tão sagrado como o seu solo e seus lares".[2] Seus colegas congêneres do outro lado das trincheiras intelectuais rivalizaram ombro a ombro com os alemães em entusiasmo pela nobre causa, mas foram além na autoadulação. Nas páginas da revista *The New Republic*, proclamaram que "o trabalho efetivo e decisivo em nome da guerra foi realizado por [...] uma classe que deve ser descrita de maneira abrangente mas vaga como os 'intelectuais'". Esses progressistas acreditavam estar assegurando que os Estados Unidos entrassem na guerra "sob a influência de um veredito moral a que se chegou após exaustiva deliberação dos mais ponderados membros da comunidade". Foram, a bem da verdade, as vítimas de tramas do Ministério Britânico da Informação, que secretamente buscava "direcionar o pensamento da maior parte do mundo" e manipular, em especial, o pensamento dos intelectuais progressistas estadunidenses que poderiam arrastar para o frenesi da guerra um país pacifista.[3]

John Dewey ficou impressionado pela formidável "lição psicológica e educacional" da guerra, que provava que seres humanos – mais precisamente, "homens inteligentes da comunidade" – são capazes de "apoderar-se dos assuntos humanos e lidar com eles [...] deliberada e inteligentemente" de modo a alcançar os fins almejados.[4] (Dewey levou apenas alguns anos para passar de responsável intelectual da Primeira Guerra Mundial a "anarquista dos palanques de aulas e palestras", denunciando a imprensa não livre e questionando "até que ponto a genuína liberdade intelectual e responsabilidade social são possíveis em qualquer grande escala sob o regime econômico existente".[5]

Nem todo mundo andava na linha e se sujeitava de forma tão obediente. Figuras notáveis como Bertrand Russell, Eugene Debs, Rosa Luxemburgo e Karl Liebknecht foram, como Zola, condenados à prisão. Debs foi punido com especial severidade – pena de prisão de dez anos por ter lançado dúvidas sobre a "guerra por democracia e direitos humanos" do presidente Wilson. Wilson recusou-se a conceder anistia a Debs após o término da guerra, embora o presidente Harding tenha se compadecido dele. Alguns dissidentes, tais como Thorstein Veblen, foram punidos, mas tratados com menos rigor; Veblen foi demitido de seu cargo na Administração Federal de Alimentos depois de preparar um relatório mostrando que a escassez de mão de obra no campo poderia ser resolvida caso cessasse a brutal perseguição empreendida por Wilson contra os sindicatos, especificamente a associação Trabalhadores Industriais do Mundo. Randolph Bourne foi demitido de periódicos progressistas depois de criticar a "liga de nações benevolentemente imperialistas" e seus sublimes esforços.⁶

O padrão de enaltecimento e punição é conhecido e familiar ao longo da história: os que se engajam e se alinham a serviço do Estado são geralmente exaltados pela comunidade intelectual geral, ao passo que os que se recusam a se mobilizar a serviço do Estado são punidos.

Anos depois, as duas categorias de intelectuais foram diferenciadas de maneira mais explícita por renomados estudiosos. Nessa distinção, os excêntricos ridículos são rotulados como "intelectuais orientados por valores", que representam "para o governo democrático um problema e uma ameaça que, pelo menos potencialmente, são tão graves quanto aqueles que no passado eram causados por grupelhos aristocráticos, movimentos fascistas e partidos comunistas". Entre outros delitos e malfeitos, essas perigosas criaturas "dedicam-se a denegrir a liderança, a afrontar a autoridade" e até mesmo a desafiar as instituições responsáveis pela "doutrinação dos jovens". Baixeza das baixezas, alguns chegam até mesmo a descer ao nível de questionar a nobreza dos propósitos da guerra, caso de Bourne. Essa censura aos canalhas hereges que questionam a autoridade e a ordem estabelecida foi desferida pelos doutos da liberal-internacionalista Comissão Trilateral – de cujas fileiras sairia boa parte da administração Carter – em seu estudo-relatório de 1973, *The crisis of democracy* (A crise da democracia, em tradução livre). Como os progressistas de *The New Republic* durante a Primeira Guerra Mundial, eles ampliaram o conceito de "intelectual" para além de Brunetière de modo a incluir os "intelectuais tecnocráticos e orientados pela política", pensadores responsáveis e sérios que se devotam ao construtivo trabalho de moldar diretrizes políticas no âmbito das instituições estabelecidas e de assegurar que a doutrinação dos jovens siga adiante na rota planejada.⁷

O que deixou especialmente alarmados os sábios estudiosos da comissão foi o "excesso de democracia" durante o conturbado período, a década de 1960, quando partes da população normalmente passivas e apáticas adentraram a arena política para expor seus anseios e interesses: minorias, mulheres, jovens, velhos, classes trabalhadoras...

Em suma, a população, por vezes chamada de "os interesses especiais". Esses grupos devem ser distintos daqueles que Adam Smith intitulou de "mestres da humanidade", que eram "de longe os principais arquitetos" da política de governo e iam no encalço de sua "vil máxima": "Tudo para nós e nada para os outros".[8] O papel dos mestres na arena política não é deplorado, tampouco discutido, no volume publicado pela Trilateral, presumivelmente porque os mestres representam "o interesse nacional", como os que aplaudiam a si mesmos por conduzir o país à guerra depois que "a exaustiva deliberação dos mais ponderados membros da comunidade" havia chegado a seu "veredito moral".

Para sobrepujar o excessivo fardo imposto ao Estado pelos interesses especiais, os trilateralistas reivindicaram mais "moderação na democracia", um retorno à passividade por parte dos menos merecedores, talvez até mesmo aos felizes dias quando "Truman tinha condições de governar o país com a cooperação de um número relativamente pequeno de advogados e banqueiros de Wall Street", e quando a democracia, por conseguinte, florescia.

Os trilateralistas poderiam muito bem ter alegado que estavam seguindo o intento original da Constituição, "intrinsecamente um documento aristocrático elaborado para refrear as tendências democráticas do período", entregando o poder a uma "melhor espécie" de pessoas e excluindo "os que não eram nem ricos nem bem-nascidos, nem próceres de exercer o poder político", nas palavras do historiador político Gordon Wood.[9] Em defesa de Madison, porém, devemos reconhecer que sua mentalidade era pré-capitalista. Ao determinar que o poder deveria estar nas mãos da "riqueza da nação", "o conjunto dos homens mais capazes", ele vislumbrou esses homens com base no modelo do "estadista esclarecido" e do "filósofo benevolente" do imaginado mundo romano. Seriam "puros e nobres", "homens de inteligência, patriotismo, propriedade e circunstâncias independentes", "cuja sabedoria pode discernir melhor o verdadeiro interesse de seu país e cujo patriotismo e amor à justiça diminuem a probabilidade de que o sacrifiquem a considerações temporárias ou parciais". Assim dotados, esses homens "refinariam e ampliariam os pontos de vista públicos", salvaguardando o interesse público contra as "traquinagens" das maiorias democráticas.[10] De forma em tudo semelhante, os intelectuais wilsonianos talvez pudessem se consolar e se animar com as descobertas das ciências comportamentais ou behavioristas, explicadas em 1939 pelo psicólogo e teórico da educação Edward Thorndike:[11]

> É a maior boa sorte da humanidade que haja uma substancial correlação entre inteligência e moralidade, incluindo a boa vontade para com o próximo [...] Consequentemente, os que são superiores a nós em habilidades são na média os nossos benfeitores, e é sempre mais seguro confiar nossos interesses a eles do que a nós mesmos.

Uma doutrina reconfortante, embora alguns talvez julguem que Adam Smith tinha a visão mais aguçada.

Invertendo os valores

A distinção entre as duas categorias de intelectuais fornece o arcabouço para a determinação da "responsabilidade dos intelectuais". A expressão é ambígua: ela se refere à responsabilidade moral dos intelectuais como seres humanos decentes, numa posição para usar seu privilégio e status a fim de promover as causas de liberdade, justiça, misericórdia, paz e outras inquietações sentimentais? Ou se refere ao papel que se espera que eles desempenhem na condição de "intelectuais tecnocráticos e orientados pela política", não depreciando, mas servindo à liderança e às instituições estabelecidas? Uma vez que o poder geralmente tende a triunfar e preponderar, os da última categoria são considerados os "intelectuais responsáveis", enquanto os primeiros são descartados ou denegridos – em seu próprio território.

No que diz respeito aos inimigos, a distinção entre as duas categorias de intelectuais é mantida, mas com valores invertidos. Na antiga União Soviética, os intelectuais orientados por valores eram tidos pelos norte-americanos como honrosos dissidentes; em contrapartida, nutria-se desprezo pelos *apparatchiks* e comissários, os intelectuais tecnocráticos e orientados pela política. De modo semelhante, no Irã nós reverenciamos os corajosos dissidentes e condenamos os que defendem o *establishment* religioso. E é assim em todos os lugares.

Dessa forma, o venerando termo "dissidente" é usado seletivamente. Não se aplica, é óbvio, com suas conotações favoráveis a intelectuais orientados por valores ou aos que combatem a tirania respaldada pelos EUA no exterior. Vejamos o interessante caso de Nelson Mandela, cujo nome só foi excluído da lista oficial de terroristas do Departamento de Estado em 2008, o que lhe permitiu viajar para os Estados Unidos sem autorização especial. Vinte anos antes, Mandela era o líder criminoso de um dos "mais notórios grupos terroristas" do mundo, de acordo com um relatório do Pentágono.[12] Foi por essa razão que o presidente Reagan teve de apoiar o regime do apartheid, aumentando o comércio com a África do Sul em violação de sanções do Congresso e apoiando os atos hostis dos sul-africanos em países vizinhos, que resultaram, segundo um estudo da ONU, em 1,5 milhão de mortes.[13] Esse foi apenas um episódio da guerra ao terrorismo que Reagan declarou para combater "a praga da era moderna", ou como definiu o secretário de Defesa George Scultz, "uma volta à barbárie na era moderna".[14] Poderíamos acrescentar as centenas de milhares de cadáveres na América Central e dezenas de milhares mais no Oriente Médio, entre outras façanhas. Não é de estranhar que o Grande Comunicador seja idolatrado pelos acadêmicos do Hoover Institution como um colosso cujo "espírito parece percorrer a passos largos o país de uma ponta à outra, vigiando-nos como um afetuoso e simpático amigo".[15]

O caso da América Latina é revelador. Os que reivindicaram liberdade e justiça na América Latina não têm permissão para entrar no panteão de dissidentes respeitados. Uma semana depois da queda do Muro de Berlim, por exemplo, seis importantes intelectuais latino-americanos, todos eles padres jesuítas, foram assassinados sob ordens diretas do alto comando salvadorenho. Os executores – que atiraram à queima-roupa na nuca dos padres – faziam parte do batalhão de elite armado e treinado por Washington e que já havia deixado um medonho rastro de sangue e terror.

Os padres assassinados não são homenageados como dissidentes honrados, bem como não o são muitos outros como eles no hemisfério Norte. São dissidentes reverenciados aqueles que lutaram por liberdade em domínios inimigos no Leste Europeu e na União Soviética – pensadores que certamente sofreram, mas nem remotamente como seus pares na América Latina. Essa afirmação não pode ser colocada em dúvida; como escreve John Coatswoth em *Cambridge history of the Cold War*, de 1960 "ao colapso soviético, o número de prisioneiros políticos, vítimas de tortura, e de execuções de dissidentes não violentos na América Latina foi vastamente superior aos números da União Soviética e de seus satélites do Leste Europeu". Entre os executados estavam muitos mártires religiosos, e houve também massacres em massa, consistentemente apoiados ou iniciados por Washington.[16]

Por que, então, a distinção? Seria possível alegar que o que aconteceu no Leste Europeu é muito mais importante que o destino do Sul global em nossas mãos. Seria interessante ver esse argumento explicado com todas as letras e também ver o argumento que explica por que razão deveríamos ignorar princípios morais elementares ao pensar no envolvimento dos EUA em relações exteriores, entre eles o de que deveríamos concentrar nossos esforços nos lugares onde podemos fazer o maior bem – geralmente, onde dividimos a responsabilidade por aquilo que está sendo feito. Não temos dificuldade nenhuma para exigir que nossos inimigos sigam esses princípios.

Poucos de nós se importam, ou deveriam se importar, com o que Andrei Sakharov ou Shirin Ebadi dizem sobre os crimes dos EUA ou de Israel; nós os admiramos por aquilo que eles dizem acerca de seus próprios países, e essa conclusão se mantém de forma bem mais enfática para os que vivem em sociedades mais livres e democráticas e, portanto, têm muito mais oportunidades para agir efetivamente. É de algum interesse que, nos círculos mais respeitados, a prática seja quase o oposto do que ditam os valores morais elementares.

As guerras dos EUA na América Latina de 1960 a 1990, seus horrores à parte, têm um longevo significado histórico. Para considerar apenas um aspecto importante, elas foram em larga medida guerras contra a Igreja Católica, levadas a cabo para esmagar uma terrível heresia proclamada pelo Concílio Vaticano II. À época, o papa João XXIII "inaugurou uma nova era na história da Igreja Católica", nas palavras do eminente teólogo Hans Küng, restaurando os ensinamentos dos Evangelhos que haviam sido abandonados no século IV, quando o imperador Constantino estabeleceu o cristianismo como a religião oficial do Império, por meio disso instituindo "uma revolução" que converteu "a Igreja perseguida" em uma "Igreja perseguidora". A heresia do Concílio Vaticano II foi encampada pelos bispos latino-americanos, que adotaram a "opção preferencial pelos pobres".[17] Então, padres, freiras e leigos levaram a radical mensagem pacifista dos Evangelhos aos pobres, ajudando-os a organizar ou amenizar seu amargo destino nos domínios do poder estadunidense.

No mesmo ano, 1962, o presidente John F. Kennedy tomou diversas decisões cruciais. Uma delas foi alterar a missão dos militares da América Latina de "defesa hemisférica" (um resquício anacrônico da Segunda Guerra Mundial) para "segurança interna" – na verdade, guerra contra a população doméstica –, caso ela levantasse a cabeça.[18] Charles Maechling Jr., diretor do Departamento de Estado para a Defesa Interna dos EUA e chefe do Grupo Especial de Contrainsurreição, o homem que liderou a contrainsurgência e o planejamento de defesa dos Estados Unidos de 1961 a 1966, descreve as previsíveis consequências da decisão de 1962 como uma mudança, da tolerância "à rapacidade e à crueldade das Forças Armadas latino-americanas" para a "cumplicidade direta" em seus crimes ao apoio dado pelos norte-americanos aos "métodos dos esquadrões de extermínio de Heinrich Himmler".[19] Uma iniciativa de grande envergadura foi um golpe militar no Brasil, respaldado por Washington e implementado pouco depois do assassinato de Kennedy, que instituiu um homicida e brutal Estado de Segurança Nacional. A seguir, a praga da repressão espalhou-se pelo hemisfério, incluindo o golpe de 1973 que instalou a ditadura de Pinochet no Chile e, mais tarde, a mais perversa de todas elas, a ditadura argentina – o regime latino-americano favorito de Ronald Reagan. A vez da América Central – e não pela primeira vez – veio na década de 1980, sob a liderança do "afetuoso e simpático amigo" dos pesquisadores do Hoover Institution, e que agora é reverenciado por seus feitos.

O assassinato dos intelectuais jesuítas enquanto desabava o muro de Berlim foi um golpe derradeiro para derrotar a heresia da teologia da libertação, a culminação de uma década de horror em El Salvador que teve início com o homicídio, pelas mesmas mãos, do arcebispo dom Óscar Romero, "a voz dos sem voz". Os vitoriosos na guerra contra a Igreja declararam com orgulho sua responsabilidade. A Escola das Américas (em 2001 renomeada como Instituto de Cooperação e Segurança do Hemisfério Ocidental, Western Hemisphere Institute for Security Cooperation – WHINSEC, na sigla em inglês), academia militar famosa por treinar assassinos latino-americanos, anunciou como um de seus "pontos de discussão" que a teologia da libertação iniciada no Concílio Vaticano II foi "derrotada com a assistência do Exército dos EUA".[20]

A bem da verdade, os assassinatos de novembro de 1989 foram *quase* um golpe final; era necessário um empenho maior ainda. Um ano depois, o Haiti realizou sua primeira eleição livre, e para surpresa e perplexidade de Washington – que havia previsto uma vitória fácil para seu próprio candidato, escolhido a dedo junto à elite privilegiada – o povo organizado nas favelas e colinas elegeu Jean-Bertrand Aristide, um padre progressista e popular, adepto da teologia da libertação. Mais uma vez os EUA agiram para sabotar o governo eleito: depois de um golpe militar que derrubou Aristide meses após assumir a presidência, os norte-americanos forneceram substancial apoio à crudelíssima junta militar e seus sequazes da elite que usurparam o poder. O comércio com o Haiti ganhou fôlego, numa violação de sanções internacionais, e aumentou mais ainda sob o presidente Clinton, que, contrariando suas próprias diretivas, autorizou a petrolífera Texaco a abastecer os governantes assassinos.[21] Omitirei os vergonhosos desdobramentos e consequências, já amplamente analisados em outro momento, exceto para apontar que, em 2004, os dois tradicionais torturadores do Haiti, da França e dos Estados Unidos, com a participação do Canadá, intervieram mais uma vez, sequestraram o presidente Aristide (que havia sido eleito novamente) e o despacharam para a África Central. Aristide e seu partido foram excluídos das farsescas eleições de 2010-2011, o mais recente episódio de uma horrenda história que remonta a centenas de anos e é praticamente desconhecida pelos próprios responsáveis pelos crimes, que preferem histórias sobre os dedicados esforços para salvar o sofrido povo de seu destino funesto.

Outra fatídica decisão de Kennedy em 1962 foi enviar à Colômbia uma missão das Forças Especiais comandada pelo general William Yarborough. Yarborough aconselhou as forças de segurança colombianas a empreender "atividades paramilitares, de sabotagem e/ou terroristas contra conhecidos partidários do comunismo", atividades que "seriam patrocinadas pelos Estados Unidos".[22] O significado da expressão "partidários do comunismo" foi dito com todas as letras pelo respeitado presidente da Comissão Colombiana Permanente para os Direitos Humanos, o ex-ministro das Relações Exteriores Alfred Vázquez Carrizosa, que escreveu que a administração Kennedy "não mediu esforços para transformar nossos exércitos regulares em brigadas contrainsurgentes, aceitando a nova estratégia dos esquadrões da morte", inaugurando

> o que é conhecido na América Latina como a Doutrina de Segurança Nacional [...] [não] a defesa contra um inimigo externo, mas uma maneira de fazer do *establishment* militar os senhores do jogo [...] [com] o direito a combater o inimigo interno, conforme estipulado na doutrina brasileira, na doutrina argentina, na doutrina uruguaia e na doutrina colombiana: o direito de combater e exterminar trabalhadores sociais, sindicalistas, homens e mulheres que não dão apoio ao *establishment* e que supostamente são comunistas extremistas. E isso pode significar qualquer um, inclusive ativistas dos direitos humanos como eu mesmo.[23]

Vázquez Carrizosa estava vivendo sob forte proteção de guardas em sua residência em Bogotá quando o visitei em 2002 como parte de uma missão da Anistia Internacional, que então começava uma campanha de um ano de duração com o intuito de proteger os defensores dos direitos humanos na Colômbia em resposta ao atroz histórico do país de ataques contra os direitos humanos, aos ativistas trabalhistas e, acima de tudo, às vítimas mais habituais do terrorismo de Estado: os pobres e indefesos.[24] O terror e a tortura na Colômbia foram complementados pela guerra química ("fumigação") nas regiões rurais, sob o pretexto de guerra contra as drogas, o que resultou em penúria e maciça fuga dos sobreviventes para favelas e cortiços urbanos. Hoje, o gabinete do procurador-geral da Colômbia estima que mais de 140 mil pessoas foram mortas por paramilitares, invariavelmente agindo em estreita colaboração com os militares financiados pelos EUA.[25]

Sinais do massacre estão por toda parte. Em 2010, numa estradinha de terra quase intransitável que levava a um remoto vilarejo no sul da Colômbia, meus companheiros e eu passamos por uma pequena clareira com muitas cruzes simples marcando as sepulturas das vítimas de um ataque paramilitar a um ônibus local. Os relatos sobre os assassinatos são bastante escabrosos; passar algum tempo com os sobreviventes, que estão entre as pessoas mais generosas e compassivas que já tive o privilégio de conhecer, torna o cenário mais vívido e ainda mais doloroso.

Esse é somente o mais breve esboço dos terríveis crimes pelos quais os norte-americanos têm uma substancial parcela de culpa, e de uma situação que nós poderíamos, no mínimo, ter facilmente ajudado a tornar mais suportável. Porém, é mais gratificante nos deleitarmos em elogios por conta de corajosos protestos contra os abusos dos inimigos oficiais: uma atividade admirável, mas não a prioridade de um intelectual orientado por valores que assume seriamente a responsabilidade dessa opinião.

As vítimas em nossos domínios de poder, ao contrário daquelas em Estados inimigos, não são meramente ignoradas e rapidamente esquecidas, mas são também insultadas de modo cínico. Uma ilustração impressionante desse fato se deu poucas semanas após o assassinato dos intelectuais latino-americanos em El Salvador, quando Václav Havel visitou Washington e discursou numa sessão conjunta do Congresso. Diante de uma plateia fascinada, Havel louvou os "defensores da liberdade" em Washington, que "compreendiam a responsabilidade que emanava de" ser "a mais poderosa nação da Terra" – essencialmente, sua responsabilidade pela brutal execução, pouco antes, dos pares salvadorenhos de Havel. A classe intelectual esquerdista ficou encantada pela apresentação de Havel, que nos lembrou de que "vivemos numa era romântica", derramou-se Anthony Lewis de forma efusiva no jornal *The New York Times*.[26] Outros conceituados comentaristas de esquerda deleitaram-se com o "idealismo, a ironia e a humanidade" de Havel, que "pregou uma difícil doutrina de responsabilidade individual", ao passo que o Congresso "obviamente doeu-se de respeito" pelo gênio e pela integridade de Havel[27] e perguntou por que faltam nos Estados Unidos intelectuais que "elevem a moralidade acima do interesse próprio", à maneira de Havel. Não precisamos nos demorar em conjecturas sobre qual seria a reação houvesse o padre Ignacio Ellacuría, o mais notável dos intelectuais jesuítas assassinados, proferido tais palavras na Duma depois que tropas de elite armadas e treinadas pela União Soviética tivessem executado Havel e meia dúzia de companheiros – uma performance que, é óbvio, teria sido inconcebível.

Uma vez que mal somos capazes de enxergar o que se passa diante de nossos olhos, não surpreende que eventos a uma distância mínima sejam completamente invisíveis. Um exemplo instrutivo: o envio de 79 soldados de uma força de elite ao Paquistão em maio de 2011 para executar o que foi evidentemente o assassinato premeditado do principal suspeito das atrocidades terroristas de 11 de Setembro, Osama bin Laden.[28] Embora o alvo da operação, desarmado e sem nenhuma proteção, pudesse ter sido detido e capturado vivo com facilidade, ele foi sumariamente executado, e seu corpo atirado ao mar, sem autópsia – uma "ação justa e necessária", lemos na imprensa de esquerda.[29] Não haveria julgamento, como ocorreu no caso dos criminosos de guerra nazistas – fato que não foi ignorado pelas autoridades legais no exterior, que aprovaram a operação, mas apresentaram objeções ao procedimento. Conforme nos lembra a professora de Harvard Elaine Scarry, a proibição do assassinato nas normas elementares do direito internacional remonta a uma veemente denúncia contra a prática feita por Abraham Lincoln, que em 1863 condenou a mobilização para o assassínio como "banditismo internacional", uma "abominável atrocidade" que as "nações civilizadas" veem com "horror" e que merece "a mais severa retaliação".[30] Avançamos muito desde então.

Há muito mais coisas a dizer com relação à operação militar para matar Bin Laden, incluindo a disposição de Washington de enfrentar o sério risco de uma guerra de grandes proporções e até mesmo o vazamento de materiais nucleares para jihadistas, conforme já discuti em outros textos. Mas por ora atentemos para a nomenclatura: Operação Gerônimo. O nome causou furor no México e suscitou protestos de grupos de nativos nos Estados Unidos, mas de resto ninguém parece ter notado que Obama estava identificando Bin Laden com o chefe apache que encabeçou a corajosa resistência de seu povo contra os invasores de suas terras. A escolha fortuita do nome da incursão é um lembrete do desembaraço com que batizamos com os nomes das vítimas dos nossos crimes as nossas armas nucleares: Apache, Blackhawk [Falcão negro], Cheyenne. Como reagiríamos se a Luftwaffe desse a seus caças de combate nomes como "Judeu" e "Cigano"?

A negação desses "pecados hediondos" é por vezes explícita. Para citar alguns casos recentes, apenas dois anos atrás, num dos mais importantes periódicos da esquerda liberal, *The New York Review of Books*, Russell Baker resumiu o que havia aprendido na obra do "heroico historiador" Edmund Morgan: quando Colombo e os primeiros exploradores chegaram, "encontraram uma vastidão continental esparsamente povoada por pessoas que viviam da coleta e da caça [...] No mundo ilimitado e intocado que se estendia da selva tropical ao norte congelado, talvez houvesse pouco mais de 1 milhão de habitantes".[31] O cálculo está equivocado e apresenta uma defasagem de muitas dezenas de milhões, e a "vastidão" incluía avançadas civilizações de uma ponta à outra do continente. Não houve reação alguma ao texto, embora quatro meses depois os editores tenham publicado uma correção, apontando que na América do Norte talvez tivessem chegado à época a 18 milhões de habitantes – ainda assim ficaram sem menção outras dezenas de milhões mais que viviam "da selva tropical ao norte congelado". Tudo isso já era fato amplamente conhecido décadas atrás – incluindo as avançadas civilizações e os crimes vindouros –, mas não foi suficientemente importante para merecer sequer uma frase de passagem no livro. Um ano depois, na revista *The London Review of Books*, o eminente historiador Mark Mazower mencionou "os maus-tratos aos nativos norte-americanos", mais uma vez sem suscitar comentários.[32] Aceitaríamos a palavra "maus-tratos" aplicada a crimes comparáveis cometidos por nossos inimigos?

O significado do 11 de Setembro

Se a responsabilidade dos intelectuais se refere à sua responsabilidade moral como seres humanos decentes numa posição para usar seu privilégio e status a fim de dar impulso às causas de liberdade, justiça, misericórdia e paz – e para falar abertamente não apenas acerca dos abusos dos nossos inimigos, mas, de maneira muito mais significativa, dos crimes em que nós mesmos estamos envolvidos e os quais poderíamos aplacar e extinguir se assim escolhêssemos –, como deveríamos pensar no 11 de Setembro?

A noção de que o 11 de Setembro "mudou o mundo" é amplamente aceita e difundida, o que é compreensível. Os eventos daquele dia tiveram consequências de grande envergadura, nacional e internacionalmente. Uma delas foi levar o presidente Bush a declarar novamente a guerra de Reagan contra o terrorismo – a primeira guerra ao terror havia efetivamente "desaparecido", para tomar de empréstimo a expressão dos nossos assassinos e torturadores latino-americanos favoritos, provavelmente porque seus resultados não combinavam muito bem com a nossa autoimagem preferida. Outra consequência foi a invasão do Afeganistão, depois a invasão do Iraque e as intervenções militares mais recentes em diversos outros países na região, bem como ameaças regulares de ataques ao Irã ("todas as opções estão em aberto", na frase-padrão). Os custos, em todas as dimensões, têm sido enormes. Isso sugere uma pergunta bastante óbvia, e que não é formulada aqui pela primeira vez: havia uma alternativa?

Inúmeros analistas observaram que Bin Laden obteve enormes êxitos em sua guerra contra os Estados Unidos. "Ele afirmou repetidamente que a única maneira de expulsar os EUA do mundo islâmico e derrotar seus sátrapas era arrastar os norte-americanos para uma série de pequenas mas dispendiosas guerras que, ao fim e ao cabo, os arruinaria e os levaria à bancarrota", escreve o jornalista Eric Margolis. "Os Estados Unidos, primeiro sob George W. Bush e depois Barack Obama, precipitaram-se diretamente na armadilha de Bin Laden [...] Orçamentos e gastos militares grotescamente inchados e o vício compulsivo em dívidas [...] talvez sejam o mais pernicioso legado do homem que julgou ser capaz de derrotar os Estados Unidos."[33] Um relatório do projeto *Custos de guerra do Instituto Watson para estudos internacionais e públicos da Universidade Brown* estima que a conta final será de 3,2 a 4 trilhões de dólares.[34] Um feito impressionante de Bin Laden.

Que Washington tinha toda a resoluta intenção de cair na armadilha de Bin Laden logo ficou evidente. Michael Scheuer, o analista sênior da CIA responsável por perseguir e rastrear os passos de Bin Laden de 1996 a 1999, escreveu que "Bin Laden, com precisão cirúrgica, mostrou aos Estados Unidos as razões pelas quais está desencadeando sua guerra contra nós". O líder da al-Qaeda, continuou Scheuer, estava "determinado a alterar de forma drástica as políticas dos EUA e do Ocidente em relação ao mundo islâmico".

E, conforme explica Scheuer, Bin Laden foi muito bem-sucedido. "As forças e as políticas dos EUA estão completando a radicalização do mundo islâmico, algo que Osama bin Laden vem tentando fazer com sucesso substancial, porém incompleto, desde o início dos anos 1990. O resultado, parece-me justo concluir, é que os Estados Unidos da América continuam a ser o único aliado indispensável de Bin Laden".[35] E possivelmente continuam a sê-lo, mesmo após a morte do líder da Al-Qaeda.

Existem bons motivos para acreditar que o movimento jihadista pudesse ter sido dividido e minado após o 11 de Setembro, que recebeu severas críticas dentro do próprio movimento. Além disso, o "crime contra a humanidade", como foi corretamente rotulado, poderia ter sido tratado como um crime, com uma operação internacional para capturar os presumíveis suspeitos. Essa ideia foi aceita logo após o ataque, mas a sua execução nem sequer foi cogitada pelos tomadores de decisões em Washington. Parece que não se levou a sério a oferta provisória feita pelo Talibã – ainda que não tenhamos como avaliar o grau de seriedade dessa oferta – de apresentar os líderes da al-Qaeda para que fossem submetidos a um processo judicial.

À época, citei a conclusão de Robert Fisk de que o horrendo crime de 11 de Setembro foi cometido com "maldade e crueldade impressionantes" – um juízo exato. Os crimes poderiam ter sido ainda piores: suponhamos, por exemplo, que o voo 93, derrubado por corajosos passageiros na Pensilvânia, tivesse ido tão longe a ponto de atingir a Casa Branca, matando o presidente? Suponhamos que os criminosos planejassem e lograssem impor uma ditadura militar que matasse milhares e torturasse dezenas de milhares. Suponhamos que a nova ditadura estabelecesse, com o apoio dos criminosos, um centro de terror internacional que ajudasse a instalar em outros países regimes de tortura e terror similares e, a cereja do bolo, trouxesse uma equipe de economistas – vamos chamá-los de "os meninos de Kandahar" – que rapidamente conduzisse a economia a uma das piores depressões de sua história. Claramente, isso teria sido muito pior do que o 11 de Setembro.

Como todos deveríamos saber, nada disso é um experimento mental ou mera especulação. Aconteceu. Refiro-me, naturalmente, àquilo que na América Latina é muitas vezes chamado de "o primeiro 11 de Setembro": o dia 11 de setembro de 1973, quando os Estados Unidos tiveram êxito em seus esforços para derrubar o governo democrático de Salvador Allende no Chile com um golpe militar que levou ao poder o terrível regime do general Augusto Pinochet. A seguir, a ditadura instalou seus meninos de Chicago – economistas formados na Universidade de Chicago – para remodelar a economia do país. Pense na destruição econômica, na tortura e nos sequestros, e multiplique por 25 os números de mortos para produzir equivalentes *per capita*, e você simplesmente verá como foi muito mais devastador o primeiro 11 de Setembro.

O objetivo do golpe, nas palavras da administração Nixon, era matar o "vírus" que poderia encorajar todos esses "estrangeiros [que] estão a fim de foder com a gente" – foder com a gente era tentar assumir o controle de seus próprios recursos e, em termos mais gerais, aplicar uma política de desenvolvimento independente, numa diretriz que causava repulsa em Washington. Em segundo plano, apoiando a decisão do golpe, estava a conclusão do Conselho de Segurança Nacional (National Security Council – NSC, na sigla em inglês) de Nixon de que, se os EUA não eram capazes de controlar a América Latina, não se podia esperar que conseguissem "realizar a sua ordem auspiciosa em qualquer outro lugar no mundo". A "credibilidade" de Washington seria solapada, na definição de Henry Kissinger.

O primeiro 11 de Setembro, ao contrário do segundo, não mudou o mundo. Não foi "nada de grandes consequências", conforme assegurou Kissinger ao seu chefe poucos dias depois. A julgar como esse evento figura na história convencional, é difícil apontar alguma imprecisão nas palavras de Kissinger, embora os sobreviventes talvez pensem de forma diferente.

Esses eventos de poucas consequências não se limitaram ao golpe militar que destruiu a democracia chilena e pôs em movimento a história de horror que se seguiu. Como já discutido, o primeiro 11 de Setembro foi apenas um ato de um drama que teve início em 1962, quando Kennedy alterou a missão das Forças Armadas da América Latina para "segurança interna". Os sinistros resultados também são de pouca importância, o padrão familiar quando a história é guardada e protegida por intelectuais responsáveis.

Intelectuais e suas escolhas

Retornando às duas categorias de intelectuais, parece estar perto de um histórico universal que intelectuais conformistas, os que apoiam os objetivos oficiais e ignoram ou justificam crimes oficiais, sejam respeitados e privilegiados em suas próprias sociedades, ao passo que os intelectuais orientados por valores são punidos de uma forma ou de outra. O padrão remonta aos mais antigos registros existentes. Foi o homem acusado de corromper os jovens de Atenas com sua filosofia quem bebeu cicuta, assim como os dreyfusianos foram acusados de "corromper almas e, no devido tempo, a sociedade como um todo", e sobre os intelectuais orientados por valores da década de 1960 recaiu a pecha de interferência e "doutrinação dos jovens".[36] Nas escrituras hebraicas há inúmeras figuras que nos padrões modernos são intelectuais dissidentes, chamados *"prophets"* (profetas) na tradução para a língua inglesa. Eles enfureceram violentamente o *establishment* com suas críticas análises geopolíticas, suas condenações dos crimes dos poderosos, suas reivindicações de justiça e sua preocupação com os pobres e sofridos. O rei Acabe, o mais malvado dos reis, acusou o profeta Elias de ser um execrador de Israel, o primeiro "judeu que se odeia" ou "antiamericano" nos congêneres modernos. Os profetas eram tratados com severidade, ao contrário dos bajuladores da corte, que mais tarde seriam condenados como falsos profetas. O padrão é compreensível. Seria surpreendente se fosse de outra forma.

Quanto à responsabilidade dos intelectuais, a meu ver não parece haver muito a dizer além de algumas verdades simples: os intelectuais são geralmente privilegiados; o privilégio enseja oportunidades, e a oportunidade confere reponsabilidades. Um indivíduo tem, então, escolhas.

CAPÍTULO 2

Terroristas procurados no mundo inteiro

Em 13 de fevereiro de 2008, Imad Mughniyeh (ou Mughniyah), veterano comandante do Hezbollah, foi assassinado em Damasco. "O mundo é um lugar melhor sem esse homem", declarou o porta-voz do Departamento de Estado dos EUA, Sean McCormack, que acrescentou: "De uma forma ou de outra foi feita justiça com ele".[1] Mike McConnell, o diretor da Inteligência Nacional norte-americana, afirmou que Mughniyeh era o terrorista "responsável pelo maior número de mortes de norte-americanos e israelenses depois de Osama bin Laden".[2]

A notícia também foi recebida com alegria incontida em Israel, uma vez que a justiça havia sido feita com "um dos homens mais procurados pelos EUA e por Israel", informou o jornal londrino *Financial Times*.[3] Sob a manchete "Um militante procurado no mundo inteiro", a matéria que se seguia relatava que, depois do 11 de Setembro, Mughniyeh foi "suplantado por Osama bin Laden na lista dos mais procurados" e, tendo perdido a liderança, figurava em segundo lugar entre "os militantes mais procurados do mundo".[4]

A terminologia é suficientemente precisa, de acordo com as regras do discurso anglo-americano, que define como "mundo" a classe política de Washington e de Londres (e todos aqueles que porventura concordem com eles em questões específicas). É comum e frequente, por exemplo, ler que "o mundo" todo apoiou plenamente George Bush quando o então presidente norte-americano ordenou o bombardeio do Afeganistão. Isso podia até ser verdade para "o mundo", mas certamente não era para o mundo, conforme revelou uma pesquisa de opinião internacional realizada pela agência Gallup logo após o anúncio do bombardeio. O apoio mundial foi mínimo. Na América Latina, que tem alguma experiência no que diz respeito à conduta dos EUA, a porcentagem de aceitação variou de 2% no México a 16% no Panamá, e esse apoio estava condicionado à identificação dos suspeitos (cuja identidade, oito meses depois, ainda não havia sido confirmada, informou o FBI), e a que os alvos civis fossem poupados das bombas (longe de estarem a salvo, foram atacados de imediato).[5] O mundo demonstrou uma acachapante preferência por medidas diplomático-jurídicas, que "o mundo" descartou sem demora e completamente.

No rastro do terror

Se "o mundo" fosse alargado de modo a abarcar todo o mundo, poderíamos encontrar outros candidatos dignos da honra de ocupar o posto de arqui-inimigo mais odiado. É instrutivo perguntar por quê.

O *Financial Times* noticiou que a maior parte das acusações contra Mughniyeh não estava provada, mas "uma das pouquíssimas vezes em que é possível determinar com certeza sua participação [é no] sequestro do avião da TWA em 1985, quando um mergulhador da Marinha norte-americana foi assassinado".[6] Essa foi uma das duas atrocidades terroristas que levou os editores de jornais a escolher, por votação, o terrorismo no Oriente Médio como a matéria mais importante de 1985; a outra foi o sequestro do navio de passageiros italiano *Achille Lauro*, em que um passageiro norte-americano – Leon Klinghoffer, deficiente físico que se locomovia em cadeira de rodas – foi brutalmente assassinado.[7] Isso reflete o julgamento do "mundo". Talvez o mundo visse as coisas sob uma ótica um tanto diferente.

O sequestro do transatlântico *Achille Lauro* foi uma represália pelos bombardeios a Túnis, na Tunísia, que ocorreram uma semana antes por ordens do primeiro-ministro israelense Shimon Peres. Entre outras atrocidades, sua força aérea matou 75 tunisianos e palestinos com bombas inteligentes que deixaram as vítimas em pedaços, de acordo com o vívido relato do notável jornalista israelense Amnon Kapeliouk, que testemunhou de perto a cena.[8] Washington colaborou ao deixar de advertir o governo tunisiano, seu aliado, de que os bombardeiros estavam a caminho, embora fosse impossível que a Sexta Frota e a inteligência norte-americana não soubessem de antemão do ataque iminente. O secretário de Estado, George Shultz, comunicou ao ministro de Assuntos Exteriores israelense, Yitzhak Shamir, que em Washington "a ação israelense foi recebida com considerável simpatia", ação que ele qualificou – com o aplauso geral – como "uma resposta legítima" a "ataques terroristas".[9] Poucos dias depois, o Conselho de Segurança da ONU condenou abertamente e de forma unânime os bombardeios como um "ato de agressão armada" (os EUA abstiveram-se).[10] Obviamente, "agressão" é um crime muito mais grave que terrorismo internacional. Porém, concedendo aos EUA e a Israel o benefício da dúvida, deixemos que pese sobre os seus líderes apenas a acusação menos grave.

Poucos dias antes, Peres foi a Washington para trocar ideias e aconselhar-se com o principal terrorista internacional de seu tempo, Ronald Reagan, que denunciou "o terrível flagelo do terrorismo", novamente com a aclamação geral do "mundo".[11]

Os "ataques terroristas" que Shultz e Peres alegaram como pretexto para bombardear a capital da Tunísia foram os assassinatos de três israelenses em Larnaca, Chipre. Os assassinos, conforme Israel admitiu, não tinham nenhuma relação com Túnis, mas talvez tivessem conexões com a Síria.[12] No entanto, a Tunísia era um alvo preferível; ao contrário de Damasco, era indefesa. E propiciava um benefício adicional: lá poderiam ser assassinados mais palestinos exilados.

Os assassinatos de Larnaca, por sua vez, foram considerados por seus autores uma represália, uma resposta aos constantes sequestros israelenses em águas internacionais, nos quais muitas vítimas acabavam sendo mortas – e muitas outras detidas e encarceradas, normalmente retidas sem acusações por longos períodos em prisões israelenses. A mais famosa foi a prisão secreta/câmara de tortura Presídio 1391. Pode-se ler um bocado de coisas a respeito disso na imprensa israelense e estrangeira.[13] Crimes desse tipo, praticados de forma sistemática por Israel, são conhecidos por jornalistas e editores da imprensa nacional nos EUA, e vez por outra recebem alguma menção casual.

O assassinato de Klinghoffer foi reconhecido com horror, além de ter se tornado muito célebre. Transformou-se no tema de uma ópera aclamada e em roteiro de um telefilme, bem como suscitou uma onda de comentários perplexos deplorando a selvageria dos palestinos, que receberam vários epítetos: "bestas-feras bicéfalas" (segundo o primeiro-ministro Menachem Begin), "baratas drogadas debatendo-se dentro de uma garrafa" (para o chefe do Estado-maior das Forças de Defesa israelenses, Raful Eitan), "como grilos, se comparados a nós", criaturas cujas cabeças deveriam ser "esmagadas contra pedregulhos e paredes" (opinião do primeiro-ministro Yitzhak Shamir) – ou simplesmente chamados de *araboushim*, a gíria equivalente aos nossos "judeuzinho de merda", "negão", "macaco" ou "crioulo".[14]

Assim, depois de uma exibição particularmente depravada de terror militar-colonizador e de uma propositada humilhação na cidade de Halhul, na Cisjordânia, em dezembro de 1982, que enojou até mesmo os falcões israelenses, o conhecido analista militar e político Yoram Peri escreveu, desalentado, que "hoje uma das tarefas do nosso Exército [é] demolir os direitos de pessoas inocentes simplesmente porque são *araboushim* que vivem em territórios que Deus prometeu a nós", uma tarefa que se tornou bem mais urgente e que vem sendo realizada com brutalidade cada vez maior desde que os *araboushim* começaram a "levantar a cabeça" alguns anos atrás.[15]

Podemos avaliar facilmente a sinceridade dos sentimentos expressos acerca do assassinato de Klinghoffer. Basta investigar a reação diante de crimes comparáveis cometidos por israelenses e respaldados pelos EUA. Vejamos o assassinato de dois inválidos palestinos, Kemal Zughayer e Jamal Rashid, em abril de 2002, por soldados israelenses numa violenta incursão ao campo de refugiados de Jenin, na Cisjordânia. Jornalistas britânicos encontraram o corpo esmagado de Zughayer e os restos de sua cadeira de rodas junto aos restos da bandeira branca que ele segurava no momento em que foi fuzilado enquanto tentava fugir dos tanques israelenses que depois avançaram por cima dele, partindo seu rosto em dois pedaços e amputando braços e pernas.[16] Jamal Rashid foi esmagado em sua cadeira de rodas quando uma das enormes escavadeiras de terraplenagem Caterpillar fornecidas pelos EUA derrubou sua casa em Jenin, com toda a família dentro.[17] A reação diferencial, ou melhor dizendo, a não reação ou a absoluta falta de reação, tornou-se tão rotineira e é tão fácil de explicar que não são necessários maiores comentários.

Carro-bomba e "aldeões terroristas"

O bombardeio de Túnis em 1985 foi um crime terrorista infinitamente mais grave que o sequestro do *Achille Lauro* ou o crime, ocorrido no mesmo ano, em que era possível "determinar com certeza a participação" de Mughniyeh.[18] Mesmo o bombardeio na capital tunisiana tem concorrentes na disputa do grande prêmio de pior atrocidade terrorista no Oriente Médio cometido nesse singular "ano de pico" que foi 1985.

Um dos atos cruentos que competem pelo prêmio foi o carro-bomba posicionado defronte a uma mesquita em Beirute e programado para explodir quando os devotos saíam depois de suas orações de sexta-feira. A detonação matou oitenta pessoas e feriu outras duzentos e cinquenta e seis.[19] Na maioria, as vítimas eram meninas e mulheres que saíam da mesquita, embora a ferocidade da explosão tenha "carbonizado bebês em seus berços", "matado uma noiva que estava comprando seu enxoval" e "feito voar pelos ares três crianças que voltavam a pé da mesquita para casa". A bomba também "devastou a rua principal do populoso subúrbio" do oeste de Beirute, informou três anos depois Nora Boustany no *The Washington Post*.[20]

O alvo pretendido era um clérigo xiita, o xeque Mohammad Hussein Fadlallah, que escapou com vida. O atentado foi levado a cabo pela CIA de Reagan e seus aliados sauditas, com ajuda britânica, e autorizado especificamente pelo diretor da CIA, William

Casey, de acordo com o relato do jornalista do *Washington Post*, Bob Woodward, em seu livro *Veil: as guerras secretas da CIA, 1981-1987* (Rio de Janeiro. Editora Best Seller, 1987). Pouco se sabe além dos meros fatos, graças à rigorosa e leal obediência à doutrina segundo a qual não devemos investigar nossos próprios crimes (a menos que se tornem por demais notórios para serem abafados e a investigação possa ser limitada a algumas poucas "maçãs podres" subalternas que, naturalmente, estavam agindo "de forma descontrolada").

Um terceiro candidato ao prêmio do terrorismo no Oriente Médio de 1985 foram as operações Punho de Ferro ("Iron Fist") do primeiro-ministro Peres nos territórios do sudeste do Líbano, então ocupados por Israel, numa violação das ordens do Conselho de Segurança da ONU. Os alvos eram o que o alto comando israelense chamava de "aldeões terroristas".[21] Neste caso, Peres foi de mal a pior, e seus crimes descambaram para novos e ainda mais baixos níveis de "brutalidade calculada" e "assassinato arbitrário", segundo palavras de um diplomata ocidental familiarizado com o tema, avaliação posteriormente corroborada pela cobertura jornalística direta dos fatos.[22] Entretanto, como nada disso interessa ao "mundo", os crimes permanecem sem ser investigados, de acordo com as costumeiras convenções. Poderíamos muito bem perguntar se esses crimes se enquadram na categoria de terrorismo internacional ou na categoria, bem mais grave, de crime de agressão; porém, uma vez mais, vamos conceder o benefício da dúvida a Israel e seus sequazes de Washington, e ficar com a acusação menos grave.

Esses são apenas alguns dos incidentes que talvez possam passar pela cabeça das pessoas de qualquer outro lugar do mundo quando ponderam sobre "uma das pouquíssimas vezes" em que foi possível determinar o claro envolvimento de Imad Mughniyeh em um crime terrorista.

Os Estados Unidos também acusam Mughniyeh de ter sido responsável por um duplo e devastador ataque suicida com caminhões-bomba contra o quartel ocupado por fuzileiros navais norte-americanos e paraquedistas franceses no Líbano, em 1983, resultando na morte de 241 *marines* e 58 paraquedistas, bem como pelo ataque anterior contra a embaixada dos EUA em Beirute, que matou 63 pessoas e foi um golpe particularmente grave, porque na ocasião lá estava sendo realizada uma reunião de funcionários da CIA.[23] O *Financial Times*, porém, atribuiu à Jihad Islâmica e não ao Hezbollah o ataque contra os aquartelamentos dos fuzileiros.[24] Fawaz Gerges, um dos mais destacados acadêmicos no estudo dos movimentos jihadistas e do Líbano, escreveu que a responsabilidade foi assumida por um "grupo desconhecido denominado Jihad Islâmica".[25] Uma voz falando em árabe clássico exigia que todos os norte-americanos deixassem o Líbano, caso contrário enfrentariam a morte. Alegou-se que Mughniyeh era o cabeça da Jihad Islâmica à época, mas, até onde sei, as provas são escassas.

Ninguém averiguou a opinião mundial sobre o assunto, mas é possível que talvez houvesse alguma hesitação em chamar de "ataque terrorista" uma investida contra uma base militar num país estrangeiro, especialmente quando as forças estadunidenses e francesas estavam empreendendo pesados bombardeios navais e raides aéreos no Líbano, e pouco depois os EUA forneceram apoio decisivo à invasão israelense do Líbano em 1982, que matou cerca de 20 mil pessoas e devastou a porção sul do país, deixando grande parte de Beirute em ruínas. A invasão foi por fim suspensa pelo presidente Reagan quando os protestos internacionais tornaram-se intensos demais para ser ignorados após os massacres de Sabra e Chatila.[26]

Nos Estados Unidos, a invasão israelense do Líbano é geralmente descrita como uma reação aos ataques terroristas levados a cabo pela Organização para a Libertação da Palestina (OLP) no norte de Israel, a partir de suas bases libanesas, explicação que torna compreensível nossa decisiva contribuição a esses graves crimes de guerra. No mundo real, a área da fronteira libanesa tinha estado sossegada durante um ano, exceto pelos repetidos ataques israelenses, muitos deles sangrentos, num esforço para suscitar alguma resposta da OLP que pudesse ser usada como pretexto para a invasão que já estava planejada. À época, comentaristas e líderes israelenses não ocultaram o verdadeiro propósito da invasão: salvaguardar o domínio israelense na zona ocupada da Cisjordânia. Tem algum interesse o fato de que o único erro grave do livro de Jimmy Carter, *Palestine: peace not apartheid* (*Palestina: paz, sim. Apartheid, não*, em tradução livre), seja a repetição desse coquetel propagandístico segundo o qual os ataques da OLP partindo do Líbano foram o motivo da invasão em grande escala promovida por Israel.[27] O livro recebeu uma saraivada de ataques ácidos, e foram feitos esforços desesperados para encontrar alguma frase que pudesse ser mal interpretada, mas esse erro gritante – o único – foi ignorado. O que é sensato e aceitável, já que satisfaz o critério de aderir a úteis falsificações doutrinárias.

Matando sem querer

Outra acusação contra Mughniyeh é de que foi o "mentor intelectual" do atentado a bomba na embaixada de Israel em Buenos Aires, que, em 17 de março de 1992, matou 29 pessoas; foi uma resposta – segundo o jornal *Financial Times* – ao "assassinato do antigo chefe do Hezbollah, Abbas al-Musawi, num ataque aéreo no sul do Líbano", por obra de Israel.[28] Com relação ao assassinato, não há necessidade de provas: Israel assumiu com orgulho o crédito da autoria. Mas o mundo poderia ter algum interesse no restante da história. Al-Musawi foi assassinado com a ajuda de um helicóptero fornecido pelos EUA bem ao norte da "zona de segurança" ilegalmente estabelecida por Israel no sul do Líbano. Estava a caminho de Sidon, vindo do vilarejo de Jibchit, onde tinha falado em um ato em memória de outro imã assassinado por tropas israelenses; o ataque do helicóptero matou também sua esposa e seu filho de 5 anos. Israel serviu-se, então, de helicópteros fornecidos pelos EUA para atacar um carro que transportava para um hospital os sobreviventes do primeiro ataque.[29]

Depois do assassinato da família, o Hezbollah "mudou as regras do jogo", informou o primeiro-ministro Yitzhak Rabin ao Knesset, o parlamento israelense.[30] Nunca antes tinham sido lançados mísseis contra Israel. Até aquele momento, as regras do jogo eram que Israel podia lançar ataques mortíferos à vontade onde bem quisesse no Líbano, e o Hezbollah responderia somente dentro do território libanês ocupado por Israel.

Após o assassinato de seu líder (e da família dele), o Hezbollah começou a reagir aos crimes de Israel no Líbano disparando mísseis contra o norte de Israel. O que é, evidentemente, terror intolerável, por isso Rabin lançou uma invasão que expulsou de seus lares meio milhão de pessoas e matou mais de cem. Os inclementes ataques israelenses chegaram até o norte do Líbano.[31]

No sul, 80% da população da cidade de Tiro fugiu, e Nabatiye foi reduzida a uma "cidade fantasma".[32] O povoado de Jibchit foi destruído em cerca de 70%, segundo um porta-voz do Exército israelense, que acrescentou que a intenção era "destruir o vilarejo por completo, por causa de sua importância para a população xiita do sul do Líbano". O objetivo geral era "apagar os vilarejos da face da Terra e semear a destruição em seu entorno", nas palavras com que um veterano oficial do Comando Norte-Israelense descreveu a operação.[33]

É possível que Jibchit tenha sido escolhido como um alvo específico porque era a terra do xeque Abdul Karim Obeid, sequestrado e levado para Israel vários anos antes. A terra natal de Obeid "recebeu o impacto direto de um míssil", relatou o jornalista britânico Robert Fisk, "embora os israelenses estivessem atirando provavelmente para alvejar sua mulher e seus três filhos". Os que não tinham conseguido escapar esconderam-se aterrorizados, "porque qualquer movimento dentro ou fora de suas casas poderia atrair a atenção de observadores da artilharia israelense, que disparavam projéteis repetida e arrasadoramente sobre alvos selecionados", escreveu Mark Nicholson no *Financial Times*. Em certos momentos, os projéteis da artilharia atingiam alguns povoados a um ritmo de mais de dez rajadas por minuto.[34]

Todas essas ações receberam o firme aval do presidente Bill Clinton, que entendeu a necessidade de instruir com severidade os *araboushim* acerca das "regras do jogo". E Rabin surgiu como outro grande herói e homem da paz, muito diferente das bestas-feras bicéfalas, gafanhotos e baratas drogadas.

Talvez o mundo possa considerar esses fatos relevantes por sua relação com a suposta responsabilidade de Mughniyeh no ato terrorista de retaliação em Buenos Aires.

Entre outras acusações está a de que Mughniyeh ajudou a preparar as defesas do Hezbollah contra a invasão israelense do Líbano em 2006, evidentemente um crime terrorista intolerável, a julgar pelos critérios do "mundo". Os apologistas mais vulgares dos crimes dos Estados Unidos e de Israel explicam solenemente que, enquanto os árabes têm o propósito de matar civis, EUA e Israel – sendo sociedades democráticas – não têm a menor intenção de fazê-lo. As mortes que norte-americanos e israelenses causam são simplesmente acidentais, e por isso seus assassinatos não podem ser comparados ao nível de depravação moral de seus adversários. Essa foi, por exemplo, a posição do Supremo Tribunal de Justiça de Israel quando autorizou uma severa punição coletiva contra o povo de Gaza, privando-o de eletricidade (e também de água, rede de esgoto e outros elementos básicos da vida civilizada).[35]

A mesma linha de defesa é recorrente no que diz respeito a alguns dos antigos pecadilhos de Washington, por exemplo o ataque a míssil que, em 1998, acarretou a destruição da fábrica farmacêutica Al-Shifa no Sudão.[36] Os mísseis Tomahawk causaram aparentemente dezenas de milhares de mortes, mas sem que houvesse qualquer intenção de tirar a vida das pessoas, portanto não foi um crime da ordem de matança intencional.

Em outras palavras, podemos distinguir três categorias de crimes: assassinato intencional, assassinato acidental e assassinato premeditado mas sem intenção específica. As atrocidades dos EUA e de Israel caem na terceira categoria. Assim, quando Israel destrói e corta completamente o fornecimento de energia elétrica em Gaza ou coloca barreiras e postos de controle para limitar a movimentação na Cisjordânia, não tem a intenção específica de assassinar as pessoas que morrem por causa da água contaminada ou em ambulâncias que não conseguem chegar aos hospitais. E quando Bill Clinton ordenou o bombardeio da fábrica Al-Shifa, era óbvio que isso resultaria em uma catástrofe humana. A entidade humanitária Human Rights Watch informou-o imediatamente, fornecendo-lhe detalhes; mas nem Clinton, nem seus assessores e consultores tinham a intenção de matar pessoas específicas entre aquelas que inevitavelmente morreriam quando a metade dos suprimentos farmacêuticos fosse destruída num país africano pobre que não teria condições de repô-los.

Ao contrário, eles e seus apologistas encararam os africanos com um sentimento muito parecido com o que encaramos as formigas que esmagamos quando caminhamos pela rua. Temos consciência (se nos dermos ao trabalho de pensar a respeito) de que é possível que isso ocorra, mas não temos a intenção de matá-las porque não são dignas sequer de tal consideração. Desnecessário dizer que ataques comparáveis cometidos por *araboushim* em áreas habitadas por seres humanos são encarados de maneira bastante diferente.

Se, por um momento, fôssemos capazes de adotar a perspectiva do mundo, talvez nos perguntássemos quem são os criminosos "procurados no mundo inteiro".

CAPÍTULO 3

Os memorandos da tortura e a amnésia histórica

Os memorandos da tortura liberados pela Casa Branca em 2008-2009 provocaram perplexidade, indignação e surpresa. O choque e a indignação são compreensíveis – particularmente os depoimentos do relatório da Comissão de Serviços Armados do Senado sobre o desespero de Dick Cheney e Donald Rumsfeld para encontrar ligações entre o Iraque e a Al-Qaeda, ligações que mais tarde foram tramadas como justificativa para a invasão. O major Charles Burney, ex-psiquiatra do Exército, declarou sob juramento que "durante uma grande parte do tempo nós estávamos concentrados em tentar estabelecer uma ligação entre a Al-Qaeda e o Iraque. Quanto mais frustradas as pessoas ficavam por não serem capazes de estabelecer essa ligação [...] mais pressão havia para recorrer a medidas que pudessem produzir resultados mais imediatos"; isto é, tortura. A McClatchy* noticiou que um ex-oficial veterano dos serviços de inteligência, familiarizado com a questão dos interrogatórios, acrescentou que "a administração Bush pressionou de forma implacável os interrogadores para que aplicassem sobre os detidos métodos duros, em parte para encontrar evidências de cooperação entre a Al-Qaeda e o regime do falecido

---

* Companhia jornalística e uma das maiores editoras de jornais dos EUA, que publica trinta jornais impressos, incluindo o *Miami Herald* e outros cinquenta títulos não diários; é dona do site noticioso mcclatchydc.com. (N. T.)

ditador iraquiano Saddam Hussein [...] [Cheney e Rumsfeld] exigiram que os interrogadores encontrassem provas da colaboração Al-Qaeda/Iraque [...] Houve constante pressão sobre as agências de inteligência e os interrogadores para fazerem o que fosse preciso a fim de arrancar essa informação dos detidos, especialmente dos poucos prisioneiros de alto valor que possuíamos, e toda vez que eles voltavam de mãos vazias eram instruídos pelo pessoal de Rumsfeld e de Cheney a ser ainda mais persistentes e usar métodos mais extremos".[1]

Essas foram as revelações mais significativas da investigação do Senado, e praticamente não foram noticiadas.

Se por um lado tal testemunho sobre a malícia e o engodo da administração devesse ser de fato chocante, a surpresa revelada perante o quadro geral é, ainda assim, surpreendente. Em primeiro lugar, mesmo sem inquérito era razoável supor que Guantánamo fosse uma câmara de tortura. Por que outra razão enviar prisioneiros para um lugar onde estariam fora do alcance da lei – um lugar, aliás, que Washington está utilizando em violação a um tratado impingido a Cuba sob a mira de uma arma? Obviamente, razões de segurança são alegadas, mas é muito difícil levá-las a sério. As mesmas expectativas mantiveram-se válidas para as prisões secretas – *black sites* [lugares negros] – e o programa de rendições extraordinárias da administração Bush, e foram cumpridas.

Fato mais importante é que a tortura tem sido uma prática rotineira desde os primeiros dias da conquista do território nacional, e que a partir de então continuou sendo executada à medida que as empreitadas imperiais do "império infante" – como George Washington chamou a nova República – se estendiam e chegavam às Filipinas, ao Haiti e a outros lugares. É preciso ter em mente que a tortura foi o menor de muitos crimes de agressão, terror, subversão e estrangulamento econômico que tornaram mais sombria a história dos Estados Unidos, tanto quanto no caso de outras grandes potências.

Dessa forma, o que surpreende é ver as reações diante da divulgação de alguns dos memorandos do Departamento de Justiça, mesmo as de alguns dos mais eloquentes e frontais críticos de malfeitos e condutas ilegais de Bush: Paul Krugman, por exemplo, escreveu que costumávamos ser "uma nação de ideais morais" e que nunca antes de Bush "os nossos líderes traíram tão completamente tudo o que a nossa nação simboliza e defende".² Para dizer o mínimo, esse ponto de vista comum reflete uma versão particularmente distorcida da história.

Vez por outra o conflito entre "o que defendemos" e "o que fazemos" é discutido e examinado de forma frontal e sem rodeios. Um distinto acadêmico que se incumbiu de empreender essa tarefa foi Hans Morgenthau, um dos fundadores da teoria realista das relações internacionais. Num clássico estudo publicado no calor do Camelot de Kennedy, Morgenthau desenvolveu a visão padrão de que os EUA têm um "propósito transcendente": estabelecer a paz e a liberdade em casa e de fato em toda parte, uma vez que "a arena dentro da qual os Estados Unidos devem defender e promover a sua finalidade tornou-se mundial". No entanto, acadêmico escrupuloso que era, Morgenthau reconheceu também que o histórico e os antecedentes do país eram drasticamente inconsistentes com o tal "propósito transcendente" dos EUA.³

Não devemos nos deixar enganar por essa discrepância, aconselhou Morgenthau; nas palavras dele, não se deve "confundir o abuso da realidade com a própria realidade em si". A realidade é o "propósito nacional" não alcançado revelado pela "evidência da história tal qual a nossa mente a reflete". O que de fato aconteceu é apenas o "abuso da realidade". Confundir abuso da realidade com realidade é análogo "ao erro do ateísmo, que nega a validade da religião por motivos similares" – uma comparação apropriada.⁴

A liberação dos memorandos da tortura levou outros a reconhecerem o problema. Nas páginas do jornal *The New York Times*, o colunista Roger Cohen resenhou um livro recém-publicado, *The myth of american exceptionalism* (O mito do excepcionalismo norte-americano, em tradução livre), do jornalista britânico Godfrey Hodgson, que concluiu que os EUA são "apenas um país ótimo, mas imperfeito, entre outros países". Cohen concordou que as evidências corroboram o julgamento de Hodgson, embora tenha considerado essencialmente equivocada a falha de Hodgson em entender que "os

Estados Unidos nasceram como uma ideia e, portanto, precisam levar adiante essa ideia". A ideia estadunidense é revelada pelo nascimento do país como uma "cidade no alto de uma montanha", uma "noção inspiradora" que reside "no âmago da psique norte-americana", e pelo "marcante espírito de individualismo e singular iniciativa norte-americanos" demonstrados na expansão para o Oeste. O erro de Hodgson, aparentemente, é que ele se limitou às "distorções da ideia estadunidense nas últimas décadas", "o abuso da realidade".[5]

Voltemo-nos, então, para a "própria realidade em si": a "ideia" de Estados Unidos da América desde os seus primórdios.

"Venham e ajudem-nos"

A inspiradora expressão "cidade no alto de uma montanha" foi cunhada por John Winthrop em 1630, que a tomou de empréstimo do Novo Testamento* para delinear o glorioso futuro de uma nova nação "ordenada por Deus". Um ano antes, a Colônia da Baía de Massachusetts – que Winthrop ajudou a fundar – havia estabelecido o seu Grande Selo, que retratava um índio com um pergaminho saindo da boca. No pergaminho estão as palavras "Venham e ajudem-nos". Os colonos britânicos eram, portanto, humanistas benevolentes, respondendo aos apelos dos miseráveis nativos para serem salvos de seu amargo destino pagão.

O Grande Selo é, a bem da verdade, uma representação gráfica da "ideia de Estados Unidos" desde o seu nascimento. Deveria ser exumado das profundezas da psique norte-americana e exibido nas paredes de todas as salas de aula. Certamente deveria figurar como

---

* Expressão da "Parábola do sal e luz" incluída no Sermão da Montanha proferido por Jesus em Mateus 5:14: "Vós sois a luz do mundo. Não se pode esconder uma cidade situada sobre uma montanha". A expressão tornou-se popular no léxico norte-americano ainda na história colonial do país, a partir do sermão "A model of christian charity" [Um modelo de caridade cristã] do puritano John Winthrop, de 1630, em que afirmava que a comunidade da futura colônia da baía de Massachusetts seria "como uma cidade sobre uma montanha", observada pelo mundo e modelo ideal de caridade, afeição e unidade comunais. O sermão deu origem à amplamente difundida crença, no folclore norte-americano, de que os Estados Unidos são "o país de Deus", porque metaforicamente é uma "cidade reluzente no alto de uma montanha", um exemplo precoce da excepcionalidade estadunidense. (N. T.)

pano de fundo de toda a adoração ao estilo Kim Il-Sung daquele assassino e torturador selvagem Ronald Reagan, que bem-aventuradamente se descreveu como o líder de uma "cidade reluzente no alto de uma montanha" enquanto orquestrava alguns dos crimes mais hediondos em seus anos na presidência, notoriamente na América Central e também em outros lugares.

O Grande Selo foi uma proclamação precoce de "intervenção humanitária", para utilizar o termo atualmente em voga. Como tem sido habitual desde então, a "intervenção humanitária" resultou em catástrofe para seus supostos beneficiários. O primeiro secretário da Guerra dos EUA, o general Henry Knox, descreveu "a extirpação total de todos os indígenas nas regiões mais populosas da União" por meios "mais destrutivos para os nativos que a conduta dos conquistadores do México e do Peru".[6]

Muito tempo depois que as suas próprias contribuições significativas para o processo ficaram no passado, John Quincy Adams lamentou o destino "dessa raça infeliz de norte-americanos nativos, que estamos exterminando com uma crueldade tão impiedosa e pérfida em meio aos hediondos pecados desta nação, os quais acredito que Deus um dia haverá de julgar".[7] A "crueldade implacável e pérfida" continuou até que "o Oeste foi conquistado". Em vez do julgamento de Deus, os tais hediondos pecados hoje rendem apenas elogios pela realização da "ideia" estadunidense.[8]

Houve, por certo, uma versão mais conveniente e convencional da narrativa, expressa, por exemplo, pelo juiz da Suprema Corte Joseph Story, que ponderou que "a sabedoria da Providência" levou os nativos a desaparecer como "as folhas murchas e secas do outono", embora os colonos os tenham "respeitado constantemente".[9]

A conquista e a colonização do Oeste demonstraram de fato "individualismo e iniciativa"; empreendimentos em que há colônias de povoamento, a mais cruel forma de imperialismo, comumente utilizada. Os resultados foram saudados pelo respeitado e influente senador Henry Cabot Lodge, em 1898. Ao exigir uma intervenção em Cuba, Lodge enalteceu o nosso histórico "de incomparáveis conquista, colonização e expansão territorial, inalcançadas por qualquer povo no século XIX", e insistiu que "não deveria ser refreado agora", uma vez que os cubanos também estavam nos pedindo, nas palavras do Grande Selo: "Venham e ajudem-nos".[10]

O pedido de Lodge foi atendido. Os Estados Unidos enviaram tropas, impedindo, assim, a libertação de Cuba da Espanha e transformando a ilha numa colônia norte-americana, situação que perdurou até 1959.

Mais adiante, a "ideia estadunidense" foi ilustrada pela extraordinária campanha, iniciada quase que imediatamente pela administração Eisenhower, para recolocar Cuba em seu devido lugar: guerra econômica (com o objetivo claramente articulado de punir a população para que derrubasse o desobediente governo Castro); invasão; dedicação dos irmãos Kennedy no sentido de levar a Cuba "os terrores da Terra" (a expressão do historiador Arthur Schlesinger Jr. em sua biografia de Robert Kennedy, que considerava a tarefa como uma de suas maiores prioridades), e outros crimes, desafiando a opinião pública mundial praticamente unânime.[11]

Volta e meia aponta-se a tomada de Cuba, Porto Rico e Havaí em 1898 como a origem do imperialismo norte-americano. Mas isso é sucumbir ao que o historiador do imperialismo Bernard Porter chama de "falácia da água salgada", a ideia de que a conquista só se torna imperialismo quando atravessa água salgada. Assim, se o rio Mississippi se assemelhasse ao mar da Irlanda, a expansão rumo ao Oeste teria sido imperialismo. De George Washington a Henry Cabot Lodge, os que estavam empenhados no empreendimento tinham uma compreensão mais clara da verdade.

Depois do sucesso da intervenção humanitária em Cuba em 1898, o passo seguinte na missão atribuída pela Providência foi conceder "as bênçãos da liberdade e da civilização a todas as pessoas salvas" das Filipinas (nas palavras da plataforma do Partido Republicano de Lodge) – pelo menos aos filipinos que sobreviveram ao ataque assassino e à prática da tortura em grande escala e outras atrocidades que acompanharam a investida.[12] Essas almas afortunadas foram deixadas à mercê da polícia filipina instalada pelos EUA conforme um modelo recém-concebido de dominação colonial, calcado em forças de segurança treinadas e equipadas para sofisticadas modalidades de vigilância, intimidação e violência.[13] Modelos similares seriam adotados em muitas outras áreas onde os EUA impuseram guardas nacionais brutais e outras forças clientes com consequências que deveriam ser bem conhecidas.

O paradigma da tortura

Ao longo dos últimos sessenta anos, vítimas em todo o mundo padeceram do "paradigma da tortura" da CIA, desenvolvido a um custo que chegou a 1 bilhão de dólares anuais, de acordo com o historiador Alfred McCoy em seu livro *A question of torture* (Uma questão de tortura, em tradução livre), em que ele mostra como os métodos de tortura que a CIA desenvolveu na década de 1950 vieram à tona, com pouca alteração, na prisão de Abu Ghraib. Não há exagero nenhum no título do penetrante estudo de Jennifer Harbury sobre o histórico de tortura dos EUA: *Truth, torture, and the american way* (Verdade, tortura e o modo de vida norte-americano, em tradução livre).[14] É altamente enganoso, para dizer o mínimo, quando os investigadores do bando de Bush descem aos esgotos globais e lamentam que, "ao empreender a guerra contra o terrorismo, os Estados Unidos se desencaminharam".[15]

Nada disso quer dizer que Bush-Cheney-Rumsfeld *et al* não tenham introduzido inovações importantes. Na costumeira prática norte-americana, a tortura foi em larga medida terceirizada, entregue a subsidiárias e não realizada diretamente por norte-americanos nas câmaras de tortura instaladas por seu próprio governo. Allan Nairn, que empreendeu algumas das investigações mais reveladoras e corajosas sobre a tortura, aponta: "O que [a proibição da tortura determinada por] Obama ostensivamente exclui é aquela pequena porcentagem de tortura agora feita por norte-americanos, enquanto mantém a maior parte da devastadora tortura sistêmica, que é levada a cabo por estrangeiros sob patrocínio dos EUA. Obama poderia ter deixado de apoiar as forças estrangeiras que torturam, mas optou por não fazê-lo".[16]

Obama não interrompeu a prática da tortura, observa Nairn, mas "meramente a reposicionou", restaurando-a à norma estadunidense, uma questão de indiferença com relação às vítimas. Desde o Vietnã, "os EUA viram a sua tortura sendo feita para si por procuração – pagando, armando, treinando e instruindo estrangeiros, mas geralmente tomando o cuidado de manter os norte-americanos pelo menos a um discreto passo de distância". O banimento da tortura determinado por Obama "sequer proíbe a tortura direta infligida por norte-americanos fora de ambientes de 'conflito armado', que é onde acontece grande parte da tortura, uma vez que muitos regimes repressivos não estão em conflito armado [...] o seu [banimento] é um retorno ao *status quo* anterior, o regime de tortura de Ford até Clinton, que, ano após ano, invariavelmente produzia mais agonia à base de suplícios respaldados pelos EUA do que a que foi produzida durante os anos Bush-Cheney".[17]

Às vezes, o envolvimento norte-americano na tortura era ainda mais indireto. Num estudo de 1980, o especialista em assuntos da América Latina Lars Schoultz constatou que o auxílio dos EUA "tendia a fluir de forma desproporcional aos governos latino-americanos que torturam os seus cidadãos [...] para os relativamente notórios violadores dos direitos humanos fundamentais do hemisfério".[18] Essa tendência incluía a ajuda militar, era independente da necessidade e perdurou nos anos Carter. Estudos mais amplos de Edward Herman encontraram a mesma correlação, e também sugeriram uma explicação. Sem nenhuma surpresa, a ajuda dos EUA tende a correlacionar-se a um clima favorável para as operações de negócios, que habitualmente tiram partido do assassinato de organizadores de movimentos de trabalhadores, sindicalistas, lideranças camponesas e ativistas dos direitos humanos e de outras ações do mesmo tipo, produzindo correlação secundária entre a ajuda e flagrantes violações dos direitos humanos.[19]

Esses estudos foram realizados antes dos anos Reagan, quando o tema deixou de merecer investigação científica porque as correlações eram muito claras.

Não admira que o presidente Obama nos aconselhe a olhar para a frente, não para trás – uma doutrina conveniente para aqueles que empunham os tacos. Os que recebem as pancadas tendem a ver o mundo de forma diferente, para nosso grande aborrecimento.

Nos passos de Bush

Pode-se apresentar o argumento de que a implementação do "paradigma da tortura" da CIA jamais violou a Convenção da ONU contra a Tortura de 1984, pelo menos de acordo com a interpretação de Washington. McCoy assinala que o paradigma altamente sofisticado da CIA, desenvolvido a custos astronômicos nas décadas de 1950 e 1960 e baseado na "mais devastadora técnica de tortura da KGB", ateve-se basicamente à tortura mental, não à bruta tortura física, que era considerada menos eficaz para transformar as pessoas em vegetais complacentes.

McCoy escreve que a administração Reagan revisou cuidadosamente a Convenção Internacional da Tortura "com quatro detalhadas 'reservas' diplomáticas concentradas em apenas uma palavra no texto de 26 páginas impressas da Convenção", a palavra "mental". Ele continua: "Essas reservas diplomáticas intrincadamente concatenadas redefiniam a tortura, tal como interpretada pelos Estados Unidos, de modo a excluir a privação sensorial e a dor autoinfligida – exatamente as técnicas que a CIA havia refinado a tão grande custo".

Quando, em 1991, Clinton enviou ao Congresso a Convenção da ONU para ratificação, incluiu as reservas de Reagan. O presidente e o Congresso, consequentemente, eximiram o cerne do paradigma da tortura da CIA da interpretação estadunidense da Convenção da Tortura; e essas reservas, observa McCoy, foram "reproduzidas textualmente, na íntegra, na legislação doméstica regulamentada para dar força jurídica à Convenção das Nações Unidas".[20] Essa é a "mina terrestre política" que "detonou com força tão fenomenal" no escândalo de Abu Ghraib e na vergonhosa Lei de Comissões Militares, aprovada com apoio bipartidário em 2006.

Bush, é claro, foi além de seus predecessores ao autorizar violações *prima facie* do direito internacional, e várias de suas inovações extremistas foram revogadas pelos tribunais. Ainda que Obama, como Bush, afirme eloquentemente o nosso firme comprometimento com o direito internacional, ele parece determinado a reinstituir substancialmente as medidas extremistas de Bush.

No importante caso *Boumediene contra Bush,* em junho de 2008, a Suprema Corte rejeitou como inconstitucional a alegação da administração Bush de que os prisioneiros de Guantánamo não estão habilitados ao direito de *habeas corpus*.[21] Glenn Greenwald analisou os desdobramentos do caso na *Salon*. Procurando "preservar o poder de raptar pessoas de todo o mundo" e aprisioná-las sem o devido processo, a administração Bush decidiu enviá-las para o presídio militar norte-americano na base aérea de Bagram, no Afeganistão, tratando "a decisão do caso *Boumediene,* fundamentada em nossas mais básicas garantias constitucionais, como se fosse alguma espécie de jogo boboca – transporte os seus prisioneiros raptados para Guantánamo e eles têm direitos constitucionais, mas se em vez disso levá-los para Bagram, pode desaparecer com eles para sempre, sem processo judicial". Obama adotou a posição de Bush, "dando entrada junto ao tribunal federal a um arrazoado que, em duas frases, declarava que encampava a mais extremista teoria de Bush a respeito da questão", alegando que prisioneiros levados para Bagram de qualquer parte do mundo – no caso em questão, iemenitas e tunisianos capturados na Tailândia e nos Emirados Árabes Unidos (EAU) – "podem continuar aprisionados indefinidamente sem nenhum direito de qualquer espécie – desde que sejam mantidos em Bagram em vez de Guantánamo".[22]

Pouco depois, um juiz federal nomeado por Bush "rejeitou a posição Bush/Obama e considerou que o fundamento lógico e a base racional de *Boumediene* aplicam-se completamente tanto a Bagram como a Guantánamo". A administração Obama anunciou que apelaria da decisão, colocando assim o Departamento de Justiça de Obama, Greenwald conclui, "abertamente à direita de um juiz extremamente conservador – favorável ao poder Executivo, o 43º juiz nomeado por Bush – em questões relativas ao poder Executivo e a detenções sem o devido processo", em uma radical violação das promessas de campanha do presidente e de posições anteriores de Obama.[23]

O caso *Rasul contra Rumsfeld* parece seguir trajetória similar. Os queixosos alegaram que Rumsfeld e outros funcionários do alto escalão foram os responsáveis por sua tortura em Guantánamo, para onde foram enviados depois de ter sido capturados pelo líder militar e senhor da guerra uzbeque Rashid Dostum. Os querelantes alegaram que tinham viajado para o Afeganistão com o intuito de oferecer ajuda humanitária. Dostum, um notório criminoso, era na ocasião um dos chefões da Aliança do Norte, a facção afegã que teve o respaldo de Rússia, Irã, Índia, Turquia, estados da Ásia Central e EUA quando atacou o Afeganistão em outubro de 2001.

Dostum entregou-os à custódia dos Estados Unidos, supostamente em troca de dinheiro. O governo Bush manobrou para que o caso fosse arquivado. O Departamento de Justiça de Obama apresentou uma moção apoiando a posição de Bush de que os altos funcionários do governo não são responsáveis por torturas e outras violações do devido processo legal em Guantánamo, com base na alegação de que os tribunais ainda não haviam estabelecido com clareza os direitos de que os prisioneiros lá mantidos gozam.[24]

Também houve notícias de que a administração Obama cogitava reativar as comissões militares, uma das mais graves violações do Estado de Direito durante os anos Bush. Há uma razão, de acordo com William Glaberson, do jornal *The New York Times*: "Funcionários graduados que trabalham na questão de Guantánamo afirmam que os advogados do governo estão preocupados com a possibilidade de enfrentar significativos obstáculos para processar e levar a juízo em tribunais federais alguns suspeitos de terrorismo. Pode ser que os juízes dificultem a instauração de ações penais contra detidos que foram submetidos a tratamento brutal, e talvez os promotores públicos tenham dificuldade para usar testemunhos de referência (testemunhos indiretos) coletados pelas agências de inteligência".[25] Uma falha grave no sistema de justiça criminal, ao que tudo indica.

A formação de terroristas

É grande o debate sobre se a tortura é um método eficaz para a obtenção de informações – o pressuposto, aparentemente, é de que, se for eficaz, então pode ser justificada. Por esse mesmo argumento, quando a Nicarágua capturou o piloto norte-americano Eugene

Hasenfus, em 1986, após abater seu avião que levava ajuda às forças insurgentes dos Contras apoiados pelos Estados Unidos, eles não deveriam tê-lo levado a julgamento, tê-lo considerado culpado e depois tê-lo enviado de volta aos EUA, como fizeram. Em vez disso, os nicaraguenses deveriam ter aplicado o paradigma de tortura da CIA para tentar extrair do piloto informações acerca de outras atrocidades terroristas que estavam sendo planejadas e implementadas em Washington – o que não era coisa de pouca importância para um país pequeno e pobre sob o ataque terrorista perpetrado pela superpotência global.

Pelo mesmo critério, se os nicaraguenses tivessem sido capazes de capturar o principal coordenador do terrorismo, John Negroponte, à época embaixador dos EUA em Honduras (mais tarde nomeado o primeiro diretor dos serviços de inteligência nacional, essencialmente um czar do contraterrorismo, sem suscitar um murmúrio sequer), deveriam ter feito o mesmo. Cuba poderia justificar sua decisão de agir de forma semelhante se tivesse sido capaz de pôr as mãos nos irmãos Kennedy. Não há necessidade de trazer à tona o que as vítimas deveriam ter feito com Henry Kissinger, Ronald Reagan e outros importantes comandantes terroristas, cujas façanhas botam a Al-Qaeda no chinelo, e que sem dúvida tinham amplas informações que poderiam ter evitado outros ataques a bomba.

Tais considerações parecem nunca vir à tona no debate público. Por essa razão, sabemos de imediato como avaliar os argumentos sobre informação valiosa.

Há, com certeza, uma resposta: o nosso terrorismo, ainda que terrorismo, é benigno, provindo como provém da ideia da "cidade no alto de uma montanha". Talvez a exposição mais eloquente dessa tese tenha sido apresentada pelo editor da revista *The New Republic*, Michael Kinsley, um respeitado porta-voz da "esquerda". A America's Watch (parte da Human Rights Watch) havia protestado contra a confirmação por parte do Departamento de Estado de ordens oficiais às forças terroristas de Washington para atacar "alvos suaves" (ou "alvos brandos") – alvos civis indefesos – e evitar o Exército nicaraguense, algo que puderam fazer graças ao controle que a CIA tinha do espaço aéreo da Nicarágua e aos sofisticados sistemas de comunicação fornecidos aos Contras. Em resposta, Kinsley explicou que os ataques terroristas dos EUA contra alvos civis são justificados desde que satisfaçam a critérios pragmáticos: uma "política sensata [deve] atender ao critério de análise custo/benefício", uma análise da "quantidade de sofrimento que será infligido e sangue que será derramado, e a probabilidade de que a democracia emerja do outro lado"[26] – "democracia" segundo o formato determinado pelas elites dos EUA.

Os pensamentos de Kinsley não suscitaram nenhum comentário público; até onde sei, foram considerados aparentemente aceitáveis. Conclui-se, então, que os líderes dos EUA e os seus agentes não são passíveis de culpa pela condução, de boa-fé, de tais políticas sensatas, mesmo que o seu julgamento possa, por vezes, ser imperfeito e ter falhas.

Talvez a culpabilidade fosse maior, a julgar pelos padrões morais vigentes, caso se descobrisse que a tortura da administração Bush tinha custado vidas de estadunidenses. Essa é, de fato, a conclusão a que chegou o major Matthew Alexander (um pseudônimo), um dos mais experientes interrogadores norte-americanos no Iraque, que extraiu "a informação graças à qual os militares dos EUA foram capazes de localizar Abu Musab al-Zarqawi, o chefe da Al-Qaeda no Iraque", conforme relata o correspondente Patrick Cockburn.

Alexander expressa apenas desprezo pelos métodos de interrogatório desumanos da administração Bush: "O uso da tortura pelos EUA", acredita ele, não só não fornece nenhuma informação útil, mas "mostrou-se tão contraproducente que pode ter levado à morte de tantos soldados norte-americanos quantos os civis mortos no 11 de Setembro". A partir de centenas de interrogatórios, Alexander descobriu que combatentes estrangeiros foram para o Iraque numa reação aos abusos em Guantánamo e Abu Ghraib, e que eles e os seus aliados domésticos recorreram a atentados suicidas e outros atos terroristas pela mesma razão.[27]

Há evidências cada vez maiores de que os métodos de tortura incentivados por Dick Cheney e Donald Rumsfeld criaram terroristas.

Um caso minuciosamente estudado é o de Abdallah al-Ajmi, trancafiado em Guantánamo sob a acusação de "envolvimento em dois ou três tiroteios com a Aliança do Norte". Ele acabou no Afeganistão depois de ter fracassado em sua tentativa de chegar à Chechênia para lutar contra os russos. Após quatro anos de brutais maus-tratos em Guantánamo, Al-Ajmi foi devolvido ao Kuwait. Mais tarde, foi parar no Iraque e, em março de 2008, foi motorista de um caminhão carregado de bombas que invadiu um complexo militar iraquiano, matando-se e tirando a vida de treze soldados – "o mais hediondo ato de violência cometido por um ex-detento de Guantánamo", segundo o *Washington Post* – já de acordo com o advogado de Al-Ajmi, resultado direto de sua prisão abusiva.[28]

Tudo que uma pessoa sensata esperaria.

Norte-americanos nada excepcionais

Outro pretexto padrão para a tortura é o contexto: a "guerra ao terror" que Bush declarou após o 11 de Setembro. Um crime que tornou o direito internacional tradicional "pitoresco" e "obsoleto" – foi o parecer que George W. Bush ouviu do assessor jurídico da Casa Branca, Alberto Gonzales, mais tarde nomeado procurador-geral dos EUA. A doutrina tem sido amplamente reiterada em uma ou outra forma de comentários e análises.[29]

O ataque de 11 de Setembro foi, sem dúvida, singular em muitos aspectos. Um deles diz respeito ao lugar para onde as armas estavam apontadas: normalmente é no sentido oposto. A bem da verdade, foi o primeiro ataque de alguma importância e consequência no território nacional dos Estados Unidos desde que os britânicos incendiaram Washington, DC, em 1814.

A doutrina reinante no país é por vezes chamada de "excepcionalismo norte-americano". Não existe nada disso; provavelmente é algo que está muito perto de ser uma potência universal entre as potências imperiais. A França saudava a sua "missão civilizadora" em suas colônias, ao passo que o ministro da Guerra francês pedia o "extermínio da população nativa" da Argélia. A nobreza da Inglaterra era uma "novidade no mundo", declarou John Stuart Mill, enquanto instava a esse poder angelical que não tardasse mais para completar sua libertação da Índia. O clássico ensaio de Mill sobre a intervenção humanitária foi escrito pouco depois da revelação pública das horripilantes atrocidades cometidas pelos britânicos na repressão da rebelião indiana em 1857. A conquista do restante da Índia foi em grande parte um esforço em nome da obtenção do monopólio do comércio de ópio para o colossal empreendimento britânico de narcotráfico, de longe o maior na história do mundo e cujo propósito fundamental era obrigar a China a aceitar mercadorias manufaturadas da Inglaterra.[30]

De forma análoga, não há razão nenhuma para duvidar da sinceridade dos militaristas japoneses que, na década de 1930, estavam levando para a China um "paraíso terrestre" sob a benigna tutela nipônica enquanto executavam o Massacre de Nanquim (também conhecido como Violação de Nanquim) e suas táticas calcadas na "Política dos Três Tudos": "matem tudo", "queimem tudo", "saqueiem tudo" nas áreas rurais do norte da China. A história está repleta de episódios gloriosos semelhantes.[31]

No entanto, durante o tempo em que essas teses "excepcionalistas" permanecerem firmemente implantadas, as ocasionais revelações do "abuso da história" podem sair pela culatra, servindo apenas para obliterar crimes terríveis. No Vietnã do Sul, por exemplo, o massacre de My Lai foi uma mera nota de rodapé para as atrocidades mais desumanas dos programas de pacificação encabeçados por Washington pós-Ofensiva do Tet, solenemente ignoradas enquanto a indignação se centrava nesse único crime.

O caso Watergate foi sem dúvida criminoso, mas o furor por causa dele encobriu crimes incomparavelmente piores tanto nos EUA como no exterior, incluindo o assassinato, organizado pelo FBI, do ativista negro Fred Hampton, como parte das infames operações ilegais e clandestinas de repressão do Programa de Contrainteligência (Counterintelligence Program – COINTELRPO, na sigla em inglês), ou das ações de bombardeio ao Camboja (a Campanha do Camboja), para citar apenas dois exemplos notórios. A tortura é algo bastante horrendo; a invasão do Iraque é um crime muito pior. É comum que atrocidades seletivas tenham essa função.

A amnésia histórica é um fenômeno perigoso, não só porque mina a integridade moral e intelectual, mas também porque prepara o terreno e estabelece as bases para crimes que ainda estão por vir.

CAPÍTULO 4

A mão invisível do poder

A onda de protestos, revoltas e revoluções democráticas no mundo árabe foi uma espetacular demonstração de coragem, dedicação e engajamento de forças populares – que coincidiu, fortuitamente, com uma extraordinária rebelião de dezenas de milhares de pessoas em apoio ao povo trabalhador e à democracia em Madison, estado de Wisconsin, e em outras cidades dos Estados Unidos. Porém, se as trajetórias das revoltas no Cairo e em Madison chegaram a se entrecruzar, encaminhavam-se para direções opostas: no Cairo, os levantes apontavam para a conquista de direitos elementares negados pela ditadura egípcia, ao passo que em Madison as manifestações estavam voltadas para a defesa de direitos conquistados havia muito tempo em longas e duras lutas, direitos que agora estão submetidos a um severo ataque.

Ambos os casos são um microcosmo de tendências na sociedade global, seguindo rumos variados. Haverá consequências gigantescas e de vasto alcance para o que está acontecendo tanto no decadente coração industrial do país mais rico e mais poderoso da história humana como no lugar que o presidente Dwight Eisenhower chamou de "a área estrategicamente mais importante do mundo" – "uma estupenda fonte de poder estratégico" e "provavelmente o maior espólio econômico do mundo no campo do investimento estrangeiro", nas palavras do Departamento de Estado na década de 1940, um prêmio que os EUA pretendiam manter para si próprios e para os seus aliados na incipiente nova ordem mundial daquela época.¹

Apesar de todas as mudanças desde então, há todas as razões para supor que os atuais estrategistas e formuladores de políticas se mantêm fiéis à opinião do influente consultor do presidente Franklin Delano Roosevelt, Adolf A. Berle, para quem o controle das incomparáveis reservas energéticas do Oriente Médio propiciaria "um controle substancial do mundo".² E, analogamente, acreditam que a perda desse controle ameaçaria o projeto norte-americano de dominação global que foi articulado durante a Segunda Guerra Mundial e se sustenta ainda hoje, mesmo diante das mudanças decisivas e de grande envergadura pelas quais passou a ordem mundial desde então.

Desde a deflagração da guerra, em 1939, Washington anteviu que o conflito terminaria com os EUA numa posição de avassaladora supremacia. Funcionários do alto escalão do Departamento de Estado e especialistas em política externa reuniram-se um sem-número de vezes no decorrer dos anos de guerra a fim de detalhar planos para o mundo do pós-guerra. Eles delinearam uma "Grande Área" que aos EUA caberia dominar e que incluía o hemisfério ocidental, o Extremo Oriente e o antigo Império Britânico, com os seus recursos energéticos do Oriente Médio. Quando a Rússia começou a esmagar os exércitos nazistas depois da Batalha de Stalingrado, os objetivos da Grande Área ampliaram-se para abarcar o maior naco possível da Eurásia – ao menos o seu núcleo econômico, na Europa Ocidental. Dentro dos limites da Grande Área, os EUA manteriam um "poder inquestionável", com "supremacia militar e econômica", ao mesmo tempo em que assegurariam a "limitação de qualquer exercício de soberania" por parte dos Estados que pudessem interferir nos propósitos globais estadunidenses.³

Esses cuidadosos planos de tempos de guerra não demoraram para ser postos em prática.

Sempre se reconheceu que a Europa poderia optar por seguir um rumo independente; a Organização do Tratado do Atlântico Norte (OTAN) foi criada em parte com o intuito de conter a ameaça dessa independência. Tão logo se dissolveu, em 1989, o pretexto oficial para a existência da OTAN, a organização expandiu-se para o leste, em violação às promessas verbais feitas ao dirigente soviético Mikhail Gorbachev. Desde então converteu-se em uma força de intervenção encabeçada pelos EUA, com vastíssima esfera de ação em diversas dimensões de interferência, conforme foi dito com todas as letras pelo secretário-geral da OTAN, Jaap de Hoop Scheffer, que numa conferência da entidade informou que "as tropas da OTAN têm que vigiar os oleodutos que transportam petróleo e gás em direção ao Ocidente", e de forma mais geral proteger as rotas navais utilizadas pelos navios petroleiros e outras "infraestruturas cruciais" do sistema energético.[4]

As doutrinas da Grande Área autorizam a intervenção militar arbitrária e a critério dos EUA. Essa conclusão foi articulada claramente pela administração Clinton, que declarou que os EUA têm o direito de usar força militar para garantir o "acesso irrestrito aos principais mercados, abastecimentos energéticos e recursos estratégicos", e deve manter enormes contingentes "permanentemente mobilizados" na Europa e na Ásia, "a fim de moldar as opiniões das pessoas sobre nós" e "a fim de configurar os eventos que afetam a nossa subsistência e a nossa segurança".[5]

Os mesmos princípios nortearam a invasão do Iraque. À medida que o fracasso dos EUA em impor a sua vontade no Iraque foi se tornando evidente e inequívoco, os verdadeiros objetivos da invasão já não podiam se manter dissimulados atrás de uma retórica embelezada. Em novembro de 2007, a Casa Branca emitiu uma "declaração de princípios" exigindo que tropas estadunidenses se mantivessem por tempo indefinido no Iraque, empenhando o país e submetendo-o a riscos para privilegiar investidores norte-americanos.[6] Dois meses depois, o presidente Bush informou ao Congresso que vetaria legislação que pudesse impor limites ao posicionamento permanente das Forças Armadas estadunidenses no Iraque ou "ao controle, por parte dos EUA, dos recursos petrolíferos do Iraque" – exigências que os Estados Unidos tiveram que abandonar pouco depois, em virtude da resistência iraquiana.[7]

Na Tunísia e no Egito, as revoltas populares de 2011 obtiveram impressionantes vitórias, mas, segundo relatório da Carnegie Endowment,* embora os nomes tenham mudado, os regimes permanecem: "Uma mudança nas elites dominantes e no sistema de governança é ainda uma meta distante".[8] O relatório analisa os obstáculos internos à democracia, mas ignora os entraves exteriores, que, como sempre, são significativos.

Os EUA e seus aliados ocidentais estão resolvidos a fazer tudo o que puderem para impedir uma democracia autêntica no mundo árabe. Para entender por quê, basta apenas dar uma olhada nas pesquisas de opinião realizadas no mundo árabe por agências norte-americanas de sondagem. Embora os resultados sejam pouco divulgados, são de conhecimento dos responsáveis pelo planejamento político. Revelam que a esmagadora maioria de árabes vê os EUA e Israel como as maiores ameaças que enfrentam: é o que pensam 90% dos egípcios e mais de 75% dos habitantes da região como um todo. A título de contraste, 10% dos árabes consideram o Irã uma ameaça. A oposição às diretrizes políticas dos EUA é tão forte que uma maioria acredita que a segurança melhoraria se o Irã dispusesse de armamento nuclear (é a opinião de 80% dos egípcios).[9] Outros dados de pesquisa mostram resultados semelhantes. Se a opinião pública pudesse influir nas decisões, os EUA não só não poderiam controlar a região, mas seriam expulsos dela junto com todos os seus aliados, o que arruinaria os princípios fundamentais da dominação global.

A doutrina Muasher

O apoio à democracia é a província dos ideólogos e propagandistas. No mundo real, a aversão que a elite sente pela democracia é a norma. Há provas avassaladoras de que a democracia só é apoiada à medida que é capaz de contribuir para objetivos sociais e econômicos, uma conclusão que admitem, com relutância, os acadêmicos e estudiosos mais sérios.

---

* Carnegie Endowment for International Peace, organização norte-americana sediada em Washington e produtora de análises políticas. (N. T.)

O desprezo da elite pela democracia revelou-se de maneira eloquente e impactante na reação às revelações e aos vazamentos de informações do WikiLeaks. Os que receberam maior atenção, com comentários eufóricos, foram os cabogramas informando o apoio dos árabes à posição dos EUA acerca do Irã. A referência era aos ditadores no poder das nações árabes; a posição da opinião pública nem sequer recebeu menção.

O princípio operativo em vigor foi descrito por Marwan Muasher, ex-diplomata jordaniano e mais tarde diretor de pesquisas para o Oriente Médio da Carnegie Endowment: "O argumento tradicional apresentado com frequência no mundo árabe é de que nada há de errado, tudo está sob controle. Com essa linha de raciocínio, forças entrincheiradas alegam que os oponentes e forasteiros que exigem reformas estão exagerando as condições na região".[10]

Adotando-se esse princípio, se os ditadores nos apoiam, o que mais poderia importar?

A "doutrina Muasher" é racional e respeitável. Para mencionar apenas um único caso que é particularmente relevante hoje, em discussões internas realizadas em 1958, o presidente Eisenhower expressou a sua preocupação acerca da "campanha de ódio" contra nós no mundo árabe, não por parte dos governos, mas do povo. O NSC explicou a Eisenhower que no mundo árabe havia a percepção de que os Estados Unidos apoiavam as ditaduras e bloqueavam a democracia e o desenvolvimento de modo a assegurar o controle dos recursos da região. Ademais, essa percepção é basicamente correta, concluiu o NSC, e é exatamente isso o que devemos fazer, fiando-nos na "doutrina Muasher". Estudos realizados pelo Pentágono depois do 11 de Setembro confirmaram que a mesma percepção ainda é válida hoje.[11]

É normal que os vencedores joguem a história na lata do lixo, ao passo que as vítimas levam a sério a história. Talvez algumas breves observações sobre esse importante tema possam ser úteis. No momento presente, não é a primeira vez que Egito e EUA enfrentam problemas similares e se movem em direções opostas. Isso já ocorreu também no início do século XX.

Os historiadores econômicos afirmam que, no período em questão, o Egito tinha posição privilegiada e condições favoráveis para empreender um rápido crescimento econômico ao mesmo tempo que os EUA.[12] Ambos os países dispunham de uma rica agricultura, incluindo o algodão, o combustível dos primórdios da revolução industrial – porém, ao contrário do Egito, os EUA tiveram que desenvolver a produção de algodão e uma força de trabalho por meio da conquista, do extermínio e da escravidão, com consequências que hoje são evidentes nas reservas para os sobreviventes e nos presídios que se proliferaram rapidamente desde os anos Reagan para abrigar a população que a desindustrialização tornou supérflua.

Uma diferença fundamental entre as duas nações foi o fato de que os EUA haviam conquistado a sua independência e, portanto, estavam livres para ignorar as prescrições da teoria econômica, formuladas à época por Adam Smith em termos bastante parecidos com os preceitos e as práticas que hoje em dia são alardeados para as sociedades em via de desenvolvimento. Smith exortou as colônias libertas a produzir matérias-primas voltadas à exportação e a importar os superiores produtos manufaturados britânicos, e insistiu para que não tentassem monopolizar bens cruciais, especialmente o algodão. Qualquer outro caminho a ser seguido, alertou Smith, "retardaria em vez de acelerar o maior incremento no valor de sua produção anual e, longe de promover, obstruiria o progresso de seu país rumo à verdadeira riqueza e grandeza".[13]

Tendo obtido a sua independência, as colônias simplesmente ignoraram e descartaram o conselho de Smith e seguiram o exemplo da trajetória adotada pela Inglaterra de desenvolvimento independente guiado pelo Estado, com elevadas tarifas para proteger a sua indústria das exportações britânicas (primeiro os têxteis, depois o aço e outros), e puseram em prática inúmeros outros mecanismos de aceleração do desenvolvimento industrial. A república independente procurou também obter o monopólio do algodão de modo a "colocar aos nossos pés todas as outras nações", em particular o inimigo britânico, como os presidentes jacksonianos anunciaram ao conquistar o Texas e metade do México.[14]

No caso do Egito, a possiblidade de seguir um caminho análogo foi atravancada pela potência britânica. Lorde Palmerston declarou que "nenhuma ideia de equidade [para com o Egito] pode causar impedimentos para a concretização de interesses tão grandiosos e supremos" da Inglaterra em seu empenho de preservar a sua hegemonia econômica e política, expressando o seu "ódio" pelo "bárbaro ignorante" Muhammad Ali, que ousara aspirar a um curso independente, e deslocando a frota e o poder financeiro britânicos para dar fim à luta do Egito na busca pela independência e o desenvolvimento econômico.¹⁵

Depois da Segunda Guerra Mundial, quando os Estados Unidos tomaram o lugar da Inglaterra como hegemonia global, Washington adotou a mesma postura, deixando claro que os EUA não forneceriam a menor ajuda ao Egito a menos que o país acatasse as normas-padrão para os fracos – e que os EUA continuaram a violar, impondo elevadas tarifas ao algodão egípcio e causando uma debilitante escassez de dólares, em conformidade com a usual interpretação dos princípios do mercado.

Não é de surpreender que a "campanha de ódio" contra os Estados Unidos que preocupava Eisenhower fosse baseada na percepção de que os EUA apoiam as ditaduras e bloqueiam a democracia e o desenvolvimento, como fazem os seus aliados.

Em defesa de Adam Smith, é preciso acrescentar que ele reconheceu o que ocorreria caso a Inglaterra seguisse as regras da economia sólida e estável, agora chamada de "neoliberalismo". Ele alertou que se os industriais, comerciantes e investidores britânicos recorressem ao exterior, poderiam até obter lucro, mas a Inglaterra sofreria. Mas Smith julgou que eles seriam guiados por um "viés de vizinhança"*, de tal modo que, por meio de uma "mão invisível", a Inglaterra pudesse ser poupada da pilhagem e devastação da racionalidade econômica.

---

* *Home bias*, no original; no vocabulário econômico, a expressão descreve o fenômeno que mostra a propensão de um investidor de concentrar investimentos em seu país de residência ou região de origem ou em mercados mais próximos, em vez de mercados mais distantes, mesmo quando se comprova que a diversificação internacional possibilitaria maiores lucros potenciais. (N. T.)

É difícil não notar essa passagem. É a única ocorrência da célebre expressão "mão invisível" em todo *A riqueza das nações*. O outro principal fundador da economia clássica, David Ricardo, chegou a conclusões semelhantes, na esperança de que o chamado "viés de vizinhança" levasse os homens de posses a "se satisfazer com as baixas taxas de lucro em seu próprio país, em vez de buscarem uma aplicação mais rendosa da sua riqueza em nações estrangeiras" – sentimentos estes que, acrescentou ele, "eu lamentaria ver enfraquecidos".[16] Previsões à parte, os instintos dos economistas clássicos estavam repletos de consistência.

As "ameaças" iraniana e chinesa

As revoltas democráticas no mundo árabe às vezes são comparadas ao que aconteceu no Leste Europeu em 1989, mas com base em premissas duvidosas. Em 1989, as revoltas democráticas foram toleradas pelos russos e apoiadas pelas potências ocidentais em conformidade com a doutrina-padrão: ajustavam-se claramente aos objetivos econômicos e estratégicos, e portanto foram conquistas nobilíssimas, grandemente reverenciadas, ao contrário das lutas que ocorriam ao mesmo tempo na América Central para "defender os direitos fundamentais do povo", nas palavras do arcebispo de El Salvador, que acabou sendo assassinado, mais uma das centenas de milhares de vítimas das forças militares armadas e treinadas por Washington.[17] Não havia nenhum Mikhail Gorbachev no Ocidente durante aqueles horrendos anos, e não há nenhum hoje. E as potências ocidentais seguem sendo hostis à democracia no mundo árabe por boas razões.

As doutrinas da Grande Área continuam sendo aplicadas às crises e confrontações contemporâneas. Nos círculos ocidentais dos formuladores de decisões políticas, bem como entre os comentaristas políticos, considera-se que a ameaça iraniana é aquela que representaria o maior e mais grave perigo para a ordem mundial, e portanto deve ser o alvo primordial da política externa dos EUA, com a Europa seguindo atrás, a reboque, polidamente.

Anos atrás, o historiador militar israelense Martin van Creveld escreveu que "o mundo testemunhou como os Estados Unidos atacaram o Iraque, sem que, no final ficou claro, tivessem a menor razão para isso. Se os iranianos não tivessem tentado construir armamentos nucleares, estariam loucos", sobretudo por estarem sob constante ameaça de ataque, em violação à Carta da ONU".[18]

Os EUA e a Europa estão unidos para punir o Irã por sua ameaça à estabilidade – o que, no sentido técnico do termo, significa submissão às exigências estadunidenses –, mas é útil recordar o quanto estão isolados; os países não alinhados apoiaram vigorosamente o direito do Irã de enriquecer urânio. A maior potência regional, a Turquia, votou contra uma moção de adoção de sanções contra o Irã no Conselho de Segurança da ONU, juntamente com o Brasil, o país mais admirado no sul global. A desobediência turca recebeu áspera censura, e não pela primeira vez: a Turquia já fora ferrenhamente condenada em 2003, quando o seu governo obedeceu à vontade de 95% de sua população e se negou a participar da invasão do Iraque, demonstrando assim a sua débil compreensão da democracia de estilo ocidental.

Embora os Estados Unidos possam tolerar a desobediência turca – ainda que com desalento –, a China é mais difícil de ignorar. A imprensa alerta que "os investidores e negociantes chineses estão preenchendo agora um vácuo no Irã, à medida que as empresas de muitas outras nações, notadamente as europeias, saem de cena", e chama a atenção, em particular, para o fato de que a China está expandindo seu papel dominante nas indústrias energéticas iranianas.[19] Washington reage com uma pitada de desespero. O Departamento de Estado advertiu a China de que, se o país deseja ser aceito na "comunidade internacional" – um termo técnico para se referir aos Estados Unidos e quem mais porventura estiver de acordo com os norte-americanos –, então não pode "esquivar-se e evadir-se das responsabilidades internacionais, [que] são bem claras": a saber, obedecer às ordens dos EUA.[20] É pouco provável que isso impressione ou abale a China.

É grande também a preocupação acerca da crescente ameaça militar chinesa. Um estudo recente do Pentágono alertou que o orçamento militar chinês aproxima-se de "um quinto do que o Pentágono gastou para planejar e realizar as guerras no Iraque e no Afeganistão"

– uma fração do orçamento militar estadunidense, é óbvio. A expansão das forças militares chinesas poderia "tolher a capacidade dos navios de guerra norte-americanos de operar em águas internacionais ao largo da costa chinesa", acrescentou *The New York Times*.[21]

Ao largo da costa da China, claro está; ninguém propôs ainda que os Estados Unidos eliminem as forças militares que impedem o acesso dos navios de guerra chineses ao Caribe. A incapacidade chinesa para compreender as regras da civilidade internacional é ilustrada de maneira mais patente por suas objeções aos planos para que o avançado porta-aviões nuclear da Marinha norte-americana *George Washington* se junte aos exercícios navais realizados a poucas milhas da costa da China, o que supostamente o colocaria em posição propícia para bombardear Pequim.

Em contraste, o Ocidente compreende que essas operações estadunidenses são, todas elas, levadas a efeito para defender a "estabilidade" e sua própria segurança. A revista liberal de esquerda *The New Republic* expressa a sua preocupação porque "a China enviou dez navios de guerra por meio de águas internacionais ao largo da ilha japonesa de Okinawa".[22] Isso é, de fato, uma provocação – ao contrário do fato, não mencionado, de que Washington converteu a ilha em uma grande base militar, numa afronta aos veementes protestos da população de Okinawa. Isso não é uma provocação, conforme o princípio tácito de que nós somos os donos do mundo.

Arraigada doutrina imperial à parte, os vizinhos da China têm boas razões para se preocupar com o crescente poderio militar e comercial de Pequim.

Embora a doutrina da Grande Área ainda prevaleça, a capacidade para implementá-la e efetivá-la diminuiu. O auge do poderio norte-americano se deu depois da Segunda Guerra Mundial, quando os EUA detinham literalmente a posse de metade da riqueza do mundo. Mas esse poder entrou em declínio à medida que outras economias industriais foram se recuperando da devastação causada pela guerra e a descolonização seguiu sua agonizante trajetória. No início dos anos 1970, a participação dos Estados Unidos na riqueza mundial desabou para aproximadamente 25%, e o mundo industrial se tornara tripolar: América do Norte, Europa e Leste da Ásia ou Ásia Oriental (então com base no Japão).

Na década de 1970 deu-se também uma drástica mudança na economia norte-americana, no sentido da financeirização e exportação da produção. Vários fatores convergiram para criar um círculo vicioso de extrema concentração da riqueza, primordialmente na fração do 1% mais abastado da população: altos executivos e presidentes de empresas, gestores de fundos de investimento de alto risco e afins. Isso levou à concentração do poder político, e por conseguinte políticas estatais para o favorecimento do incremento da concentração econômica; políticas fiscais, normas de governança corporativa, desregulamentação etc. Nesse ínterim, os custos das campanhas eleitorais subiram vertiginosamente, empurrando os partidos políticos para dentro dos bolsos do capital concentrado, cada vez mais financeiros: os republicanos, agindo por reflexo; os democratas – que agora são o que antes costumávamos chamar de republicanos moderados – não muito atrás.

As eleições converteram-se em uma farsa grotesca, manipulada pela indústria das relações públicas. Depois da sua vitória de 2008, essa mesma indústria concedeu a Obama o prêmio de melhor campanha de marketing do ano. Os executivos do setor estavam eufóricos. Às publicações especializadas do jornalismo econômico e do mundo dos negócios explicaram que desde a época de Reagan vinham fazendo a publicidade dos candidatos como se fossem uma mercadoria qualquer, mas que a campanha de 2008 foi a sua maior realização de todos os tempos e mudaria o estilo das direções das grandes empresas de lidar com a publicidade. As eleições de 2012 custaram mais de 2 bilhões de dólares, valores em sua maior parte arrecadados por meio de financiamento corporativo (doações de grandes empresas), e a previsão é de que as de 2016 custarão o dobro disso.[23] Não surpreende que Obama tenha escolhido altos executivos e figuras de proa do mundo dos negócios para ocupar cargos importantíssimos de sua administração. A opinião pública está furiosa e frustrada, mas enquanto prevalecerem os princípios descritos pela doutrina Muasher, isso pouco importa.

Enquanto a riqueza e o poder concentraram-se numa estreitíssima faixa, para a maior parte da população a renda real estagnou-se e as pessoas vêm sobrevivendo à base de excessivas horas de trabalho, dívidas e inflação de ativos, regularmente destruídos pelas crises financeiras que se estabeleceram à medida que teve início o desmantelamento do aparato regulatório a partir da década de 1980.

Nada disso é problemático para os muito ricos, que se beneficiam da apólice de seguros governamental do "grande demais para quebrar". Esses pacotes de resgate por parte do governo não são uma questão de menor importância. Considerando-se apenas a capacidade de os bancos tomarem dinheiro emprestado a taxas mais baixas, graças ao implícito subsídio do contribuinte, a agência de notícias Bloomberg News, citando um estudo técnico preliminar do Fundo Monetário Internacional, estima que "os contribuintes dão aos bancos 83 bilhões de dólares por ano" – praticamente a totalidade do lucro dessas instituições, questão "crucial para compreender por que os grandes bancos representam uma tremenda ameaça para a economia global".[24] Além disso, os bancos e os fundos de investimento podem realizar transações de alto risco, com vultosos rendimentos, e quando o sistema entra em colapso sempre podem correr em busca do Estado-babá – agarradinhos aos seus exemplares dos livros de Friedrich Hayek e Milton Friedman –, para que o governo banque um socorro financeiro custeado pelo contribuinte.

Esse tem sido o processo corrente desde os anos Reagan, cada crise mais extrema que a anterior – para o grosso da população geral, que fique claro. O desemprego real está aos níveis da depressão para boa parte da população, ao passo que o Goldman Sachs, um dos principais arquitetos da presente crise, está mais rico do que nunca. O banco de investimentos acaba de anunciar, discretamente, a cifra de 17,5 bilhões de dólares em pagamentos de salários e compensações para seus executivos em 2010, e o presidente de seu conselho de administração, o CEO Lloyd Blankfein, recebeu apenas em bonificações o montante de 12,6 milhões de dólares, enquanto o seu salário-base mais que triplicou.[25]

De nada adianta concentrar as atenções em fatos desse tipo. Consequentemente, a propaganda tem que procurar outros a quem culpar, como os trabalhadores do setor público, com seus gordos salários e exorbitantes aposentadorias: tudo fantasia, segundo o modelo do imaginário reaganita de mães negras sendo levadas em limusines com motorista para buscar seus cheques de programas de assistência social, e outras invenções de mesmo estilo que nem sequer vale a pena mencionar. Todos nós temos que apertar os cintos – quer dizer, quase todos nós.

Os professores constituem um alvo particularmente propício, como parte do esforço deliberado para destruir o sistema público de educação, desde a pré-escola até as universidades, por meio da privatização – mais uma vez, uma política que é boa para os ricos, mas um desastre para a população, bem como para a saúde de longo prazo da economia, embora seja mais uma das externalidades que são postas de lado, contanto que prevaleçam os princípios do mercado.

Outro alvo primoroso, sempre, são os imigrantes. Essa é uma verdade que se mantém ao longo de toda a história dos EUA, ainda mais em períodos de crise econômica, e agora exacerbada por uma noção de que o nosso país está sendo tomado de nós: em pouco tempo a população branca será minoria. Pode-se entender a ira de indivíduos que se sentem prejudicados, mas a crueldade das políticas migratórias é ofensivamente chocante.

Quem são os imigrantes convertidos em alvos? No leste de Massachusetts, onde eu vivo, muitos são maias que escaparam da situação resultante do virtual genocídio levado a cabo nas montanhas guatemaltecas pelas mãos dos assassinos prediletos de Reagan. Outros são vítimas mexicanas do Tratado Norte-americano de Livre Comércio (North American Free Trade Agreement – NAFTA, na sigla em inglês) assinado por Clinton, um desses raros acordos entre governos que conseguem a proeza de causar danos aos trabalhadores de todos os três países participantes. Em 1994, mesmo ano em que o NAFTA foi enfiado goela abaixo do Congresso – o acordo foi aprovado na marra, à revelia da intensa oposição popular –, Clinton iniciou a militarização da fronteira entre México e EUA, antes razoavelmente aberta. É muito provável que se soubesse que os camponeses mexicanos não teriam condições de competir com o subsidiado agronegócio estadunidense, e que as empresas mexicanas não sobreviveriam à concorrência das multinacionais norte-americanas, às quais se deve conceder o "tratamento nacional", sob o enganoso rótulo de acordos "de livre comércio" – um privilégio concedido somente à pessoas jurídicas, à empresas, não às pessoas físicas, de carne e osso. Como era de se esperar, essas medidas resultaram numa enxurrada de refugiados desesperados e numa crescente histeria anti-imigração por parte das vítimas das políticas do Estado e das grandes corporações privadas em âmbito doméstico.

Algo muito semelhante parece estar ocorrendo na Europa, onde o racismo é mais violento e desenfreado do que nos Estados Unidos. Resta-nos apenas observar com espanto quando a Itália se queixa do fluxo de refugiados procedentes da Líbia, cenário do primeiro genocídio pós-Primeira Guerra Mundial, no recém-libertado leste do país, nas mãos do governo fascista da Itália. Ou quando a França, ainda hoje o principal protetor das brutais ditaduras no poder em suas antigas colônias, dá um jeito de fazer vista grossa às hediondas atrocidades cometidas na África, enquanto o presidente francês Nicolas Sarkozy alerta, pessimista e sombrio, sobre a "onda de imigrantes", e Marine Le Pen se contrapõe dizendo que ele nada está fazendo para prevenir "imigrantes demais". Não preciso mencionar a Bélgica, que poderia levar o grande prêmio por aquilo que Adam Smith chamou "a selvagem injustiça dos europeus".

A ascensão dos partidos neofascistas em grande parte da Europa seria um fenômeno aterrorizante mesmo se não nos recordássemos do que aconteceu no continente no passado recente. Simplesmente imagine a reação se os judeus fossem expulsos da França e condenados à miséria e à opressão, e depois testemunhe a inexistência de reação quando a mesmíssima coisa ocorre com os ciganos, também vítimas do Holocausto e a população mais brutalizada da Europa.

Na Hungria, o partido neofascista Jobbik conseguiu 21% dos votos nas eleições nacionais, o que talvez não seja tão surpreendente uma vez que três quartos da população consideram estar numa situação pior agora do que sob o jugo comunista.[26] Poderíamos sentir alívio ao saber que na Áustria o ultradireitista Jörg Haider conseguiu apenas 10% dos votos em 2008, não fosse pelo fato de que o Partido da Liberdade, ainda mais à direita, obteve mais de 17%.[27] (É amedrontador lembrar que, em 1928, os nazistas conseguiram menos de 3% dos votos na Alemanha[28]). Na Inglaterra, o Partido Nacional Britânico e a Liga de Defesa Inglesa, na direita ultrarracista, são forças de peso considerável.

Na Alemanha, o lamento em forma de livro [*A Alemanha se dissolve*] escrito por Thilo Sarrazin e em que se deplora o fato de que os imigrantes estão destruindo o país tornou-se um best-seller de sucesso avassalador, enquanto a chanceler Angela Merkel, ainda que tenha condenado o livro, declarou que o multiculturalismo alemão "fracassou estrondosamente": os turcos importados para fazer o trabalho sujo na Alemanha não estão conseguindo tornar-se autênticos arianos, louros e de olhos azuis.[29]

Quem tem algum senso de ironia há de recordar que Benjamin Franklin, uma das principais figuras do Iluminismo, alertou que as colônias recém-emancipadas deveriam ser cautelosas na hora de admitir a imigração de alemães, porque tinham a tez morena demais, e o mesmo valia para os suecos. Já em meados do século XX, os ridículos mitos da pureza anglo-saxã eram comuns nos Estados Unidos, inclusive entre presidentes e outras figuras proeminentes. O racismo na nossa cultura literária sempre foi uma obscenidade asquerosa. Foi muito mais fácil erradicar a poliomielite do que essa horrível praga, que frequentemente se torna mais virulenta em tempos de apuros econômicos.

Não quero terminar sem mencionar uma outra externalidade que é menosprezada pelos sistemas de mercado: o destino da espécie. O risco sistêmico no sistema financeiro pode ser remediado pelo contribuinte, mas ninguém virá trazendo a salvação se o meio ambiente for devastado. Que o meio ambiente deva ser devastado já beira um imperativo institucional. Os homens de negócios e dirigentes empresariais que conduzem campanhas de propaganda para convencer a população de que o aquecimento global antropogênico é um embuste esquerdista compreendem bem a gravidade da ameaça, mas têm que maximizar os seus lucros e suas fatias de mercado de curto prazo. Se não o fizerem, outros farão.

Esse círculo vicioso pode acabar sendo letal. Para perceber a gravidade do perigo, basta passar os olhos pelo Congresso dos Estados Unidos, alçado ao poder pelo financiamento e pela propaganda empresariais. Quase todos os republicanos são céticos climáticos (ou negacionistas climáticos, como também são conhecidos). Já começaram a cortar verbas destinadas à adoção de medidas que poderiam mitigar a catástrofe ambiental. Pior ainda, alguns deles são crédulos fanáticos; veja-se por exemplo o novo chefe de uma subcomissão do meio ambiente, que explicou que o aquecimento global não pode ser de fato um problema porque Deus prometeu a Noé que não haverá outro dilúvio universal.[30]

Se tais coisas estivessem acontecendo em algum Estado pequeno e remoto, talvez até caíssemos na risada, mas não quando estão se passando no país mais rico e poderoso do mundo. E antes que tenhamos um ataque de gargalhadas, precisamos ter em mente que a presente crise econômica remonta em larga medida à fé fanática em dogmas como o da hipótese da eficiência dos mercados, e em termos gerais ao que o ganhador do prêmio Nobel Joseph Stiglitz chamou, quinze anos atrás, de "religião", a crença de que o mercado sabe tudo e tudo resolve – essa religião impediu que o Banco Central e toda a classe dos profissionais da economia, com pouquíssimas e honrosas exceções, percebessem a existência de uma enorme bolha imobiliária de 8 trilhões de dólares – sem o menor lastro nos fundamentos econômicos – que, quando estourou, devastou a economia.[31]

Tudo isso, e muito mais, pode persistir enquanto prevalecer a "doutrina Muasher". Enquanto a população em geral se mantiver passiva, apática, entretida com o consumismo ou distraída pelo ódio contra os vulneráveis, os poderosos continuarão fazendo o que lhes der na telha, e aos que sobreviverem não restará senão contemplar o resultado.

CAPÍTULO 5

Declínio norte-americano: causas e consequências

"É um tema comum" que os Estados Unidos, que "apenas alguns anos atrás foi saudado como um país que caminhava a passos largos mundo afora tal qual um colosso com poder incomparável e encanto sem igual [...] está em declínio, agourentamente diante da perspectiva de sua derrocada final."[1] Esse tema, articulado na edição de verão de 2011 na revista da Academia de Ciência Política, é de fato tido como verdade geral – e com alguma razão, embora caibam diversas restrições. O declínio está em marcha desde o ponto mais alto do poder dos EUA logo após a Segunda Guerra Mundial, e a extraordinária retórica da década de triunfalismo depois que a União Soviética implodiu foi em sua maior parte autoilusão. Além disso, o corolário que em regra é proposto – de que o poder vai mudar de mãos para a China e a Índia – é duvidoso. São países pobres com graves problemas internos. O mundo está se tornando mais diversificado; contido, apesar do declínio dos Estados Unidos, num futuro próximo não há concorrente para o poder hegemônico global.

Para recordar brevemente um pouco da história relevante: durante a Segunda Guerra Mundial, os estrategistas norte-americanos constataram que o país emergiria do conflito numa posição de poder esmagador. Fica bastante claro a partir dos registros documentais que "o presidente Roosevelt estava visando à hegemonia dos Estados

Unidos no mundo do pós-guerra", para citar a avaliação do historiador de diplomacia Geoffrey Warner, um dos maiores especialistas no assunto.[2] Nessa ordem de ideias, discutiram-se planos para que os EUA controlassem o que foi chamado de "Grande Área", abrangendo uma grande amplitude do planeta. Essas doutrinas ainda preponderam, embora seu alcance tenha diminuído.

Os planos de tempo de guerra, que em breve seriam implementados, não eram irrealistas, tampouco fantasiosos. Os Estados Unidos eram de longe o país mais rico do mundo. A guerra deu fim à Grande Depressão, e a capacidade industrial estadunidense quase quadruplicou, enquanto os rivais foram dizimados. Ao final da guerra, os EUA possuíam metade da riqueza do mundo, e seu sistema de segurança era inigualável.[3] A cada região da Grande Área foi atribuída uma "função" dentro do sistema global. A "Guerra Fria" que se seguiu consistiu em larga medida de esforços por parte das duas superpotências no sentido de impingir a ordem em seus domínios: no caso da União Soviética, a Europa Oriental ou Leste Europeu; para os Estados Unidos, a maior parte do mundo.

Em 1949, a Grande Área que os Estados Unidos planejavam controlar já estava gravemente carcomida por causa da "perda da China", nome que é dado ao fato de os EUA não conquistarem suas metas políticas em relação a Pequim na primeira metade do século XX.[4] A expressão é interessante: só se pode "perder" o que se possui, e aceita-se como favas contadas que os Estados Unidos são, por direito, donos da maior parte do mundo. Pouco depois, o Sudeste Asiático começou a se desvencilhar do controle de Washington, levando a guerras horrendas na Indochina e enormes massacres na Indonésia em 1965, à medida que o domínio dos EUA era restaurado. Nesse meio-tempo, a subversão e a violência em massa continuaram grassando em outras partes do mundo, num esforço para manter o que se chama "estabilidade".

Mas o declínio foi inevitável, à proporção que o mundo industrial se reconstruía e a descolonização seguia sua agonizante trajetória. Em 1970, a fatia norte-americana da riqueza mundial havia desabado para aproximadamente 25%.[5] O mundo industrial estava se tornando "tripolar", com os principais centros nos Estados Unidos, Europa e Ásia, que à época tinha o Japão como sustentáculo, e já se tornava a região mais dinâmica do globo.

Vinte anos depois, a União das Repúblicas Socialistas Soviéticas (URSS) entrou em colapso. A reação de Washington nos ensina um bocado sobre a realidade da Guerra Fria. O primeiro governo Bush, então no poder, declarou que suas políticas permaneceriam inalteradas, ainda que com diferentes pretextos; o gigantesco *establishment* militar seria mantido, não com vistas na defesa contra os russos, mas sim para confrontar a "sofisticação tecnológica" das potências do Terceiro Mundo. Da mesma forma, seria necessário manter a "base industrial de defesa", eufemismo para a indústria avançada, dependente de subsídios e iniciativas governamentais. Ainda era preciso que forças de intervenção fizessem pontaria para o Oriente Médio, região cujos problemas mais graves "não poderiam ser deixados na porta do Kremlin", ao contrário de meio século de enganação. Discretamente, admitiu-se que o problema sempre havia sido o "nacionalismo radical", isto é, as tentativas por parte dos países de seguir um caminho independente, em violação aos princípios da Grande Área.[6] Esses princípios não seriam modificados em nenhum de seus fundamentos, conforme a doutrina Clinton (segundo a qual os Estados Unidos tinham a prerrogativa de usar força militar unilateralmente a fim de incrementar seus interesses econômicos), e a expansão global da OTAN logo deixariam claro.

Houve um período de euforia após o colapso da superpotência inimiga, repleto de empolgadíssimas narrativas sobre o "fim da história" e uma maravilhada aclamação da política externa de Clinton, que dera início a uma "fase nobre" com um "brilho santo", já que pela primeira vez na história uma nação seria norteada por "altruísmo" e agiria devotada a "princípios e valores". Agora nada atravancaria o caminho de um "idealista Novo Mundo determinado a acabar com a desumanidade", que poderia levar adiante, livre de obstáculos, a emergente norma internacional de intervenção humanitária. E isso para dar apenas uma amostra dos fervorosos louvores e apaixonados elogios por parte de proeminentes intelectuais à época.[7]

Nem todos ficaram tão extasiados. A vítima tradicional, o sul global, condenou asperamente "o suposto direito de intervenção humanitária", identificando-o como nada mais que o velho "direito" de dominação imperial adornado com uma nova roupagem.⁸ Enquanto isso, vozes mais sóbrias entre a própria elite política estadunidense perceberam que, para grande parte do mundo, os Estados Unidos estavam "se tornando a superpotência vilã", "a maior ameaça externa para suas sociedades", e que "hoje o principal Estado vilão são os Estados Unidos",* para citar Samuel P. Huntington, professor de ciência governamental em Harvard, e Robert Jervis, presidente da Associação Norte-Americana de Ciência Política.⁹ Depois que George W. Bush assumiu, a opinião pública mundial, cada vez mais hostil, não podia ser ignorada; no mundo árabe, os índices de aprovação de Bush despencaram. Obama conseguiu a impressionante proeza de afundar ainda mais, chegando a 5% de aprovação no Egito, e não muito mais que isso na região como um todo.¹⁰

Nesse ínterim, o declínio continuou. Na última década, a América do Sul também foi "perdida". Isso é bastante grave; enquanto a administração de Nixon estava planejando a destruição da democracia chilena – o golpe militar do "primeiro 11 de Setembro" respaldado pelos EUA e que instalou a ditadura de Augusto Pinochet –, o NSC advertiu, em tom sinistro, que se os Estados Unidos não conseguissem controlar a América Latina, não seria possível esperar "alcançar uma ordem bem-sucedida em outros lugares do mundo".¹¹ Bem mais grave, porém, seriam os movimentos em direção à independência no

---

* Nos dicionários de língua inglesa, o adjetivo *rogue* significa "velhaco, embusteiro, tratante, enganador, mentiroso, malando"; a palavra toma o significado de algo ou alguém que se comporta de forma não esperada ou anormal, de maneira destrutiva, ou ainda um animal perigoso que vive à parte do resto do grupo ou bando. Em termos de política e relações internacionais, a expressão *rogue state* se concretizou na década de 1990, mas a ideia surgiu ainda durante a Guerra Fria. Na década de 1970, termos como *pariah state* (Estado pária) e *outlaw state* (Estado bandido) foram sugeridos por formuladores de políticas norte-americanos para designar países que demonstravam comportamentos "delinquentes", tais como governantes dedicados aos ganhos pessoais e que não demonstravam nenhuma consideração para com as leis internacionais; nações que adquirem armas de destruição em massa, apoiam o terrorismo mundo afora, rejeitam valores humanos básicos, brutalizam seu próprio povo e desperdiçam seus recursos naturais. Um *rogue state* é um "Estado fora da lei", um "Estado canalha", que se julga acima da lei e despreza o sistema internacional. (N. T.)

Oriente Médio, por razões reconhecidas nos primeiros estágios do planejamento pós-Segunda Guerra Mundial.

Um perigo adicional e maior: talvez houvesse significativos movimentos rumo à democracia. Bill Keller, diretor-executivo do jornal *The New York Times*, escreveu de forma comovente sobre o "desejo [de Washington] de abraçar os aspirantes a democratas em todo o Norte da África e no Oriente Médio".[12] Porém, recentes pesquisas de opinião no mundo árabe revelaram que seria desastroso para Washington se passos fossem dados na direção da criação de democracias efetivas, em que a opinião pública tivesse influência política. Como vimos, a população árabe considera os Estados Unidos uma ameaça de grandes proporções e, se tivesse a chance, expulsaria da região os EUA e seus aliados.

Embora as políticas de longa data dos Estados Unidos permaneçam em larga medida estáveis, com ajustes táticos, sob Obama houve algumas mudanças significativas. O analista militar Yochi Dreazen e seus coautores observaram na revista *The Atlantic* que, enquanto a política de Bush era capturar (e torturar) suspeitos, Obama simplesmente os assassina, incrementando o uso de armas de terror (*drones*) e comandos das Forças Especiais, muitos deles esquadrões de extermínio.[13] O cronograma das unidades das Forças Especiais prevê a atuação dessas tropas de elite em 120 países.[14] Agora do tamanho de todo o contingente militar do Canadá, essas forças são, a bem da verdade, um exército privado do presidente, questão discutida em detalhes pelo jornalista investigativo norte-americano Nick Turse no site *TomDispatch*.[15] A equipe que Obama enviou para assassinar Osama bin Laden já havia realizado talvez uma dúzia de missões similares no Paquistão. Como este e muitos outros fatos importantes ilustram, ainda que a hegemonia dos Estados Unidos tenha diminuído, sua ambição não definhou.

Outro tema comum, pelo menos entre aqueles que não são intencionalmente cegos, é que o declínio americano é, em grande medida, autoinfligido. A ópera-bufa em cartaz em Washington, cujo enredo gira em torno da decisão de "paralisar" ou não o governo, o que enoja o país (a grande maioria do qual considera que o Congresso deveria ser dissolvido) e desconcerta o mundo, tem poucos análogos nos anais da democracia parlamentar. O espetáculo está chegando inclusive a apavorar os patrocinadores da farsa. Os poderes corporativos estão agora preocupados, temendo que os extremistas que eles ajudaram a eleger possam acabar optando por derrubar o edifício do qual dependem a sua própria riqueza e seus privilégios, o poderoso Estado-babá que atende a seus interesses.

Certa vez, o eminente filósofo social norte-americano John Dewey descreveu a política como "a sombra que os grandes negócios lançam sobre a sociedade", advertindo que "a atenuação da sombra não mudará a substância".[16] Desde a década de 1970, a sombra tornou-se uma nuvem escura encobrindo a sociedade e o sistema político. O poder corporativo, a essa altura composto em larga medida de capital financeiro, chegou a um ponto em que ambas as organizações políticas, republicanos e democratas – que agora mal se assemelham a partidos tradicionais –, estão bem à direita da população nos temas mais importantes em debate.

Para o povo, a principal preocupação é a grave crise do desemprego. Nas atuais circunstâncias, esse problema crítico só poderia ser superado por um significativo estímulo governamental, muito além do que Obama iniciou em 2009, e que mal se equiparou à queda dos gastos estaduais e municipais, embora mesmo assim tenha salvado milhões de empregos. Para as instituições financeiras, a principal preocupação é o déficit. Portanto, somente o déficit está em discussão. A grande maioria da população (72%) é favorável a uma política de enfrentamento do déficit por meio da taxação dos muito ricos.[17] Os cortes nos programas de saúde enfrentam a oposição da esmagadora maioria (69% no caso do Medicaid, 78% para o Medicare).[18] O resultado provável é, portanto, o oposto.

Divulgando os resultados de um estudo sobre como o povo estadunidense eliminaria o déficit, Steven Kull, diretor do Programa para Consultas Públicas, que conduziu a análise, escreve que "tanto a administração como a Câmara liderada pelos republicanos estão fora de sintonia com os valores e as prioridades da opinião pública em relação ao orçamento [...] A maior diferença é que o povo é a favor de cortes profundos nos gastos de defesa, ao passo que o governo e a Câmara propõem aumentos modestos [...] A opinião pública também apoia gastos maiores em formação e capacitação profissional, educação e controle da poluição do que propõem o governo ou a Câmara".[19]

Estima-se que os custos das guerras de Bush e Obama no Iraque e no Afeganistão cheguem a 4,4 trilhões de dólares – uma tremenda vitória para Osama bin Laden, cujo objetivo anunciado era levar os Estados Unidos à falência, arrastando o país para uma armadilha.[20] O orçamento militar norte-americano para 2011 – quase equivalente aos gastos com despesas militares do restante do mundo inteiro somado – foi maior em termos reais (ajustado à inflação) do que em qualquer outro momento desde a Segunda Guerra Mundial, e está programado para subir ainda mais. Há muitos boatos extraoficiais acerca de cortes projetados, mas essas informações não mencionam que, caso de fato ocorram, os cortes serão feitos com base em projeções de futuros índices de aumento do orçamento do Pentágono.

A crise de déficit foi em grande parte fabricada como uma arma para destruir odiados programas sociais dos quais depende uma grande fatia da população. O respeitadíssimo correspondente de economia do *Financial Times* Martin Wolf escreve que "não é que atacar o problema da posição fiscal dos Estados Unidos seja urgente [...] Os EUA são capazes de tomar empréstimos em termos cômodos, com rendimentos dos títulos de dez anos perto de 3%, como previam os poucos não histéricos. O desafio fiscal é de longo prazo, não imediato". De maneira significativa, ele acrescenta: "A característica surpreendente da posição fiscal federal é que a previsão para as receitas indica que seja de meros 14,4% do PIB em 2011, muito abaixo da média do pós-guerra de cerca de 18%. O imposto de renda individual está previsto para apenas 6,3% em 2011. Esses não estadunidenses não conseguem entender qual o motivo de tanto estardalhaço: em 1988, no final do mandato de Ronald Reagan, as receitas foram de 18,2% do PIB. A receita fiscal tem que aumentar substancialmente para cobrir o déficit". Surpreendente de fato, mas a redução do déficit é a exigência das instituições financeiras e dos super-ricos, e numa democracia em rápido declínio, é isso o que importa.[21]

Embora a crise de déficit tenha sido fabricada por causa de uma selvagem luta de classes, a crise da dívida de longo prazo é grave e assim tem sido desde que a irresponsabilidade fiscal de Ronald Reagan transformou os Estados Unidos de maior credor do mundo ao maior devedor do mundo, triplicando a dívida nacional e suscitando ameaças à economia que foram intensificadas por George W. Bush. Por ora, no entanto, é a crise do desemprego a maior preocupação.

O "acordo" final sobre a crise – ou, mais precisamente, a capitulação para a extrema direita – foi a solução conciliatória oposta ao que o povo queria. Poucos economistas sérios discordariam do que afirmou o economista de Harvard Lawrence Summers, para quem "o problema atual dos Estados Unidos é muito mais um déficit de empregos e de crescimento do que um excessivo déficit orçamentário", e que o pacto firmado em Washington para aumentar o limite da dívida, embora preferível a uma (bastante improvável) configuração padrão, provavelmente causará danos maiores a uma economia já debilitada.[22]

Nem sequer mencionada é a possibilidade, discutida pelo economista Dean Baker, de que o déficit talvez pudesse ser eliminado se o disfuncional sistema privado de saúde fosse substituído por um sistema semelhante ao de outras sociedades industrializadas, o qual custa a metade em gastos *per capita* e apresenta resultados pelo menos comparáveis em termos de saúde.[23] As instituições financeiras e a indústria farmacêutica, porém, são por demais poderosas para que essas opções sejam ao menos cogitadas, embora o pensamento esteja longe de parecer utópico. Por razões similares estão fora da agenda de prioridades outras opções economicamente sensatas, como um pequeno imposto sobre transações financeiras.

Enquanto isso, novos presentes são distribuídos em grandes quantidades em Wall Street. A Comissão Parlamentar de Apropriações cortou a solicitação de orçamento para a Comissão de Valores Mobiliários, a principal barreira contra a fraude financeira, e o Congresso maneja outras armas em sua batalha contra as futuras gerações.

Diante da oposição republicana à proteção ambiental, "uma grande concessionária de serviços públicos [a empresa de fornecimento de energia elétrica American Electric Power] está suspendendo o mais destacado esforço do país de captar o dióxido de carbono a partir de uma usina a carvão já existente, desferindo um duro golpe nos esforços para a contenção das emissões responsáveis pelo aquecimento global, noticia o jornal *The New York Times*.[24]

Tais golpes autoinfligidos, ainda que cada vez mais potentes, não são uma inovação recente. Remontam à década de 1970, quando a política econômica nacional passou por transformações decisivas, dando fim ao que é chamado "a idade de ouro do capitalismo [de Estado]". Dois elementos de peso foram a financeirização e o *offshoring* de produção (ou transferência de plantas industriais),* ambos relacionados ao declínio da taxa de lucros na indústria fabril e ao desmantelamento do sistema de Bretton Woods de controles de capital e moedas regulamentadas. O triunfo ideológico das "doutrinas de livre mercado", seletivas como sempre, aplicou golpes adicionais, na medida em que essas doutrinas se traduziram em desregulamentação, regras de governança corporativa vinculando polpudas recompensas pagas a altos executivos de empresas a lucros de curto prazo e outras decisões políticas afins. A resultante concentração da riqueza rendeu maior poder político, acelerando um círculo vicioso que levou a uma extraordinária riqueza para uma ínfima minoria, enquanto para a grande maioria os rendimentos reais praticamente estagnaram.

Ao mesmo tempo, o custo das eleições disparou abruptamente, empurrando os dois partidos cada vez mais fundo dentro dos bolsos das corporações. O que resta de democracia política foi minado de vez à medida que republicanos e democratas recorreram ao leilão de posições de liderança no Congresso. O economista político Thomas Ferguson observa que "de modo singular entre as legislaturas do mundo desenvolvido, os partidos congressionais dos EUA agora

---

* O termo *offshoring* designa a transferência da atividade produtiva e respectivos postos de trabalho de regiões com consideráveis custos de produção para regiões onde o custo de produção é significativamente mais baixo, principalmente no que diz respeito à mão de obra e matérias-primas. (N. T.)

fixam preços para cargos-chave no processo legislativo". Os legisladores que financiam o partido ganham os cargos, o que praticamente os obriga a tornar-se servos do capital privado, até mesmo para além da norma. O resultado, Ferguson continua, é que os debates "fiam-se na repetição incessante de um punhado de slogans que foram testados e comprovados por seu apelo aos blocos de investidores nacionais e aos grupos de interesse dos quais as lideranças dependem para angariar recursos".[25]

A economia pós-era de ouro está encenando um pesadelo previsto pelos economistas clássicos Adam Smith e David Ricardo. Nos últimos trinta anos, os "mestres da humanidade", epíteto pelo qual Smith os chamou, abandonaram qualquer preocupação sentimental com relação ao bem-estar de sua própria sociedade. Em vez disso, concentraram-se sobre os ganhos de curto prazo e bônus enormes, o país que se dane.

Uma ilustração explícita e reveladora disso está na primeira página do *The New York Times* enquanto escrevo este livro. Duas longas reportagens aparecem lado a lado. Uma delas discute como republicanos opõem-se a qualquer acordo "que envolva aumento de receitas" – eufemismo para a taxação sobre os ricos.[26] A outra tem como manchete "Mesmo com preços mais altos, bens de luxo desaparecem das prateleiras".[27]

O desenrolar desse panorama está descrito em um folheto para investidores publicado pelo Citigroup, o gigante bancário que mais uma vez se alimenta do canal público, como vem fazendo com regularidade por trinta anos em um ciclo de empréstimos de risco, lucros descomunais, falências e resgates financeiros. Os analistas do banco descrevem um mundo que está se dividindo em dois blocos: a plutonomia e o restante, criando uma sociedade global em que o crescimento é alimentado pela minoria próspera e por ela amplamente consumido. Alijados dos ganhos da plutonomia estão os "não ricos", a vasta maioria, agora às vezes chamados "precariado global", a população economicamente ativa que vive uma existência instável e cada vez mais atingida pela penúria. Nos Estados Unidos, essa força de trabalho está sujeita à "crescente insegurança do trabalhador", a base de uma economia saudável, conforme o presidente do Federal Reserve [o banco central dos Estados Unidos] Alan Greenspan explicou ao Congresso, ao mesmo tempo em que enaltecia suas próprias habilidades de gestão econômica.[28] Essa é a verdadeira transferência de poder na sociedade global.

Os analistas do Citigroup aconselham os investidores a concentrar suas atenções nos muito ricos, onde está a ação. O desempenho de sua "cesta de ações da plutonomia", como eles chamam a carteira de ações, superou em muito o índice mundial de mercados desenvolvidos desde 1985, quando os programas econômicos Reagan-Thatcher para o enriquecimento dos muito ricos estavam decolando.[29]

Antes da crise de 2008, pela qual foram em ampla medida as principais responsáveis, as novas instituições financeiras pós-era de ouro tinham adquirido um assustador poder econômico, mais que triplicando a sua cota de lucros corporativos. Após o colapso da economia, um sem-número de economistas começou a investigar em termos puramente econômicos a função delas. O prêmio Nobel de Economia Robert Solow conclui que o mais plausível é que o impacto geral seja negativo, porque "os sucessos provavelmente adicionam pouco ou nada à eficiência da economia real, ao passo que os desastres transferem a riqueza dos contribuintes para os financiadores".[30]

Ao reduzir a frangalhos os restos da democracia política, essas instituições financeiras estabelecem as bases para que seja levado adiante o processo letal – enquanto suas vítimas estiverem dispostas a sofrer em silêncio.

Retornando ao "tema comum" de que os Estados estão "em declínio, agourentamente diante da perspectiva de sua derrocada final", embora sejam exagerados, os lamentos contêm elementos de verdade. O poderio norte-americano no mundo continua, de fato, em declínio desde seu pico pós-Segunda Guerra Mundial. Os EUA ainda são o mais poderoso Estado do mundo; entretanto, o poder global continua a se tornar mais diversificado, e os EUA mostram-se cada vez mais incapazes de impor sua vontade. Mas a derrocada tem muitas dimensões e complexidades. A sociedade doméstica também está em declínio de muitas maneiras significativas, e o que é declínio para alguns pode ser riqueza e privilégio inimagináveis para outros. Para a plutonomia – em termos mais estritos, uma diminuta fração na estreitíssima ponta mais alta –, os privilégios e a abastança abundam, enquanto para a grande maioria as perspectivas são invariavelmente lúgubres, e muitos chegam inclusive a enfrentar problemas de sobrevivência num país com vantagens incomparáveis.

CAPÍTULO 6

É o fim dos Estados Unidos?

Alguns aniversários significativos são comemorados de forma solene – o do ataque japonês à base aérea e naval norte-americana de Pearl Harbor, por exemplo. Outros são ignorados, e podemos aprender com eles valiosas lições sobre o que o futuro provavelmente nos reserva.

Não houve comemoração nenhuma do 50º aniversário da decisão do presidente John F. Kennedy de desferir o mais assassino e destrutivo ato de agressão do período pós-Segunda Guerra Mundial: a invasão do Vietnã do Sul e, depois, de toda a Indochina, o que deixou milhões de mortos e quatro países devastados, e o número de baixas ainda hoje aumenta progressivamente, por causa dos efeitos de longo prazo da exposição do Vietnã do Sul aos carcinógenos mais letais conhecidos, despejados com o intuito de destruir a cobertura vegetal e a produção de alimentos.

O primeiro alvo foi o Vietnã do Sul. A seguir, a agressão se espalhou para o Norte, e depois para a remota sociedade camponesa do norte do Laos, até finalmente chegar ao rural Camboja, bombardeado em níveis impressionantes, equivalente a todas as operações aéreas aliadas realizadas na região do Pacífico durante a Segunda Guerra Mundial, incluindo as duas bombas atômicas lançadas sobre Hiroshima e Nagasaki. Neste caso, as ordens do consultor de Segurança Nacional de Henry Kissinger estavam sendo obedecidas – "jogar qualquer coisa que voe sobre tudo que se mova", um chamamento aberto para o genocídio como raras vezes se viu na história.[1] Pouco disso é lembrado. A maior parte desses fatos mal é conhecida fora dos estreitos círculos de ativistas.

Quando a invasão foi desfechada, há mais de cinquenta anos, a preocupação era tão insignificante que houve pouco esforço de justificação, quase nada além da arrebatada alegação do presidente de que "estamos enfrentando uma conspiração monolítica e brutal do outro lado do mundo que se fia principalmente em meios dissimulados para a expansão de sua esfera de influência", e se essa conspiração atingir seus objetivos no Laos e no Vietnã, "os portões estarão escancarados".[2]

Em outro momento, ele fez novo alerta, ressalvando que "as sociedades complacentes e autoindulgentes, as sociedades fracas estavam prestes a ser varridas para os escombros da história [e] somente as fortes [...] têm possibilidade de sobreviver", neste caso refletindo sobre o fracasso da agressão e do terror estadunidenses em esmagar a independência cubana.[3]

Quando os protestos começaram a se avolumar, meia dúzia de anos depois, o respeitado historiador militar Bernard Fall, especialista em Vietnã e longe de ser pacifista ou ingênuo, previu que "o Vietnã como entidade histórica e cultural [...] está ameaçado de extinção à medida que a sua área rural literalmente morre sob os ataques da maior máquina militar que jamais realizou operações numa área daquele tamanho".[4] Ele estava, mais uma vez, referindo-se ao Vietnã do Sul.

Quando a guerra acabou, oito horrendos anos depois, a opinião dominante estava dividida entre aqueles que descreviam o conflito como uma "causa nobre", que os EUA poderiam ter vencido com maior dedicação, e os críticos que, no extremo oposto, julgavam tratar-se de "um erro" que se provou altamente dispendioso. Por volta de 1977, o presidente Carter suscitou poucos comentários e passou quase despercebido quando explicou que "não tínhamos dívida nenhuma" com o Vietnã porque "a destruição foi mútua".[5]

Há em tudo isso lições importantes para o momento atual, mesmo deixando de lado mais um lembrete de que somente os fracos e derrotados são chamados a prestar contas por seus crimes. Uma lição é que, para compreender o que está acontecendo, devemos prestar atenção não apenas aos eventos decisivos do mundo real, frequentemente descartados pela história, mas também àquilo em que os líderes e a opinião da elite acreditam, mesmo que matizados com toques de fantasia. Uma outra lição é que, ao lado dos voos da imaginação engendrados para aterrorizar e mobilizar o público (e cuja veracidade talvez seja aceita por alguns que caem na armadilha de sua própria retórica), há ainda planejamento geoestratégico com base em princípios racionais e estáveis durante longos períodos porque estão alicerçados em instituições estáveis e seus respectivos programas de ação. Voltarei a esse ponto, apenas enfatizando aqui que os fatores persistentes na ação estatal são geralmente bastante opacos.

A guerra do Iraque é um caso instrutivo. Foi vendida para um público aterrorizado sob a usual justificativa de autodefesa contra uma apavorante ameaça à sobrevivência: a "única questão", declararam George W. Bush e Tony Blair, era se Saddam Hussein encerraria seu programa de desenvolvimento de armas de destruição em massa (*weapons of massa destruction* – WMD, na sigla em inglês). Quando a única questão recebeu a resposta errada, a retórica do governo facilmente mudou para o nosso "anseio por democracia", e a opinião pública instruída se comportou conforme o esperado.

Mais tarde, à medida que estava ficando difícil ocultar a dimensão da derrota dos EUA no Iraque, o governo discretamente admitiu o que já estava claro para todo mundo. Em 2007, a administração anunciou oficialmente que um acordo final deveria assegurar a permanência de bases militares norte-americanas e o direito de operações de combate no país, e privilegiar os investidores estadunidenses na exploração do rico sistema energético do Iraque – demandas abandonadas somente com muita relutância em face da resistência iraquiana, e tudo mantido bem escondido da população em geral.[6]

O declínio americano em avaliação

Com essas lições em mente, vale a pena dar uma olhada no que é destacado nos principais periódicos de política e opinião. Como exemplo, vejamos a mais prestigiosa das publicações do *establishment*, a revista *Foreign Affairs*. A manchete na capa da edição de novembro/dezembro de 2011 estampava em negrito: "É o fim dos Estados Unidos?".

A reportagem anunciada com essa provocadora manchete exige uma "redução de gastos" nas "missões humanitárias" no exterior, que estão consumindo a riqueza do país, de modo a estancar o declínio norte-americano, um tema de peso no discurso das questões internacionais, quase sempre acompanhado do corolário de que o poder está se deslocando para o Leste, o Oriente, para a China e (talvez) a Índia.[7]

Os dois primeiros artigos tratam de Israel e da Palestina. O primeiro texto, de autoria de dois altos oficiais israelenses e intitulado *The problem is palestinian rejectionism* (O problema é o rejeicionismo palestino, em tradução livre), assevera que o conflito não pode ser solucionado porque os palestinos se recusam a reconhecer Israel como Estado Judaico – desse modo, agem em conformidade com a prática diplomática padrão: Estados são reconhecidos, mas não os setores privilegiados dentro deles.[8] A exigência do reconhecimento palestino não é outra coisa senão um novo dispositivo para impedir a ameaça de um acordo político que desestabilizaria os objetivos expansionistas israelenses.

A posição contrária, defendida por um acadêmico estadunidense, está resumida assim na capa: "*The problem is the occupation*" (O problema é a ocupação, em tradução livre).[9] No subtítulo do artigo lê-se: "*How the occupation is destroying the nation*" (Como a ocupação está destruindo a nação, em tradução livre). Qual nação? Israel, é claro. Emparelhados, os dois artigos aparecem na capa da revista sob o título "*Israel under siege*" (Israel sitiada, em tradução livre).

A edição de janeiro/fevereiro de 2012 destaca ainda um outro chamamento para o bombardeio do Irã, antes que fosse tarde demais. Alertando para "os perigos da teoria da intimidação", o autor sugere que os "céticos à ação militar cometem um erro na avaliação do verdadeiro grau de perigo que um Irã municiado com armas nucleares imporia aos interesses dos EUA no Oriente Médio e além. E suas pessimistas previsões pressupõem que a cura seria pior do que a doença

– isto é, as consequências de um ataque estadunidense ao Irã seriam tão ruins ou piores que os efeitos causados se o Irã atingisse suas ambições nucleares. Mas essa é uma suposição errônea. A verdade é que um ataque militar com o intuito de destruir o programa nuclear iraniano, se fosse realizado com cuidado, poderia livrar a região e o mundo de uma ameaça bastante real e melhorar drasticamente a segurança nacional dos Estados Unidos no longo prazo".[10] Outros argumentam que os custos seriam altos demais, e alguns, na extremidade oposta, chegam a apontar que um ataque violaria o direito internacional – é a posição dos moderados, que regularmente lançam ameaças de violência, em violação à Carta das Nações Unidas.

Examinemos cada uma dessas preocupações preponderantes.

O declínio norte-americano é uma realidade, embora a sua versão apocalíptica reflita a percepção bastante conhecida da classe dominante de que qualquer outra coisa exceto o controle total acarreta o desastre total. Apesar dos patéticos lamentos, os Estados Unidos continuam sendo, por larga margem, o maior poder do mundo, a potência mundial dominante, e não há competidores à vista, e não apenas em dimensões militares, nas quais, é claro, os EUA reinam supremos.

A China e a Índia registraram um crescimento rápido (embora extremamente desigual), mas continuam sendo países muito pobres, com enormes problemas internos não enfrentados pelo Ocidente. A China é o maior centro industrial do mundo e, em grande medida, atua como linha de montagem para potências industriais avançadas em sua periferia e multinacionais ocidentais. É provável que isso mude com o decorrer do tempo. A indústria propicia habitualmente as bases para a inovação, e quase sempre também para a invenção, como agora vem ocorrendo, às vezes, na China. Um exemplo que impressionou os especialistas ocidentais foi o fato de a China assumir a dianteira no crescente mercado de painéis solares, não apenas com base na mão de obra barata, mas no planejamento coordenado e, cada vez mais, na inovação.

Mas os problemas que a China enfrenta são graves. Alguns são demográficos, conforme relata a *Science*, a principal revista semanal de divulgação científica dos EUA. Seu estudo mostra que a mortalidade sofreu uma abrupta diminuição na China durante os anos do maoísmo, "principalmente como consequência do desenvolvimento econômico e de melhorias nos serviços de educação e de saúde, em especial o movimento de higiene pública, que resultou numa acentuada queda da mortalidade por doenças infecciosas". Mas esse progresso chegou ao fim com o início das reformas capitalistas, trinta anos atrás, e desde então a taxa de mortalidade tem aumentado.

Além disso, o crescimento econômico chinês recente fiou-se substancialmente num "bônus demográfico", um enorme contingente populacional em idade economicamente ativa. "Mas a janela para tirar proveito desse bônus pode fechar em breve", com um "impacto profundo no desenvolvimento [...] o excesso de mão de obra barata, um dos principais fatores que impulsionam o milagre econômico da China, não estará mais disponível."[11]

A demografia é apenas um dos muitos problemas sérios pela frente. E, no caso da Índia, os problemas são ainda mais graves.

Nem todas as vozes proeminentes anteveem o declínio norte-americano. Na mídia internacional, não há publicação mais séria e respeitável que o *Financial Times*. O jornal dedicou recentemente uma página inteira à otimista expectativa de que a nova tecnologia de extração de combustíveis fósseis norte-americanos possa dar aos EUA condições de se tornarem independentes do ponto de vista energético, consequentemente mantendo por um século a sua hegemonia global.[12] Não há menção nenhuma ao tipo de mundo que os EUA comandarão nesse acontecimento feliz, mas não por falta de evidências.

Mais ou menos ao mesmo tempo, a Agência Internacional de Energia (International Energy Agency – IEA, na sigla em inglês) divulgou que, com o aumento vertiginoso das emissões de carbono por causa do uso de combustíveis fósseis, o limite da segurança em relação à mudança climática será alcançado por volta de 2017 se o mundo continuar no atual ritmo. "A porta está se fechando", disse o economista-chefe da IEA, e em muito breve "se fechará para sempre".[13]

Pouco antes disso, o Departamento de Energia dos EUA tornou públicos os números mais recentes das emissões anuais de dióxido de carbono, que "tiveram a maior elevação já registrada", e com esse salto chegaram a um nível mais alto que o pior cenário previsto pelo Painel Internacional de Mudanças Climáticas (International Panel on Climate Change – IPCC, na singla em inglês).[14] Isso não foi surpresa nenhuma para muitos cientistas, inclusive os do programa para mudança climática do Instituto de Tecnologia de Massachusetts (Massachusetts Institute of Technology – MIT, na sigla em inglês), que durante anos alertaram que os prognósticos do IPCC eram por demais conservadores.

Tais críticos das previsões do IPCC não receberam praticamente nenhuma atenção pública, ao contrário dos grupos de céticos ou negacionistas climáticos, apoiados pelo setor corporativo, juntamente com colossais campanhas de propaganda que têm mantido muitos norte-americanos – em sua rejeição às ameaças da mudança climática – afastados do espectro internacional. O apoio das corporações também se traduz diretamente em poder político. O negacionismo é parte do catecismo que deve ser entoado pelos candidatos republicanos na farsesca campanha eleitoral agora infinitamente em curso, e no Congresso os negacionistas são suficientemente poderosos para abortar até mesmo investigações sobre os efeitos do aquecimento global, quanto mais qualquer ação séria a respeito.

Em suma, talvez o declínio norte-americano possa ser estancado se abandonarmos a esperança de uma sobrevivência decente, um prognóstico que é por demais concreto, dado o equilíbrio de forças no mundo.

A "perda" da China e do Vietnã

Mas vamos deixar de lado esses desagradáveis pensamentos. Um olhar mais detido sobre a decadência norte-americana mostra que a China desempenha de fato um papel importante na derrocada, o que se aplica aos últimos sessenta anos. O declínio que agora traz à tona tanta preocupação não é um fenômeno recente, mas remonta ao fim da Segunda Guerra Mundial, quando os Estados Unidos detinham metade da riqueza do mundo e dispunham de níveis incomparáveis de segurança e alcance global. É claro que os estrategistas e planejadores estavam bastante conscientes acerca dessa enorme disparidade de poder e pretendiam manter as coisas exatamente da mesma maneira.

O ponto de vista básico foi descrito em linhas gerais com admirável franqueza num valioso documento oficial de 1948. O autor era um dos arquitetos da nova ordem mundial da época: o chefe da equipe de planejamento de diretrizes políticas do Departamento de Estado dos EUA, o respeitado estadista e acadêmico George Kennan, um pacifista moderado no espectro dos estrategistas. Ele observou que o objetivo político central dos Estados Unidos deveria ser a manutenção da "posição de disparidade" que separava a nossa enorme riqueza da pobreza dos outros. De modo a alcançar esse propósito, ele advertiu: "Nós deveríamos parar de falar de objetivos vagos e [...] irreais tais como direitos humanos, aumento do padrão de vida e democratização" e precisaríamos "nos ocupar de conceitos estritos de poder", sem que sejamos "tolhidos por slogans idealistas" sobre "altruísmo e benefício para o mundo".[15]

Kennan estava se referindo especificamente à situação na Ásia, mas suas observações podem se estender, com exceções, aos participantes do sistema de dominação global dos EUA. Porém, ficou bem claro que os "slogans idealistas" deveriam ser apresentados especialmente quando se dirigissem aos outros, incluindo as classes intelectualizadas, das quais se esperava que os difundissem.

Os planos que Kennan ajudou a formular e a implementar davam como favas contadas que os Estados Unidos controlariam o hemisfério Ocidental, o Extremo Oriente, o antigo Império Britânico (incluindo os incomparáveis recursos energéticos do Oriente Médio) e a maior parte possível da Eurásia, fundamentalmente seus centros comerciais e industriais. Não eram objetivos irrealistas, dada a distribuição do poder naquele momento. Mas o declínio teve início de imediato.

Em 1949, a China declarou independência – resultando, nos Estados Unidos, em ásperas recriminações e em conflito acerca de quem tinha sido o responsável por essa "perda". O pressuposto tácito era o de que os EUA "possuíam" a China por direito, bem como eram donos da maior parte do restante do mundo, algo que pensavam os estrategistas do pós-guerra.

A "perda da China" foi o primeiro passo significativo do "declínio norte-americano". Com consequências políticas de grande envergadura. Uma delas foi a decisão imediata de apoiar a tentativa francesa de reconquistar sua ex-colônia da Indochina, de modo que esta também não fosse "perdida". A Indochina em si não era motivo de grande preocupação, apesar das declarações do presidente Eisenhower e de outros sobre as riquezas naturais indochinesas. Ao contrário, a preocupação relevante era com a "teoria do efeito dominó". Invariavelmente ridicularizada quando os dominós não caem, essa teoria continua sendo um importante princípio regulador de diretrizes políticas, porque é bastante racional. Para adotar a versão de Henry Kissinger, uma região que sai do controle dos Estados Unidos pode tornar-se um "vírus" que "disseminará doenças contagiosas", induzindo outras a seguirem o mesmo caminho.

No caso do Vietnã, a preocupação era de que o vírus do desenvolvimento independente pudesse infectar a Indonésia, que de fato tem abundância de recursos. E isso poderia levar o Japão – o "superdominó", como o país foi chamado pelo destacado historiador de temas asiáticos John Dower – a "se ajustar" a uma Ásia independente, tornando-se seu centro tecnológico e industrial num sistema que escaparia do alcance do poderio dos Estados Unidos.[16] Isso significaria, com efeito, que os EUA tinham perdido a fase do Pacífico da Segunda Guerra Mundial, batalha na qual lutaram a fim de impedir que o Japão estabelecesse essa nova ordem na Ásia.

O modo de lidar com um problema como esse é claro: destruir o vírus e "vacinar" aqueles que poderiam ser infectados. No caso do Vietnã, a escolha racional era aniquilar qualquer esperança de desenvolvimento independente bem-sucedido e impor brutais ditaduras nas regiões ao redor. Essas tarefas foram levadas a cabo com êxito – embora a história tenha sua própria astúcia, e ainda que algo semelhante ao que se temia tenha se desenvolvido no Leste da Ásia desde então, para a grande consternação de Washington.

A vitória mais importante das guerras da Indochina deu-se em 1965, quando um golpe de Estado militar liderado pelo general Suharto e respaldado pelos EUA resultou numa criminosa matança que a CIA comparou às chacinas de Hitler, Stálin e Mao. O "assombroso morticínio", segundo a descrição no jornal *The New York Times*, foi noticiado com exatidão de detalhes por toda a mídia dominante, e com incontida euforia.[17]

Foi um "brilho de luz na Ásia", de acordo com o que escreveu o renomado comentarista de esquerda James Reston, no *Times*.[18] O golpe deu fim à ameaça de democracia ao demolir o partido político de massas, dos pobres, instituindo uma ditadura que compilaria os piores registros de violações dos direitos humanos na história do mundo e que escancarou as riquezas do país para os investidores ocidentais. Não é de surpreender que, mesmo depois de tantos horrores, inclusive a quase genocida invasão do Timor Leste, Suharto tenha sido recebido de bom grado numa visita à Casa Branca em 1995, ocasião em que a administração Clintou saudou-o como "nosso tipo de homem".[19]

Anos após os grandes eventos de 1965, McGeorge Bundy, membro do NSC de Kennedy e Johnson, refletiu que teria sido sensato acabar com a Guerra do Vietnã naquele momento, estando o "vírus" praticamente destruído e o principal dominó solidamente no lugar, escorado por outras ditaduras apoiadas pelos Estados Unidos de uma ponta à outra em toda a região. Procedimentos similares vêm sendo adotados de forma rotineira em outros lugares; Kissinger estava se referindo especificamente à ameaça da democracia socialista no Chile — ameaça a que se deu fim no "primeiro 11 de Setembro", com a posterior imposição da cruel ditadura de Pinochet. Também têm gerado profundas preocupações vírus em outros lugares, inclusive no Oriente Médio, onde a ameaça de um nacionalismo secular tem tirado o sono de estrategistas e planejadores britânicos e estadunidenses, induzindo-os a apoiar o fundamentalismo islâmico radical como meio de opor-se a esse temor.

A concentração da riqueza e o declínio norte-americano

Apesar dessas vitórias, o declínio norte-americano continuou. Por volta da década de 1970, a derrocada entrou numa nova fase: a do declínio autoinfligido e consciente, à medida que estrategistas tanto do setor privado como do setor estatal alteraram a rota da economia dos EUA na direção da financeirização e do *offshoring* de produção (a transferência de plantas industriais), rumo impulsionado em parte pela queda da taxa de lucro na indústria doméstica. Essas decisões deram início a um círculo vicioso no qual a riqueza se tornou extremamente concentrada (de forma acentuada na faixa do 0,1% da população mais abastada), gerando uma concentração de poder político e, consequentemente, uma legislação para aprofundar o ciclo e levá-lo ainda mais longe: revisão de tributação e outras políticas fiscais, desregulamentação, mudanças nas regras da administração corporativa – o que permitiu imensos ganhos para os executivos – e assim por diante.

Enquanto isso, para a maioria da população, os salários reais foram estagnados, e ao povo só restou a possibilidade de sobreviver à base de cargas de trabalho cada vez maiores (muito além dos níveis europeus), às voltas com dívidas insustentáveis e, desde os anos Reagan, repetidas bolhas, que criam riquezas de papel fadadas a desaparecer assim que inevitavelmente estouram; depois do fracasso, os especuladores e arquitetos das bolhas são quase sempre socorridos pelo dinheiro do contribuinte. Em paralelo a isso, o sistema político foi reduzido a frangalhos, à medida que ambos os partidos afundam mais e mais dentro dos bolsos das corporações e o custo das eleições sobe a patamares vertiginosos – os republicanos ao nível do absurdo, os democratas não muito atrás.

Um volumoso estudo recente do Instituto de Política Econômica, que há anos tem sido a mais importante fonte de dados abalizados sobre essa marcha dos acontecimentos, intitula-se *Failure by design* [Fracasso de caso pensado]. É exata a expressão *by design* (que quer dizer "intencionalmente, de propósito, conforme o planejado"); outras escolhas eram certamente possíveis. E como aponta o estudo, o "fracasso" tem um viés de classe. Não há fracasso para os designers – os projetistas ou planejadores –, longe disso. As políticas são um fracasso somente para a imensa maioria – os 99%, na imagem dos movimentos Occupy e para o país, que entrou em declínio e continuará em decadência sob essas políticas.

Um fator é o *offshoring* de produção, a transferência das plantas industriais. Como ilustra o exemplo dos painéis solares chineses mencionado anteriormente, a capacidade industrial propicia as bases e o estímulo para a inovação, levando a estágios mais avançados de sofisticação na produção, no design e na invenção. Esses benefícios também estão sendo terceirizados – o que não é um problema para os "mandarins do dinheiro", que cada vez mais formulam a política, mas é um grave problema para o povo trabalhador e as classes médias e um verdadeiro desastre para os mais oprimidos: os afro-americanos, que nunca escaparam do legado da escravidão e de sua mais repugnante consequência, e cuja escassa riqueza praticamente desapareceu depois do colapso da bolha imobiliária, em 2008, detonando a mais recente crise financeira, até aqui a pior de todas.

Alvoroços no exterior

Enquanto a autoinfligida e consciente queda acompanhada de decadência seguia sua trajetória em âmbito doméstico, "perdas" continuavam a se avolumar em outro lugar. Na última década, pela primeira vez em quinhentos anos, a América do Sul deu passos auspiciosos para se libertar da dominação ocidental. A região tomou a iniciativa de rumar na direção da integração e começou a atacar alguns dos terríveis problemas internos das sociedades regidas por elites predominantemente europeizadas, minúsculas ilhas de extrema riqueza num mar de miséria. Essas nações também se livraram de todas as bases militares dos EUA e dos mecanismos de controle do FMI. Uma organização recém-formada, a Comunidade dos Estados Latino-americanos e Caribenhos (CELAC), inclui todos os países do hemisfério, à exceção dos Estados Unidos e do Canadá. Se de fato funcionar, será outro passo no sentido do declínio norte-americano, neste caso no que sempre foi considerado o "quintal dos EUA".

Ainda mais grave seria a perda dos países do Oriente Médio e do Norte da África (Middle East e North Africa – MENA, na sigla em inglês) –, que desde a década de 1940 é tida pelos estrategistas e planejadores como "uma estupenda fonte de poder estratégico e um dos mais formidáveis espólios materiais na história do mundo".[20] Sem dúvida, se as projeções de um século de independência energética dos EUA com base nos recursos energéticos norte-americanos acabassem se revelando realistas, a importância do controle do MENA diminuiria um pouco, embora provavelmente não muito. A principal preocupação sempre foi o controle, muito mais que o acesso. Porém, as prováveis consequências para o equilíbrio do planeta são tão agourentas que a discussão talvez seja em larga medida um exercício acadêmico.

A Primavera Árabe, outro acontecimento de importância histórica, talvez pressagie pelo menos uma "perda" parcial do MENA. Os Estados Unidos e seus aliados vêm tentando com afinco evitar esse resultado – até aqui, com considerável sucesso. Sua política com relação às revoltas populares aferrou-se com unhas e dentes às diretrizes padrão: apoiar as forças mais dóceis e submissas à influência e ao controle dos EUA.

Os ditadores favorecidos devem ser respaldados durante o tempo em que conseguirem manter o controle (como os principais Estados produtores de petróleo). Quando isso já não for possível, descarte-os e tentem restaurar o antigo regime da forma mais completa possível (como na Tunísia e no Egito). O padrão geral é conhecido em outros lugares do mundo, por ser praticado por Somoza, Marcos, Duvalier, Mobutu, Suharto e muitos outros. No caso da Líbia, as três tradicionais potências imperiais, violando a resolução do Conselho de Segurança da ONU que elas mesmas tinham acabado de endossar, tornaram-se a força aérea dos rebeldes, aumentando de forma acentuada o número de baixas civis e criando um desastre humanitário e caos político à medida que o país descambava para a guerra civil e abundantes quantidades de armamento caíam nas mãos de jihadistas na África Ocidental e outras regiões.[21]

Israel e o Partido Republicano

Considerações semelhantes nos levam diretamente para a segunda questão de maior relevância, analisada na capa da edição de novembro/dezembro de 2011 da revista *Foreign Affairs*, já citada anteriormente: o conflito Israel-Palestina. Nessa arena seria difícil demonstrar de maneira mais evidente o medo dos EUA em relação à democracia. Em janeiro de 2006 foram realizadas eleições na Palestina, pleito que monitores internacionais consideraram livre e justo. A reação instantânea dos Estados Unidos (e, claro, de Israel), acompanhados de perto pela cortês Europa, foi impor duras penalidades aos palestinos por votarem errado.

Isso não é inovação nenhuma. Está plenamente de acordo com o princípio geral reconhecido pelas correntes dominantes do pensamento acadêmico: os Estados Unidos apoiam a democracia se, e somente se, os resultados estiverem em consonância com seus objetivos estratégicos e econômicos – a pesarosa conclusão de Thomas Carothers, o mais meticuloso e respeitado analista erudito das iniciativas de "promoção da democracia".

De modo mais amplo, durante quarenta anos os Estados Unidos encabeçaram a facção rejeicionista na questão Israel-Palestina, bloqueando o consenso internacional que reivindica um acordo político em termos por demais notórios para exigir repetição. O mantra ocidental é que Israel busca negociações sem precondições, ao passo que os palestinos recusam tais termos. O oposto está mais próximo da verdade: Estados Unidos e Israel exigem precondições estritas que são, ademais, formuladas de modo a assegurar que as negociações levem ou à capitulação palestina em questões cruciais ou a lugar nenhum.

A primeira precondição é de que as negociações devem ser supervisionadas por Washington, o que faz tanto sentido quanto exigir que o Irã supervisione a negociação dos conflitos sunitas-xiitas no Iraque. Negociações sérias teriam que ocorrer sob os auspícios de alguma parte neutra, de preferência uma parte que imponha algum respeito internacional – talvez o Brasil. Essas negociações buscariam solucionar os conflitos entre os dois antagonistas: Estados Unidos e Israel de um lado, a maior parte do mundo do outro.

A segunda precondição é de que Israel deve ser livre para expandir seus assentamentos ilegais na Cisjordânia. Teoricamente, os Estados Unidos se opõem a essas ações, mas se limitam a aplicar meros puxões de orelha e punições levíssimas ao passo que continuam fornecendo aos israelenses apoio econômico, diplomático e militar. Quando os EUA de fato apresentam alguma crítica ou objeção limitada às atitudes unilaterais de Israel, barram com extrema facilidade as ações israelenses, como no caso do projeto de construção da zona E1, ligando a Grande Jerusalém à cidade de Maale Adumin, praticamente dividindo a Cisjordânia em duas – altíssima prioridade para os estrategistas israelenses de todo o espectro político, mas que enfrentou alguma oposição em Washington, de modo que Israel teve de recorrer a medidas tortuosas para dar continuidade ao projeto.[22]

O faz de conta da oposição chegou ao nível da farsa em fevereiro de 2011, quando Obama vetou uma resolução do Conselho de Segurança da ONU que exigia a implementação de política oficial dos Estados Unidos (e acrescentando também a incontestável observação de que os assentamentos propriamente ditos são ilegais, e mais ainda sua expansão). Desde essa época, pouco tem se falado sobre dar fim à expansão dos assentamentos, que continuam com estudada provocação.

Assim, quando representantes israelenses e palestinos preparavam-se para se reunir na Jordânia em janeiro de 2011, Israel anunciou novas construções em Pisgat Zeev e Har Homa, áreas da Cisjordânia que Israel declarou pertencerem à grande área expandida de Jerusalém, já anexada, assentada e construída como capital de Israel, tudo em violação direta às ordens da resolução do Conselho de Segurança.[23] Outras manobras levam adiante o desígnio mais amplo de separar quaisquer enclaves da administração palestina que restarem na Cisjordânia do centro cultural, comercial e político da vida palestina na antiga Jerusalém.

É compreensível que os direitos palestinos sejam marginalizados na política e no discurso dos Estados Unidos. Os palestinos não têm riqueza nem poder. Não oferecem praticamente nada que beneficie os interesses políticos dos EUA; a bem da verdade, seu valor é negativo, são um aborrecimento que instiga "a rua árabe".

Israel, ao contrário, é uma sociedade rica, com uma sofisticada e altamente militarizada indústria de tecnologia de ponta. Durante décadas tem sido um valiosíssimo aliado militar e estratégico, particularmente desde 1967, quando prestou um grande serviço aos EUA e sua aliada Arábia Saudita ao destruir o "vírus" nasserita, assim estabelecendo seu "relacionamento especial" com Washington na forma que desde então perdura.[24] Israel é também um centro de crescentes investimentos norte-americanos na área de tecnologia de ponta. A bem da verdade, a indústria de tecnologia avançada – em especial a militar – dos dois países tem vínculos estreitos.[25]

Além dessas considerações elementares acerca da política das grandes potências, há fatores culturais que não devem ser ignorados. O sionismo cristão na Inglaterra e nos Estados Unidos precedeu em muito o sionismo judaico, e foi um significativo fenômeno da elite com claras implicações políticas (incluindo a Declaração de Balfour, que bebeu nessa fonte). Quando conquistou Jerusalém durante a Primeira Guerra Mundial, o general Edmund Allenby foi saudado pela imprensa norte-americana como Ricardo Coração de Leão, que por fim havia vencido as Cruzadas e expulsado os pagãos da Terra Santa.

O passo seguinte era o Povo Escolhido retornar para a terra que lhe fora prometida pelo Senhor. Articulando um ponto de vista bastante difundido junto à elite, Harold Ickes, o secretário do Interior do presidente Franklin Roosevelt, descreveu a colonização judaica da Palestina como uma realização "sem comparação na história da raça humana".[26] Essas atitudes se inserem facilmente nas doutrinas providencialistas que constituem um forte elemento na cultura popular e de elite desde as origens do país, a crença de que Deus tem um plano para o mundo, plano que os Estados Unidos levam adiante sob a orientação divina, noção que vem sendo articulada por uma extensa lista de figuras de proa.

Além do mais, o cristianismo evangélico é uma força de grande peso em termos de apelo popular nos Estados Unidos. Mais ao extremo, o cristianismo evangélico do fim dos tempos também tem enorme alcance popular, robustecido pela criação de Israel em 1948 e revitalizado ainda mais pela conquista do restante da Palestina em 1967 – sinais, sob essa ótica, de que o fim dos tempos e a segunda vinda estão próximos.

Essas forças tornaram-se particularmente significativas desde os anos Reagan, à medida que os republicanos abandonaram o fingimento de que eram um partido político no sentido tradicional ao mesmo tempo em que se dedicavam – em sintonia semelhante a uma marcha sincronizada – a servir a uma porcentagem ínfima dos super-ricos e do setor corporativo. Porém, esse pequeno eleitorado que é servido pelo partido reconstruído não é capaz de render votos, de modo que os republicanos têm de voltar suas atenções para outro lugar. A única opção é mobilizar tendências sociais que sempre estiveram presentes, embora raramente como força política organizada: fundamentalmente os nativistas que tremem de medo, agitam-se de ódio e vivem impregnados de elementos religiosos e que são extremistas pelos padrões internacionais, mas não nos Estados Unidos. Um dos resultados é a reverência por supostas profecias bíblicas; em consequência, não apenas o apoio a Israel e suas conquistas e expansão, mas um amor ardoroso por Israel – outra parte essencial do catecismo que deve ser entoado por candidatos republicanos (os democratas, mais uma vez, não muito atrás).

À parte esses fatores, não se pode esquecer que a "anglosfera" – a Inglaterra e seus rebentos – consiste de sociedades onde há colônias de povoamento, erguidas sobre as cinzas das populações nativas oprimidas ou praticamente exterminadas. As práticas do passado deviam estar basicamente corretas – no caso dos Estados Unidos, até mesmo determinadas por ordens da providência divina. Dessa maneira, há quase sempre uma simpatia intuitiva pelos filhos de Israel quando seguem um caminho semelhante. No entanto, prevalecem principalmente interesses geoestratégicos e econômicos, e a política não está entalhada na pedra.

A "ameaça" iraniana e a questão nuclear

Por fim, passemos a examinar a terceira das questões de maior peso discutidas nos órgãos da imprensa dominante citados anteriormente, a "ameaça do Irã". Entre as elites e a classe política, o Irã é geralmente considerado a maior e mais grave ameaça à ordem mundial

– mas essa não é a opinião pública. Na Europa, pesquisas mostram que Israel é tido como a maior das ameaças à paz.²⁷ Nos países do MENA, Israel divide com os EUA o posto de maior e mais grave perigo para a paz, a tal ponto que no Egito, às vésperas dos protestos da praça Tahir, 80% da população julgou que a região estaria mais segura caso o Irã tivesse armas nucleares.²⁸ As mesmas pesquisas mostram que somente 10% dos egípcios veem o Irã como uma ameaça. Ao contrário dos ditadores no poder, que têm suas próprias preocupações.²⁹

Nos Estados Unidos, antes das maciças campanhas de propaganda dos últimos anos, a maioria da população concordava com a maior parte do mundo no sentido de que o Irã, como signatário do Tratado de Não Proliferação Nuclear (Nuclear Nonproliferation Treaty – NPT, na sigla em inglês), tem o direito de dar continuidade ao seu programa de enriquecimento de urânio. Ainda hoje, uma significativa maioria é favorável a meios pacíficos de lidar com o Irã. Há inclusive uma forte oposição ao envolvimento militar dos EUA caso Irã e Israel entrem em guerra. Somente um quarto dos norte-americanos considera o Irã uma preocupação importante para os Estados Unidos.³⁰ Mas não é incomum que haja uma lacuna – muitas vezes um abismo – separando a opinião pública e a política.

Por que exatamente o Irã é considerado uma ameaça tão colossal? A pergunta raramente é debatida, porém não é difícil encontrar uma resposta séria – mas não, como sempre, nos febris pronunciamentos da elite política. A resposta mais abalizada foi dada pelo Pentágono e os serviços de inteligência em seus relatórios regulares sobre segurança global apresentados ao Congresso, de acordo com os quais "o programa nuclear do Irã e a disposição do país de manter em aberto a possibilidade de desenvolver armas nucleares é uma parte central de sua estratégia de intimidação".³¹

Essa avaliação não chega nem perto de ser exaustiva, desnecessário dizer. Entre os temas vitais que não são discutidos está o deslocamento da política militar norte-americana para a Ásia e a região do Pacífico, com novos acréscimos ao gigantesco sistema de bases militares em marcha na ilha Jeju, ao largo da costa da Coreia do Sul e no noroeste da Austrália, todos elementos da política de "contenção da China". Questão estreitamente relacionada é a do estabelecimento de bases estadunidenses em Okinawa, que durante muito anos enfrentou ferrenha oposição da população e é motivo de uma contínua crise nas relações entre Tóquio e Okinawa.[32]

Ao revelar que de fato os pressupostos fundamentais mudaram muito pouco, analistas estratégicos norte-americanos descrevem o resultado dos programas militares da China como um "clássico 'dilema de segurança', por meio do qual os programas militares e as estratégias nacionais tidos como defensivos por seus planejadores são vistos como ameaças pelo outro lado", escreve Paul Godwin, do Instituto de Pesquisas em Política Externa.[33] O dilema de segurança vem à tona por causa do controle dos mares ao longo da costa chinesa. Os Estados Unidos consideram "defensiva" sua política de controle dessas águas, ao passo que a China a vê como uma ação ameaçadora; de forma análoga, Pequim julga "defensivas" suas ações nas áreas adjacentes, enquanto no entendimento dos Estados Unidos são manobras ameaçadoras. Esse tipo de debate não é sequer concebível no que diz respeito às águas costeiras dos EUA. Esse "clássico dilema de segurança" faz sentido, novamente, acerca do pressuposto de que os Estados Unidos têm o direito de controlar a maior parte do mundo e de que a segurança dos EUA exige algo que se aproxima do controle global total.

Se os princípios de dominação imperial passaram por poucas mudanças, a nossa capacidade de implementá-los sofreu acentuado declínio à medida que o poder tornou-se mais amplamente distribuído num mundo diversificado. As consequências são muitas. Porém, é importante ter em mente que – infelizmente – nenhuma delas é capaz de dissipar as duas nuvens escuras que pairam sobre toda a reflexão acerca da ordem global: guerra nuclear e catástrofe ambiental, ambas literalmente ameaçadoras à sobrevivência decente da espécie.

Ao contrário: ambas as ameaças são agourentas e cada vez maiores.

CAPÍTULO 7

A Magna Carta, o destino dela e o nosso

Daqui a apenas algumas gerações chegará o milênio da Magna Carta, um dos grandes eventos no estabelecimento dos direitos civis e humanos. Não está minimamente claro se a data será celebrada, deplorada ou ignorada.

Isso deveria ser uma questão de grave e imediata preocupação. O que fizermos ou deixarmos de fazer hoje determinará o tipo de mundo que saudará esse acontecimento. Não é uma perspectiva atraente se as atuais tendências persistirem – acima de tudo porque a Grande Carta está sendo reduzida a frangalhos diante de nossos olhos.

A primeira edição acadêmica da Magna Carta foi publicada pelo eminente jurista William Blackstone. Não foi uma tarefa fácil; não havia disponível nenhum texto em boas condições. Nas palavras de Blackstone, "o corpo da carta foi, lastimavelmente, devorado por ratos" – comentário que encerra um simbolismo sombrio, hoje, quando retomamos a tarefa que os ratos deixaram inacabada.[1]

A edição de Blackstone, intitulada *The Great charter and the charter of the Florest* (*A Magna Carta e a Carta da Floresta*, em tradução livre), contém duas cartas. A primeira, a Carta de Direitos, é reconhecida de modo geral como o alicerce dos direitos fundamentais dos povos de língua inglesa – ou como definiu, de modo mais amplo, Winston Churchill, "a carta de qualquer homem que se respeite, em qualquer tempo e qualquer lugar".[2] Churchill estava se referindo especificamente à ratificação da Carta pelo Parlamento na Petição de Direito, que implorava ao rei Carlos I que reconhecesse que a lei, e não o rei, era soberana. Carlos concordou por um breve período, mas logo violou seu juramento, armando o cenário para a sangrenta guerra civil inglesa.

Depois de um encarniçado conflito entre o rei e o Parlamento, o poder da realeza na pessoa de Carlos II foi restaurado. Na derrota, a Magna Carta não foi esquecida. Uma das lideranças do Parlamento, Henry Vane, o Jovem, foi decapitado; no cadafalso, ele tentou ler um discurso denunciando a sentença como uma violação à Magna Carta, mas sua voz foi abafada pelo som das trombetas, que soaram para assegurar que palavras tão escandalosas não fossem ouvidas pela multidão, que aplaudia a condenação. O grave crime de Vane havia sido redigir uma petição definindo o povo como "a origem de todo poder justo" na sociedade civil – não era o rei, e nem mesmo Deus.[3] Essa era a posição que havia sido defendida com veemência por Roger Williams, o fundador da primeira sociedade livre no que hoje é o estado norte-americano de Rhode Island. Suas ideias heréticas influenciaram Milton e Locke, embora Williams tenha ido muito mais longe, fundando a moderna doutrina da separação da Igreja e do Estado – ainda bastante contestada mesmo nas democracias progressistas.

Como muitas vezes ocorre, a aparente derrota fez avançar a luta pela liberdade e pelos direitos. Pouco depois da execução de Vane, o rei Carlos outorgou uma carta real às *plantations** de Rhode Island, declarando que "a forma de governo é democrática" e, além disso, que o governo podia decretar liberdade de consciência para papistas, ateus, judeus, turcos – até mesmo para os *quakers* (quacres), uma das mais temidas e maltratadas seitas das inúmeras que estavam surgindo naqueles dias turbulentos.[4] Tudo isso era assombroso no clima da época.

---

* A *plantation*, sistema de exploração colonial utilizado entre os séculos XV e XIX principalmente nas colônias europeias da América portuguesa e algumas colônias espanholas e britânicas, consistia de quatro características principais: grandes latifúndios, monocultura, trabalho escravo e exportação para a metrópole. (N. T.)

Poucos anos mais tarde, a Carta de Direitos foi incrementada pela lei do Habeas Corpus, de 1679, cujo título formal era "uma lei para melhor assegurar a liberdade do súdito, e para evitar a prisão em ultramar". A Constituição dos EUA, tomando de empréstimo da *common law* (lei comum) inglesa, declara que "não se suspenderá a Ordem do Habeas Corpus", salvo em caso de rebelião ou invasão. Numa decisão unânime, a Suprema Corte dos EUA julgou que os direitos garantidos por essa lei foram "considerados pelos pais fundadores [da República Norte-Americana] como a mais alta salvaguarda da liberdade". Todas essas palavras deveriam ter ressonância hoje em dia.

A segunda carta e os bens comuns

A importância da carta que acompanhava a Carta de Direitos, a Carta da Floresta, não é menos profunda e talvez seja até mais relevante hoje em dia – como Peter Linebaugh analisou em detalhes na sua estimulante e ricamente documentada história da Magna Carta e sua trajetória posterior.[5] A Carta da Floresta exigia a proteção dos bens comuns dos poderes exteriores. Os bens comuns eram fonte de sustento para a população geral: seu combustível, seu alimento, seus materiais de construção, tudo o que fosse essencial à vida. A floresta não era um deserto primitivo. Havia sido cuidadosamente desenvolvida ao longo de gerações, mantida em uso comum, com suas riquezas à disposição de todos e preservadas para as futuras gerações – práticas encontradas hoje essencialmente em sociedades tradicionais que se veem sob ameaça em todo o mundo.

A Carta da Floresta impunha limites à privatização. Os mitos de Robin Hood captam a essência das preocupações do texto (não surpreende que a popular série de televisão da década de 1950, *As aventuras de Robin Hood*, tenha sido escrita anonimamente por roteiristas de Hollywood incluídos na lista negra do macarthismo por causa de suas convicções esquerdistas).[6] No século XVII, entretanto, esta Carta foi vítima da ascensão da economia mercantil e das práticas e moralidade capitalistas.

Tão logo os bens comuns deixaram de contar com a proteção para o cultivo e o uso cooperativos, os direitos do povo comum foram restringidos ao que não poderia ser privatizado, uma categoria que continua minguando rumo à quase total invisibilidade. Na Bolívia, a tentativa de privatização da água foi, no fim, derrotada por uma insurreição popular que pela primeira vez na história alçou ao poder a maioria indígena.[7] O Banco Mundial decidiu que a mineradora multinacional Pacific Rim pode dar prosseguimento a uma ação judicial movida pela empresa contra El Salvador porque o governo do país tentou preservar terras e comunidades de uma mineração de ouro extremamente destrutiva. As restrições ambientais ameaçam privar a mineradora de futuros lucros, crime que pode ser punido de acordo com as regras do regime de proteção dos direitos dos investidores enganosamente rotulado como "livre comércio".[8] E isso é apenas uma ínfima amostra das lutas em curso em boa parte do mundo, algumas envolvendo extrema violência, como no Congo Oriental, onde nos últimos anos milhões de pessoas perderam a vida para que fosse assegurado um grande suprimento de componentes minerais para telefones celulares e outros usos, gerando, é claro, vastos lucros.[9]

A ascensão das práticas e da moralidade capitalistas trouxe a reboque uma drástica revisão na forma como os bens comuns são tratados, e também na forma como são concebidos. A visão predominante hoje é sintetizada pelo influente argumento de Garrett Hardin, para quem "a liberdade de bens comuns causa a ruína de todos", a famosa "tragédia dos bens comuns": tudo o que não tiver proprietário e não for tornado privado será destruído pela avareza individual.[10]

Um equivalente internacional desse argumento foi o conceito de *terra nullius*, empregado para justificar a expulsão das populações indígenas nas sociedades coloniais da anglosfera, ou seu "extermínio", como os pais fundadores da República dos Estados Unidos descreveram o que estavam fazendo, às vezes com remorso, após o fato. De acordo com essa útil doutrina, aos índios não cabia o direito de propriedade, uma vez que eram apenas nômades numa natureza agreste. E os diligentes colonos, por meio do trabalho árduo, podiam criar valor onde não havia valor nenhum, transformando essa mesma natureza indomada para adequá-la ao uso comercial.

Na realidade, os colonos tinham discernimento, e a Coroa e o Parlamento empreenderam esmerados procedimentos de aquisição e ratificação, mais tarde anulados à força quando as criaturas malévolas resistiram ao extermínio. A doutrina da *terra nullius* é invariavelmente atribuída a John Locke, mas isso é duvidoso. Como administrador colonial, ele compreendeu o que estava acontecendo e não há em seus escritos fundamento para fazer tal atribuição, conforme demonstraram de forma convincente diversos estudos acadêmicos contemporâneos, em especial a obra do especialista australiano Paul Corcoran (foi na Austrália, de fato, que a doutrina veio a ser aplicada de maneira mais brutal).[11]

As tenebrosas previsões da tragédia dos bens comuns têm seus contestadores. Em 2009, a falecida Elinor Ostrom recebeu o prêmio Nobel de Economia por seu trabalho demonstrando a superioridade dos sistemas de gestão pelos usuários de pesca, pastos, bosques e fontes de águas subterrâneas. Mas a doutrina convencional tem força se aceitarmos sua premissa implícita: que os seres humanos são cegamente impulsionados por aquilo que os trabalhadores norte-americanos, nos primórdios da Revolução Industrial, chamaram amargamente de "o Novo Espírito da Época, torna-te rico e esquece-te de tudo, menos de ti mesmo".[12]

Tais quais os camponeses e operários ingleses antes deles, os trabalhadores norte-americanos denunciaram esse novo espírito que estava sendo imposto a eles por considerá-lo degradante e destrutivo, um ataque à própria natureza dos homens e mulheres livres. E enfatizo "mulheres": entre os que condenavam de modo mais ativo e ruidoso a destruição dos direitos e da dignidade das pessoas livres impingida pelo sistema industrial capitalista estavam as "meninas das fábricas", moças originárias das áreas rurais. Elas também foram empurradas para dentro de um regime de trabalho assalariado supervisionado e controlado que, à época, muitos consideravam que só se distinguia da escravidão por ser temporário. Essa condição era tida como tão natural que se tornou o lema do Partido Republicano, e um estandarte sob o qual os trabalhadores do norte carregavam armas durante a Guerra Civil norte-americana.[13]

Controlando o desejo de democracia

Isso aconteceu 150 anos atrás – na Inglaterra, antes até. Desde então, enormes esforços vêm sendo empreendidos para inculcar o Novo Espírito da Época. Há importantes ramos de atividade devotados a essa tarefa: o setor de relações públicas, a área da publicidade, o segmento do marketing em geral, os quais, somados, respondem por uma considerável fatia do Produto Interno Bruto. Essa indústria dedica-se àquilo que o formidável economista político Thorstein Veblen chamou de "fabricação de necessidades".[14] Nas palavras dos próprios líderes empresariais e homens de negócios, a tarefa consiste em manipular as pessoas direcionando-as para as "coisas superficiais" da vida, como "o consumo do que está na moda". Dessa forma, as pessoas podem ser atomizadas, apartadas umas das outras, buscando exclusivamente o ganho pessoal, entretidas e afastadas das perigosas tentativas de pensar por si mesmas e de questionar a autoridade.

O processo de modelagem das opiniões, atitudes e percepções foi chamado de "engenharia do consenso" por um dos fundadores da moderna indústria de relações públicas, Edward Bernays. Bernays foi um respeitado progressista de Wilson-Roosevelt-Kennedy, da mesma cepa de seu contemporâneo, o jornalista Walter Lippmann, o mais renomado intelectual público dos Estados Unidos do século xx, que enaltecia "a fabricação do consenso" como uma "nova arte" na prática da democracia.

Ambos constataram que o público deve ser "colocado em seu devido lugar", marginalizado e controlado – em nome de seu próprio benefício, é claro. As pessoas eram "estúpidas e ignorantes" demais para que tivessem a liberdade de administrar a própria vida, cuidar de suas próprias coisas. Essa tarefa deveria ficar a cargo da "minoria inteligente", que tem de ser protegida do "alvoroço e do rugido [do] rebanho atabalhoado", dos "intrusos ignorantes e intrometidos" – da "multidão canalha", epíteto dado por seus predecessores no século

XVII. Numa sociedade democrática que funciona da forma adequada, como manda o figurino, cabia à população geral o papel de ser um conjunto de "espectadores", não de "participantes da ação".[15]

E não se deve permitir que os espectadores vejam demais. O presidente Obama fixou novos padrões para salvaguardar esse princípio. A bem da verdade, Obama vem punindo mais delatores e denunciantes de fatos criminosos, más condutas e ilegalidades do que todos os presidentes norte-americanos anteriores, uma verdadeira conquista para um governo que chegou ao poder prometendo transparência.

Entre os muitos assuntos que não são da alçada do rebanho atarantado está a política externa. Qualquer um que tenha estudado documentos secretos dessegredados já descobriu que, em larga medida, a confidencialidade visava proteger altos funcionários públicos do escrutínio da opinião pública. Em âmbito doméstico, é melhor que a turba não ouça o conselho dado pelos tribunais às grandes corporações: que elas devem fazer alguns esforços bastante visíveis na prática de boas ações, de modo que uma "população despertada do sono" não perceba os enormes benefícios que o Estado-babá concede aos conglomerados empresariais.[16]

De modo mais geral, era recomendável que o povo norte-americano não tomasse ciência de que as "políticas estatais são esmagadoramente regressivas, e assim reforçam e expandem a desigualdade social", embora formuladas de maneira a levar "as pessoas a pensar que o governo ajuda somente os pobres não merecedores, o que permite aos políticos mobilizar e tirar partido da retórica e dos valores antigovernamentais mesmo quando continuam direcionando apoio a seus eleitores abastados" – cito aqui o mais importante periódico da mídia dominante, a *Foreign Affairs*, não algum jornaleco radical.[17]

No decorrer do tempo, à medida que as sociedades se tornavam mais livres e o recurso à violência do Estado mais refreado, o ímpeto de elaborar sofisticados métodos de controle de atitudes e opiniões apenas cresceu. É natural que a imensa indústria de relações públicas tenha sido criada nas sociedades mais livres de todas, os Estados Unidos e a Grã-Bretanha. A primeira agência de propaganda moderna foi o Departamento Britânico da Informação durante a Primeira Guerra Mundial. Sua contraparte norte-americana, a Comissão de Informação Pública, foi formada por Woodrow Wilson para levar uma população pacifista a odiar violentamente tudo que fosse alemão – com extraordinário êxito. A publicidade comercial norte-americana impressionou profundamente outras pessoas; Joseph Goebbels a admirava e a adaptou à propaganda nazista com tremendo êxito.[18] Os dirigentes bolcheviques tentaram fazer a mesma coisa, mas seus esforços foram canhestros e ineficazes.

Uma tarefa doméstica e fundamental sempre foi "manter [o público] longe das nossas gargantas", como o ensaísta Ralph Waldo Emerson descreveu as preocupações dos líderes políticos quando a ameaça da democracia estava se tornando mais difícil de estancar em meados do século XIX.[19] Mais recentemente, o ativismo da década de 1960 suscitou nas elites uma inquietação acerca da "democracia excessiva" e exigiu medidas para impor "maior moderação" à democracia.

Uma dessas preocupações em particular dizia respeito a introduzir melhores mecanismos de controle sobre as instituições "responsáveis pela doutrinação dos jovens": as escolas, as universidades e as igrejas, que, julgava-se, estavam fracassando na tarefa essencial. Estou citando reações da ala esquerda liberal na extremidade do espectro ideológico dominante, os internacionalistas de esquerda que mais tarde abasteceram os quadros de funcionários da administração Carter e suas contrapartes em outras sociedades industriais.[20] A ala direita foi muito mais linha-dura. Uma das muitas manifestações desse ímpeto foi o brusco aumento das mensalidades universitárias – não com base em razões econômicas, como facilmente se pode demonstrar. O mecanismo, no entanto, controla e prende numa armadilha os jovens por meio do endividamento, quase sempre para o resto da vida, contribuindo assim para uma doutrinação mais efetiva.

As pessoas "três quintos"

Ao examinar um pouco mais a fundo esses temas, vemos que a destruição da Carta da Floresta e o seu apagamento da memória estão estreitamente relacionados aos contínuos esforços no sentido de restringir a promessa da Carta de Direitos. O Novo Espírito da Época não pode tolerar a concepção pré-capitalista de floresta como a dotação compartilhada da comunidade em seu todo, cuidada de forma comunitária para o seu próprio uso e o das gerações futuras, e protegida da privatização, da transferência para mãos privadas de modo a servir à opulência, não às necessidades. Inculcar o Novo Espírito é um pré-requisito essencial para se alcançar essa finalidade, e para impedir que a Carta de Direitos seja utilizada de forma indevida, de modo a possibilitar que os cidadãos determinem o seu próprio destino.

As lutas populares para gerar uma sociedade mais livre e justa enfrentam resistência na forma de violência e repressão e gigantescos esforços para controlar a opinião e as atitudes. Com o tempo, porém, vêm alcançando êxito considerável, embora seja longo o caminho a percorrer e haja, frequentemente, retrocessos.

A parte mais famosa da Carta de Direitos é o Artigo 39, que declara que "nenhum homem livre" será capturado ou aprisionado de modo algum, "nem nós procederemos contra ele ou o perseguiremos, exceto pelo julgamento legítimo de seus pares ou pela lei do país".

Mediante muitos anos de luta, o princípio conseguiu se manter de forma mais ampla. A Constituição dos EUA estipula que "nenhuma pessoa [será] privada da vida, da liberdade ou da propriedade sem o devido processo legal [e] um julgamento rápido e público" por parte de seus iguais. O princípio básico é o da "presunção de inocência" – o que os historiadores do direito descrevem como "a semente da liberdade anglo-americana contemporânea", referindo-se ao Artigo 39, e tendo em mente o Tribunal de Nuremberg, uma "variedade particularmente norte-americana de legalismo: punição somente para aqueles cuja culpabilidade pode ser provada por meio de um julgamento justo com uma panóplia de proteções procedimentais" – embora não pairem dúvidas acerca de sua culpa por alguns dos piores crimes da história.[21]

Os fundadores da nação, é claro, não tinham a intenção de que o termo "pessoa" se aplicasse a todos: os nativos norte-americanos não eram pessoas. Seus direitos eram praticamente nulos. As mulheres estavam longe de ser pessoas; entendia-se que as esposas deveriam ser "protegidas" pela identidade civil de seus maridos, de modo muito parecido a forma como as crianças estavam sujeitas a seus pais. Os princípios de Blackstone sustentavam que "o próprio ser ou a existência legal da mulher é suspensa durante o matrimônio, ou ao menos é incorporada ou consolidada naquela do marido, sob cujos cuidados, proteção e cobertura ela realiza qualquer atividade".[22] As mulheres são, portanto, propriedade de seus pais ou maridos. Esse princípio continuou em vigor até anos bem recentes; até a decisão da Suprema Corte de 1975, as mulheres não tinham sequer o direito legal de fazer parte de júris populares. Não eram iguais.

Os escravos, é claro, não eram pessoas. De acordo com a Constituição, eram humanos apenas em três quintos – isto é, cada escravo valia "três quintos de um homem branco", de modo a outorgar aos seus proprietários maior poder de voto. A preservação da escravidão era algo que preocupava muito pouco os fundadores: foi um dos fatores que levaram à guerra de independência dos EUA. No caso Somerset de 1772, o lorde Mansfield determinou que a escravidão era tão "odiosa" que não poderia ser tolerada na Inglaterra, embora tenha continuado em vigor durante muitos anos nas colônias britânicas.[23] Os proprietários de escravos norte-americanos puderam ver claramente o que aconteceria se as colônias permanecessem sob o jugo britânico. E é preciso recordar que os estados escravocratas, a Virgínia incluída, detinham o maior poder e influência nas colônias. Pode-se apreciar facilmente o famoso gracejo sarcástico do dr. Johnson, para quem "os *gritos mais ruidosos* a favor da liberdade ouvimos da boca dos donos de escravos".[24]

As emendas constitucionais posteriores à Guerra Civil estenderam aos afro-americanos o conceito de pessoa, acabando com a escravidão – pelo menos em teoria. Depois de cerca de uma década de relativa liberdade, foi reintroduzida uma condição análoga à escravidão por meio de um pacto Norte-Sul que permitia a efetiva criminalização da vida dos negros. Um homem negro parado numa esquina podia ser detido por vadiagem, e um negro podia ser preso por tentativa de estupro caso olhasse de modo inadequado para uma mulher branca. Uma vez no cárcere, tinha poucas possibilidades de conseguir escapar do sistema de "escravidão com outro nome", termo usado pelo então chefe de redação do *The Wall Street Journal*, Douglas Blackmon, em um estudo cativante.[25]

Essa nova versão da "instituição peculiar" propiciou boa parte da base para a revolução industrial norte-americana, criando uma mão de obra perfeita para a indústria de aço e mineração, juntamente com a produção agrícola nas famosas *chain gangs*, turmas de presidiários acorrentados uns aos outros e destacados para trabalho forçado fora do presídio: eram dóceis, obedientes e pouco propensos a greves, e os empregadores nem sequer tinham necessidade de sustentar seus trabalhadores – um aperfeiçoamento do sistema de escravidão. O novo sistema durou em larga medida até a Segunda Guerra Mundial, quando o trabalho livre se tornou necessário para a produção bélica.

A súbita prosperidade do pós-guerra proporcionou empregos; um homem negro podia conseguir trabalho numa fábrica de automóveis sindicalizada, ganhar um salário decente, comprar uma casa e talvez enviar seus filhos à universidade. Isso durou cerca de vinte anos, até a década de 1970, quando a economia foi radicalmente reformulada e reestruturada conforme novos princípios neoliberais dominantes, com o rápido crescimento da financeirização e do *offshoring* de produção (a transferência das plantas industriais). A população negra, em boa medida supérflua, foi novamente criminalizada.

Até a presidência de Ronald Reagan, a população carcerária nos EUA se encontrava nos mesmos patamares das sociedades industriais. Hoje ultrapassou em muito e está bem além. O alvo primordial do encarceramento são os homens negros, mas também, e cada vez mais, as mulheres negras e hispânicas, em grande parte culpadas de delitos sem vítimas nas fraudulentas "guerras das drogas". Enquanto isso, a riqueza das famílias afro-americanas foi praticamente destruída pela mais recente crise financeira, em não pouca medida graças ao comportamento criminoso das instituições financeiras, encenado com impunidade para os seus atores, agora mais ricos do que nunca.

Ao examinar a história dos afro-americanos desde a chegada dos primeiros escravos, quatrocentos anos atrás até o presente, fica evidente que eles só desfrutaram o status de pessoas autênticas durante poucas décadas. Ainda há um longo caminho a percorrer até que se concretize a promessa da Magna Carta.

Pessoas sagradas e processos inacabados

A 14ª Emenda Constitucional, pós-Guerra Civil, garantiu aos ex-escravos os direitos de pessoa, ainda que, de modo geral, em teoria. Ao mesmo tempo, criou uma nova categoria de pessoas com direitos: as corporações. De fato, quase todos os casos subsequentemente levados aos tribunais sob a Emenda 14 tinham a ver com direitos corporativos, e um século atrás as cortes haviam determinado que essas ficções legais coletivistas, estabelecidas e sustentadas pelo poder do Estado, possuíam todos os plenos direitos de pessoas de carne e osso – a bem da verdade, direitos bem mais amplos, graças à sua escala, sua imortalidade e as proteções de responsabilidade limitada. Hoje, os direitos das corporações transcendem aos dos meros humanos. Conforme os "acordos de livre comércio", a mineradora multinacional Pacific Rim pode, por exemplo, processar El Salvador pelo fato de o país tentar proteger o meio ambiente; pessoas físicas não podem fazer a mesma coisa. A General Motors pode reivindicar direitos nacionais no México. Não há necessidade alguma de ponderarmos sobre o que aconteceria se um mexicano exigisse direitos nacionais nos Estados Unidos.

Em âmbito doméstico, as recentes decisões da Suprema Corte incrementam enormemente o já imenso poder político das grandes corporações e dos super-ricos, desferindo novos golpes contra as trôpegas ruínas de uma democracia política efetiva e funcional.

Enquanto isso, a Magna Carta está sob ataque mais direto. Recordemos a lei do Habeas Corpus de 1679, que proibia a "prisão em ultramar", e o procedimento bem mais cruel de prisão no exterior com o propósito de tortura – o que hoje em dia é chamado mais educadamente de "rendição", como no momento em que Tony Blair se rendeu e entregou à mercê de Muammar Kadhafi o dissidente líbio Abdel Hakim Belhaj, ou quando as autoridades dos EUA deportaram o cidadão canadense Maher Arar para a sua Síria natal, onde seria encarcerado e torturado, reconhecendo somente mais tarde que não havia acusação formal contra ele.[26] O mesmo aconteceu com muitas outras pessoas, frequentemente transportadas pelo aeroporto de Shannon, o que suscitou corajosos protestos na Irlanda.

O conceito de devido processo legal ampliou-se durante a administração de Barack Obama e sua campanha internacional de assassinatos por meio de *drones* (pequenas aeronaves não tripuladas),* de tal modo que tornou nulo e vazio esse elemento central da Carta de Direitos (e da Constituição). O Departamento de Justiça explicou que a garantia constitucional do devido processo legal, que remonta à Magna Carta, agora é cumprida unicamente por deliberações internas do Executivo.[27] O advogado constitucional da Casa Branca concordou. Talvez o rei João Sem-Terra, como era conhecido o rei da Inglaterra (que reinou entre 1199-1216), meneasse a cabeça em sinal de aprovação, satisfeito.

A questão veio à tona depois do assassinato, a mando do presidente e por meio de *drones*, de Anwar al-Awlaki, acusado de incitar a *jihad* em discursos, textos escritos e ações não especificadas. Uma manchete no jornal *The New York Times* resumiu a reação geral da elite quando ele foi assassinado em um ataque de *drone*, junto à habitual justificativa de "danos colaterais". No título da notícia lia-se, em parte: "O Ocidente celebra a morte de um clérigo".[28] No entanto, algumas pessoas se surpreenderam e sobrancelhas foram arqueadas, pois Awlaki era um cidadão norte-americano, o que suscitou interrogações sobre o devido processo legal – considerado irrelevante quando não cidadãos são assassinados ao bel-prazer dos caprichos de um chefe do Executivo. E agora irrelevante também para os cidadãos, de acordo com as inovações legais ao devido processo legal implementadas pela administração Obama.

---

* Em português, os *drones* também podem ser chamados de Veículo Aéreo Não Tripulado – VANT ou Veículo Aéreo Remotamente Pilotado – VARP, siglas criadas a partir do inglês *Unmanned Aerial Vehicle* (UAV). (N. T.)

A presunção de inocência também ganhou uma nova e útil interpretação. Conforme noticiou posteriormente *The New York Times*, "O sr. Obama adotou um método questionável para a contagem de baixas civis que pouco fez para comprometê-lo ou deixá-lo em situação complicada. De fato, a contagem considera como combatentes todos os homens em idade militar em uma zona de ataque, de acordo com diversos funcionários graduados da administração, a menos que existam dados de inteligência explícitos que demonstrem postumamente sua inocência".[29] Assim, a determinação de inocência posterior ao assassinato mantém o princípio sagrado da presunção de inocência.

Seria indelicado recordar (como *The New York Times* evita fazer na reportagem) as Convenções de Genebra, o alicerce da lei humanitária moderna: elas proíbem que "se levem a cabo execuções sem prévio julgamento, realizadas por um tribunal regularmente constituído, que ofereça todas as garantias judiciais reconhecidas como indispensáveis pelos povos civilizados".[30]

O mais célebre caso de homicídio a mando do Executivo é o de Osama bin Laden, assassinado depois de ter sido detido por 79 soldados SEALs – unidade de forças especiais da Marinha dos EUA –, indefeso e acompanhado apenas de sua esposa. Independentemente do que se pense sobre Bin Laden, ele era um suspeito, e nada mais que isso. Até mesmo o FBI concorda nesse ponto.

As comemorações nos Estados Unidos foram avassaladoras, mas algumas vozes se levantaram e fizeram indagações a respeito da imperturbável rejeição do princípio da presunção de inocência, sobretudo quando um julgamento estava longe de ser impossível. Esses questionamentos foram alvo de duras condenações. A mais interessante foi a de Matthew Yglesias, respeitado analista da esquerda liberal, que explicou que "uma das principais funções da ordem institucional internacional é precisamente *legitimar* o uso de força militar letal por parte das potências ocidentais". Portanto, é "assombrosamente ingênuo" sugerir que os EUA devam obedecer ao direito internacional ou a outras condições que, com virtude e retidão moral, exigimos dos mais fracos.[31]

Aparentemente, só é possível apresentar objeções táticas à agressão, ao assassinato, à ciberguerra ou a outras ações que o Santo Estado leva a cabo ao serviço da humanidade. Se as vítimas tradicionais veem as coisas de um modo um tanto diferente, isso revela o seu atraso moral e intelectual. E o eventual crítico ocidental incapaz de compreender essas verdades fundamentais pode ser desconsiderado e tido como "tolo", explica Yglesias – aliás, ele está se referindo especificamente a mim, e eu alegremente confesso a minha culpa.

Listas de terroristas do poder Executivo

Talvez o ataque mais impressionante aos pilares das liberdades tradicionais seja um caso pouco conhecido levado pela administração Obama à Suprema Corte, "Holder contra o Projeto de Direito Humanitário". O projeto foi condenado por oferecer "assistência material" à organização guerrilheira Partido dos Trabalhadores do Curdistão (Parti Karkerani Kurdistan ou Partiya Karkerên Kurdistan – PKK), que durante muitos anos lutou pelos direitos dos curdos na Turquia e figura na lista de grupos terroristas do poder Executivo dos EUA. A "assistência material" consistia em consultoria legal. O fraseado da decisão judicial parece aplicar-se de maneira bastante ampla, por exemplo, à discussões e solicitações de investigações – inclusive a aconselhamento dado ao PKK para adotar meios não violentos. Mais uma vez ergueu-se uma onda marginal de críticas, mas de modo geral essas censuras e opiniões desfavoráveis aceitavam a legitimidade da lista de terroristas do Estado – isto é, decisões arbitrárias do Executivo, sem recurso legal.[32]

O histórico da lista de terroristas provoca um certo interesse. Um dos exemplos mais horrorosos do uso do rol de terroristas está relacionado ao torturado povo da Somália. Imediatamente após o 11 de Setembro, os Estados Unidos interromperam as atividades da rede somali de assistencialismo Al-Barakaat, sob a alegação de que a agência de remessas de dinheiro, pilar da economia somali, estava financiando o terrorismo. Essa façanha foi saudada como um dos grandes êxitos da "guerra contra o terror".[33] Em contraste, um ano depois, quando Washington retirou as acusações por falta de mérito, isso despertou pouco interesse.

A Al-Barakaat era responsável por cerca da metade dos 500 milhões de dólares de remessas enviadas anualmente para a Somália, "mais do que [a Somália] aufere com qualquer outro setor econômico e dez vezes a quantidade de auxílio exterior que o país recebe", determinou uma investigação da ONU.³⁴ A organização assistencialista também administrava negócios de vital importância na Somália, e todos eles foram destruídos. O mais destacado estudioso acadêmico da "guerra financeira contra o terror" de Bush, Ibrahim Warde, conclui que, além de devastar a economia, esse frívolo ataque contra uma sociedade bastante frágil "pode ter desempenhado um papel na ascensão [...] dos fundamentalistas islâmicos", outra consequência conhecida da "guerra ao terror".³⁵

A própria ideia de que o Estado, de maneira desenfreada, deveria ter autoridade de emitir tais juízos é um grave e frontal ataque à Carta de Direitos, bem como o fato de que a autoridade estatal seja considerada incontestável. Se a derrocada da Carta continua sua marcha nos últimos anos, o futuro dos direitos e liberdades parece sombrio.

Quem vai rir por último?

Algumas palavras finais sobre o destino da Carta da Floresta. Seu programa era proteger a fonte de sustento da população, os bens comuns, dos poderes externos – de início, da realeza britânica; com o passar dos anos, dos cerceamentos e outras formas de privatização pela ação de corporações predatórias e das autoridades do Estado que com elas cooperam – ambas só fazem acelerar e são devidamente recompensadas. Os estragos são imensos.

Se escutarmos as vozes do sul global hoje, poderemos aprender que a "conversão dos bens públicos em propriedade privada por meio da privatização do nosso ambiente natural normalmente comunal é um dos modos como as instituições neoliberais eliminam os frágeis elos que mantêm a unidade das nações africanas. A política foi reduzida hoje a um lucrativo empreendimento comercial em que indivíduos têm em vista essencialmente os retornos de investimentos em vez de ações por meio das quais possam contribuir para a reconstrução de ambientes, comunidades e nações extremamente degradados. Este é um dos benefícios que os programas de ajuste estrutural infligiram ao continente – a entronização da corrupção". Cito o poeta e ativista nigeriano Nnimmo Bassey, presidente da Amigos da Terra Internacional, em sua dilacerante denúncia do saque das riquezas africanas, *To cook a continent* (Cozinhando um continente, em tradução livre), que examina a última fase da tortura impingida pelo Ocidente à África.[36]

Tortura que sempre foi planejada nos mais altos escalões, é preciso reconhecer. No final da Segunda Guerra Mundial, os Estados Unidos ostentavam uma posição de poder global sem precedentes. Não é de surpreender que tenham sido elaborados planos cuidadosos e sofisticados sobre como organizar o mundo. Os estrategistas e planejadores do Departamento de Estado, sob a batuta do notável diplomata George Kennan, atribuíram a cada região do planeta uma "função". Kennan determinou que os EUA não tinham interesse especial nenhum pela África, por isso o continente deveria ser entregue à Europa para que fosse "explorado" – palavra dele – e reconstruído.[37] À luz da história, talvez pudéssemos ter imaginado uma relação diferente entre Europa e África, mas não há nenhuma indicação de que tal coisa tenha sido sequer cogitada.

Mais recentemente, os Estados Unidos reconheceram que também deveriam tomar parte do jogo da exploração da África, ao lado de novos participantes como a China, que se lançou ativamente à tarefa de acumular um dos piores históricos de destruição do meio ambiente e de opressão das vítimas desafortunadas.

Deveria ser desnecessário estender-se sobre os extremos perigos apresentados por um elemento central das obsessões predatórias que vêm produzindo calamidades em todo o mundo: a dependência dos combustíveis fósseis, que flerta com um desastre global, talvez em um futuro não tão distante. Os detalhes são passíveis de debate, mas há poucas dúvidas de que o problema é grave, se não aterrador, e de que quanto mais tempo demorarmos a tratar dele, mais terrível será o legado que deixaremos para as próximas gerações. Há alguns esforços em curso para encarar a realidade, mas são por demais mínimos.

Nesse meio-tempo, a concentração de poder avança impetuosamente na direção oposta, encabeçada pelo país mais rico e poderoso da história do mundo. Os congressistas republicanos estão desmantelando as limitadas regulações ambientais iniciadas na gestão de Richard Nixon, que no cenário político de hoje seria tido como um radical perigoso.[38] Os mais influentes grupos de lobistas corporativos anunciam abertamente as suas campanhas de propaganda para convencer a opinião pública de que não há necessidade de preocupação excessiva – com certo efeito, conforme mostram as pesquisas de opinião.[39]

A mídia coopera quando deixa de noticiar as previsões cada vez mais calamitosas das agências internacionais e pouco ou nada informa até mesmo a respeito dos relatórios do Departamento de Energia dos EUA. A forma padrão de tratar da questão é apresentá-la como um debate entre alarmistas e céticos: de um lado estão praticamente todos os cientistas qualificados; do outro, alguns negacionistas resistentes. Não faz parte do debate um número enorme de especialistas, incluídos os que atuam no programa de mudança climática do MIT, entre outros, que criticam o consenso científico por ser demasiadamente conservador e cauteloso, argumentando que a verdade, no que diz respeito à mudança climática, é muito mais aterrorizadora. Não é de surpreender que a opinião pública esteja confusa.

Em seu discurso sobre o estado da União em 2012, o presidente Obama saudou as esplêndidas perspectivas de um século de autossuficiência energética, graças às novas tecnologias que permitem a extração de hidrocarbonetos de areias alcatroadas e xisto canadenses e outras fontes até então inacessíveis.[40] Outros concordam: o *Financial Times* prognostica um século de independência energética para os EUA.[41] Nessas otimistas conjecturas, a pergunta que não se faz é: que tipo de mundo sobreviverá a essa voraz investida predatória?

Quem encabeça o enfrentamento dessa crise em todo o mundo são as comunidades indígenas, aquelas que sempre defenderam a Carta da Floresta. A posição mais sólida tem sido a adotada pelo único país governado por indígenas, a Bolívia, o país mais pobre da América do Sul e, durante séculos, uma vítima da destruição, por parte dos ocidentais, dos ricos recursos de uma das sociedades mais avançadas do hemisfério, antes de Colombo.

Após o ignominioso fracasso da conferência sobre mudança climática de Copenhague em 2009, a Bolívia organizou uma Cúpula dos Povos Frente às Mudanças Climáticas, com 35 mil participantes de 140 países – não apenas representantes de governos, mas também da sociedade civil e ativistas. Essa cúpula mundial elaborou um Acordo dos Povos, que exigia uma drástica redução das emissões e uma Declaração Universal dos Direitos da Mãe Terra.[42] Estabelecer os direitos do planeta é uma demanda crucial das comunidades indígenas em todo o mundo. Os ocidentais sofisticados ridicularizam o documento, mas a menos que sejamos capazes de adquirir algo da sensibilidade indígena, provavelmente eles rirão por último – um riso de lúgubre desespero.

CAPÍTULO 8

A semana em que o mundo parou

O mundo parou cerca de cinquenta anos atrás, durante a última semana de outubro, desde o momento em que se descobriu que a União Soviética havia instalado mísseis nucleares em Cuba até a declaração oficial de que a crise chegara ao fim – ainda que, sem o conhecimento do público, apenas oficialmente.

A imagem do mundo parado à beira do precipício é uma expressão de Sheldon Stern, ex-historiador da biblioteca presidencial de John F. Kennedy, que publicou a abalizada versão das fitas das reuniões da Comissão Executiva do Conselho de Segurança Nacional (ExComm), nas quais Kennedy e um reduzido e seleto círculo de assessores e consultores debatiam maneiras de responder à crise. Essas reuniões foram secretamente gravadas pelo presidente, o que talvez possa ter relação com o fato de sua postura ao longo das sessões gravadas ser relativamente moderada se comparada à de outros participantes, que não sabiam que estavam falando para a história.

Stern publicou agora uma acessível e minuciosa análise desse decisivamente importante registro documental, dessegredado e liberado para conhecimento público nos últimos anos da década de 1990. Aqui tomarei por base essa versão, à qual se referem todas as citações. "Nunca antes ou depois", conclui ele, "a sobrevivência da civilização humana esteve tão em risco como nas poucas e curtas semanas de perigosas deliberações", culminando na "semana em que o mundo parou".[1]

Havia bons motivos para a preocupação global. Uma guerra nuclear era bastante iminente, uma guerra que poderia "destruir o hemisfério Norte", como alertara o presidente Dwight Eisenhower.[2] O cálculo do próprio Kennedy era de que a probabilidade de guerra chegava a 50%.[3] As estimativas ficaram mais altas à medida que o conflito atingiu o seu auge e o "plano secreto do juízo final para assegurar a sobrevivência do governo foi colocado em vigência" em Washington, conforme descreveu o jornalista Michael Dobbs em seu bem documentado best-seller sobre a crise (embora Dobbs não explique qual era o sentido de fazer isso, dada a provável natureza da guerra nuclear).[4]

Dobbs cita Dino Brugioni, "um dos membros mais importantes da equipe da CIA incumbida de monitorar a escalada dos mísseis soviéticos", que não via outra saída a não ser guerra e completa destruição", conforme o relógio avançou até "um minuto para a meia-noite" – título do livro de Dobbs.[5] Arthur M. Schlesinger Jr., historiador e íntimo assessor de John F. Kennedy, descreveu os eventos como "o momento mais perigoso da história humana".[6] O secretário de Defesa Robert McNamara se perguntou em voz alta se "viveria para ver outro sábado à noite", e mais tarde reconheceu que – "escapamos por sorte – e por um triz".[7]

O momento mais perigoso

Um exame mais aproximado sobre o que aconteceu acrescenta matizes sombrios a esses juízos, com reverberações que chegam até o momento presente.

Há diversos concorrentes ao "momento mais perigoso". Um deles é o dia 27 de outubro de 1962, quando, durante uma das patrulhas realizadas pela Marinha norte-americana na quarentena à ilha de Cuba, foi detectado um submarino russo, prontamente atacado por bombas de profundidade despejadas por destróieres norte-americanos. De acordo com relatos dos soviéticos, divulgados pelo

Arquivo de Segurança Nacional, os comandantes dos submarinos estavam "suficientemente enervados para falar em disparar torpedos nucleares, cujo poder explosivo de 15 kilotons era bem parecido ao da bomba que devastou Hiroshima em agosto de 1945".[8]

Em certo momento, um oficial da Marinha soviética, o segundo capitão Vasili Arkhipov, barrou no último minuto uma ordem do comandante do submarino de preparar para pronto disparo torpedos carregados com ogivas nucleares; Arkhipov talvez tenha salvado o mundo da hecatombe nuclear.[9] Restam poucas dúvidas de qual seria a reação dos EUA se tivesse sido disparado o torpedo, ou de como os russos teriam reagido enquanto seu país era reduzido a cinzas.

Kennedy já havia declarado o DEFCON 2, nível de alerta nuclear mais elevado possível (abaixo apenas da prontidão máxima), o que, entre outras medidas, autorizava que "uma aeronave da OTAN com pilotos turcos [...] [ou outros] decolasse, voasse até Moscou e despejasse uma bomba", de acordo com o bem informado Graham Allison, analista estratégico da Universidade Harvard, escrevendo para a *Foreign Affairs*.[10]

Outro candidato é o dia 26 de outubro, data eleita como "o momento mais perigoso" pelo piloto de bombardeiros B-52 Don Clawson, major que comandava uma das aeronaves da OTAN e faz uma horripilante descrição dos detalhes das missões Abóbada de Cromo (Chrome Dome – CD, na sigla em inglês) durante a crise – "B-52 em alerta de decolagem urgente" com armas nucleares "embarcadas e prontas para uso".

O dia 26 de outubro marcou a data em que "o mundo nunca esteve tão perto da guerra nuclear", escreve Clawson em seus "irreverentes relatos de um piloto de força aérea". Nesse dia, o próprio Clawson se viu numa boa posição para iniciar um provável cataclisma. Ele conclui: "Foi uma sorte danada não termos mandado o mundo pelos ares – e não foi graças à liderança militar ou política deste país".

Os erros, as confusões, as situações de desastres evitados por um triz e a incompreensão por parte da liderança relatados por Clawson são bastante assustadores – mas nada como as regras operativas de comando e controle – ou a falta delas. Segundo as narrativas de

Clawson durante as quinze missões CD de 24 horas de que participou, os oficiais comandantes "não tinham capacidade de evitar que alguma tripulação de aeronave ou membro de tripulação agindo por conta própria armasse ou disparasse armas termonucleares", e tampouco poderiam impedir a transmissão via rádio de alguma comunicação que teria acionado "e colocado em alerta toda a força aérea, sem possibilidade de abortamento da missão". Tão logo os bombardeiros decolassem transportando armas termonucleares, ele escreve, "teria sido possível armá-las e despejá-las todas sem maiores informações e contato com as equipes de solo. Não havia inibidor em nenhum dos sistemas".[11]

Cerca de um terço do total do contingente da força aérea do país estava em pleno ar, de acordo com o coronel David Burchinal, diretor dos planos do Estado-Maior da Força Aérea no quartel-general da Aeronáutica. O Comando Aéreo Estratégico (Strategic Air Command – SAC, na sigla em inglês), tecnicamente encarregado das operações, parecia ter pouco controle. E a julgar pelo relato de Clawson, o SAC mantinha no escuro a Autoridade Nacional de Comando, uma entidade civil, o que significa que quem decidia na ExComm, e ponderava sobre o destino do mundo, sabia menos ainda. Não menos aterrorizante é a história do general Burchinal, cujo relato deixa os nossos cabelos em pé e revela um desprezo ainda maior pelo comando civil. Segundo ele, a capitulação russa jamais esteve em dúvida. O objetivo das operações CD era mostrar com absoluta clareza para os russos que eles não tinham a menor condição de competir em termos de confronto militar e que poderiam rapidamente ter sido destruídos.[12]

Pelo que consta nos arquivos da ExComm, Sheldon Stern conclui que, em 26 de outubro, o presidente Kennedy estava "inclinado a optar por ação militar a fim de eliminar os mísseis" em Cuba, a que se seguiria uma invasão, de acordo com os planos do Pentágono.[13] Na ocasião, era evidente que essa ação poderia ter levado à derradeira das guerras, conclusão fortalecida por revelações posteriores de que armas nucleares táticas haviam sido acionadas e dispostas estrategicamente e que os contingentes russos eram bem mais numerosos que os serviços de inteligência dos EUA haviam informado.

Quando as reuniões da ExComm se aproximavam do fim por volta das 18 horas do dia 26, chegou uma inesperada carta do primeiro-ministro soviético Nikita Kruschev, encaminhada diretamente ao presidente Kennedy. A "mensagem do líder russo parecia clara", escreve Stern, e propunha um acordo simples: "Os mísseis seriam removidos caso os EUA prometessem não invadir Cuba".[14]

No dia seguinte, às 10 horas, o presidente recorreu mais uma vez ao gravador secreto. Leu em voz alta um cabograma que havia acabado de chegar a suas mãos contendo a seguinte notícia do serviço de comunicação: "O premiê Kruschev disse ao presidente Kennedy numa mensagem datada de hoje que removeria as armas de Cuba se os Estados Unidos retirassem seus mísseis da Turquia" – mísseis Júpiter com ogivas nucleares.[15] Logo verificou-se que o informe era autêntico.

Embora os membros da comissão tenham encarado a notícia como algo inesperado e ruim, o teor da mensagem já era previsto. "Faz uma semana que sabíamos que isso poderia acontecer", Kennedy informou-os. Recusar a aquiescência pública seria difícil, Kennedy se deu conta. Eram mísseis obsoletos, que já tinham data marcada para desativação e logo seriam abandonados e substituídos por mísseis Polaris, lançados a partir de submarinos e bem mais letais e efetivamente invulneráveis. Kennedy reconheceu que ficaria em uma "posição *insuportável* se isto tornar-se proposta [de Kruschev]", tanto porque os mísseis norte-americanos instalados na Turquia seriam retirados de qualquer forma e porque "para qualquer um nas Nações Unidas ou para qualquer outro homem *racional* vai parecer um acordo bastante justo".[16]

O poder desenfreado dos EUA

Os estrategistas estavam, portanto, diante de um sério dilema. Tinham nas mãos duas propostas um tanto diferentes de Kruschev para dar fim à ameaça de guerra catastrófica, e ambas pareceriam a qualquer "homem racional" um acordo justo. Como reagir?

Uma possibilidade teria sido dar um suspiro de alívio diante do fato de que a civilização poderia sobreviver e aceitar avidamente ambas as ofertas; anunciar que os Estados Unidos acatariam o direito internacional e retirariam qualquer ameaça contra Cuba, assumindo o compromisso público de não invadir a ilha; e levar adiante a remoção dos obsoletos mísseis instalados na Turquia, dando prosseguimento conforme o planejado no sentido de incrementar a ameaça nuclear contra a União Soviética para um nível bem maior – somente parte, é claro, do cerco global à Rússia. Mas isso era impensável.

A razão básica pela qual era impossível cogitar esse tipo de pensamento foi explicada com todas as letras por um dos consultores do NSC, McGeorge Bundy, ex-reitor de Harvard e tido como o pretenso mais brilhante astro do firmamento de Camelot. O mundo, insistiu ele, devia entender de uma vez por todas que a "atual ameaça à paz *não* está na Turquia, está em *Cuba*", onde havia mísseis apontados diretamente para os Estados Unidos.[17] Um contingente vastamente mais poderoso de mísseis norte-americanos direcionados contra o mais fraco e mais vulnerável inimigo soviético não poderia ser considerado uma ameaça à paz, porque somos Bons, o que muita gente no hemisfério Ocidental e além poderia muito bem comprovar – entre inúmeros outros, as vítimas da guerra terrorista, então em curso, que os Estados Unidos vinham travando contra Cuba ou as muitas pessoas enredadas na "campanha de ódio" do mundo árabe que tanto intrigava Eisenhower, mas não o NSC, que a explicava claramente.

Em colóquios posteriores, o presidente salientou que ficaríamos "em uma posição ruim" se optássemos por iniciar uma conflagração internacional ao rejeitar propostas que pareceriam bastante razoáveis aos sobreviventes (se algum deles se importasse). Essa postura "pragmática" estava mais ou menos no limite das consequências morais.[18]

Em uma análise de documentos recém-divulgados sobre o terror da era Kennedy, Jorge Domínguez, especialista em estudos latino-americanos da Universidade Harvard, observa que "somente uma única vez, em quase mil páginas de documentação, um alto funcionário da administração dos Estados Unidos fez algo remotamente semelhante a uma tímida objeção moral ao terrorismo patrocinado pelo governo dos EUA": um membro do estafe do NSC sugeriu que raides "que são fortuitos e matam inocentes [...] poderiam significar má repercussão e críticas negativas em alguns países amigos".[19]

As mesmas atitudes prevaleceram ao longo de todas as discussões internas durante a crise dos mísseis, como no instante em que Robert Kennedy alertou que uma invasão total a Cuba, em escala irrestrita e a pleno vapor, "mataria um bocado de gente e teríamos de aguentar um bocado de críticas por isso".[20] Essas atitudes continuam prevalecendo até hoje, com raríssimas exceções, o que é facilmente comprovado por documentos.

Talvez tivéssemos ficado "em posição ainda pior" se o mundo soubesse mais a respeito do que os Estados Unidos estavam fazendo na época. Apenas recentemente descobriu-se que, seis meses antes e em sigilo, os EUA haviam posicionado mísseis em Okinawa, quase idênticos aos que os russos enviariam a Cuba.[21] Com certeza esses mísseis foram apontados para a China, num momento de elevadas tensões regionais. Até hoje funciona em Okinawa uma importante base de ataque militar norte-americana, a despeito dos ferrenhos protestos de seus habitantes.

Um indecente desrespeito pelas opiniões da humanidade

As deliberações que se seguiram são reveladoras, mas vou deixá-las de lado aqui. Kennedy e seus assessores chegaram a uma conclusão. Os Estados Unidos prometeram remover os obsoletos mísseis da Turquia, mas não o fariam publicamente, tampouco formalizariam por escrito o compromisso: era importante que Kruschev fosse visto como aquele que capitulou. Apresentou-se uma razão interessante, que é aceita e tida como razoável por acadêmicos e comentaristas. No dizer de Michael Dobbs, "se parecesse que os Estados Unidos estavam desmantelando as bases de mísseis unilateralmente, sob pressão da União Soviética, a aliança [da OTAN] poderia ruir" – ou, parafraseando de modo mais exato, se os Estados Unidos substituíssem mísseis inúteis por uma ameaça bem mais letal, como já planejado, num acordo com a Rússia que qualquer "homem racional" consideraria bastante justo, a aliança da OTAN talvez ruísse.[22]

Sem dúvida, quando a Rússia removesse o único meio de que Cuba dispunha para defender o país ou deter inimigos contra um ataque em curso dos EUA – ainda pairava no ar uma severa ameaça de levar adiante a invasão – e discretamente saísse de cena, os cubanos ficariam enfurecidos – (como de fato ficaram, o que é compreensível). Mas essa é uma comparação injusta pelas razões-padrão: somos seres humanos que têm importância e relevância, ao passo que eles são meramente "não pessoas", para adaptar o útil termo cunhado por George Orwell.

Kennedy também fez uma promessa informal de não invadir Cuba, mas com condições: a retirada dos mísseis soviéticos da ilha e a desativação das bases e a suspensão do armazenamento de armas, e também o encerramento, ou ao menos uma "considerável diminuição", de qualquer presença militar russa (ao contrário da Turquia, nas fronteiras da Rússia, onde nada do tipo por parte das nossas Forças Armadas poderia sequer ser levado em consideração). Assim que Cuba não fosse mais um "campo armado", "nós provavelmente invadiríamos", nas palavras do presidente. Ele acrescentou que se Cuba tinha a esperança de se ver livre da ameaça de uma invasão norte-americana, a ilha deveria dar fim a sua "subversão política" (expressão de Sheldon Stern) na América Latina.[23] Durante anos a fio a "subversão política" tinha sido um tema constante na retórica estadunidense, invocado por exemplo quando Eisenhower derrubou o governo parlamentar da Guatemala e afundou aquele torturado país em um abismo do qual até hoje ainda não saiu. Esse tema continuou figurando vigorosamente ao longo das cruéis guerras ao terror de Ronald Reagan na América Central na década de 1980. A "subversão política" de Cuba consistia em dar apoio aos que resistiam aos ataques assassinos dos Estados Unidos e seus regimes clientes, às vezes até mesmo – o horror dos horrores – fornecendo armas para as vítimas.

Embora esses conceitos estejam entranhados na doutrina predominante de tal modo que parecem praticamente invisíveis, são articulados de forma pontual no histórico interno. No caso de Cuba, a Equipe de Planejamento de Políticas do Departamento de Estado explicou que "o principal perigo que enfrentamos em Castro é [...] o impacto que a própria existência de seu regime tem sobre o movimento esquerdista em muitos países da América Latina [...] O fato simples é que Castro representa um desafio bem-sucedido aos EUA, uma negação de toda a nossa política com relação ao hemisfério em vigor há um século e meio", desde que a doutrina Monroe anunciou a intenção de Washington, então irrealizável, de dominar o hemisfério Ocidental.²⁴

O direito de dominar é o princípio mais fundamental da política externa dos EUA e está em toda parte, embora se esconda por trás de termos defensivos: durante os anos da Guerra Fria, era rotineiramente invocado por causa da "ameaça russa", apesar de os russos estarem bem longe. Um exemplo de enorme relevância contemporânea é revelado no importante livro de Ervand Abrahamian sobre o golpe orquestrado por Estados Unidos e Inglaterra que derrubou o regime parlamentarista do Irã em 1953. Com uma escrupulosa investigação de documentos internos, Abrahamian mostra de maneira convincente que as explicações padrão não se sustentam. As causas básicas não eram preocupações concernentes à Guerra Fria, tampouco a irracionalidade iraniana que neutralizava as "intenções benignas" de Washington, nem mesmo o acesso ao petróleo ou lucros, mas sim a exigência norte-americana de "controle total" – com suas implicações mais amplas de dominação global – que se viu ameaçada pelo nacionalismo independente.²⁵

É o que descobrimos repetidamente ao investigarmos casos específicos, incluindo Cuba (o que não chega a surpreender), embora neste caso o fanatismo mereça um exame mais detalhado. A política dos EUA com relação a Cuba recebe duras condenações em toda a América Latina e na maior parte do mundo, mas "um respeito decente pelas opiniões da humanidade" é compreendido como uma retórica disparatada, entoada estupidamente no 4 de Julho. Desde que pesquisas de opinião acerca do tema começaram a ser realizadas, uma considerável maioria da população mostrou-se favorável à normalização das relações com Cuba, mas isso também é insignificante.²⁶

O desprezo pela opinião pública é, claro, bastante normal. O interessante neste caso é o menosprezo à opinião de poderosos setores da economia dos EUA – tremendamente influentes no estabelecimento de diretrizes políticas – que também são favoráveis à normalização: setor energético, agronegócios, indústria farmacêutica e outros. Isso sugere que, em adição aos fatores culturais revelados na histeria dos intelectuais de Camelot, há um extraordinário interesse de Estado envolvido na punição aos cubanos.

O mundo sem a ameaça de destruição nuclear

A crise dos mísseis chegou oficialmente ao fim em 28 de outubro. O resultado nada tinha de vago ou obscuro. Nessa noite, em um programa especial do canal de televisão CBS News, Charles Collingwood noticiou que o mundo havia escapado "da mais terrível ameaça de holocausto nuclear desde a Segunda Guerra Mundial" com uma "humilhante derrota para a política soviética".[27] Dobbs comenta que os russos tentaram fingir que o resultado da negociação era "mais um triunfo para a pacifista política externa russa contra os imperialistas belicistas e fomentadores da guerra", e que "a liderança soviética, supremamente sábia e sempre sensata, havia salvado o mundo da ameaça de destruição nuclear".[28]

Separando o joio do trigo e desenredando os fatos básicos do que é apenas uma ridícula pilhéria de bom-tom e ao gosto da moda, foi a anuência de Kruschev de capitular que de fato "salvou o mundo da ameaça de destruição nuclear".

A crise, no entanto, não havia chegado ao fim. Em 8 de novembro, o Pentágono anunciou que todas as bases soviéticas de mísseis conhecidas haviam sido desmanteladas.[29] No mesmo dia, segundo Stern, "uma equipe de sabotagem levou a cabo um ataque a uma fábrica cubana", embora a campanha de terror de Kennedy, a Operação Mangusto, tivesse sido formalmente abortada no ápice da crise.[30] O ataque terrorista de 8 de novembro corrobora a observação de McGeorge Bundy de que a ameaça à paz era Cuba, não a Turquia, onde os russos não estavam dando continuidade a uma tentativa de agressão letal – porém, não era isso que Bundy tinha em mente, e trata-se de algo que ele tampouco poderia ser capaz de compreender.

Mais detalhes são acrescentados pelo respeitado acadêmico Raymond Garthoff, também dono de uma profícua experiência no âmbito do governo, em sua meticulosa descrição da crise dos mísseis publicada em 1987. Em 8 de novembro, Garthoff escreve: "Uma equipe cubana de operações secretas de sabotagem despachada dos Estados Unidos explodiu uma instalação industrial cubana, matando 400 operários, de acordo com uma carta enviada pelo governo cubano ao secreário-geral da ONU.

Garthoff comenta: "Os soviéticos só podiam ver [o ataque] como uma tentativa de voltar atrás no que era, para eles, a questão fundamental remanescente, as garantias norte-americanas de não agredir Cuba", especialmente uma vez que a missão de ataque havia partido de solo norte-americano. Essa e outras "ações de terceiros" revelam novamente, Garthoff conclui, "que o risco e o perigo para ambos os lados poderiam ter sido extremos, não excluída a catástrofe". Garthoff também analisa as mortíferas e destrutivas operações da campanha terrorista de Kennedy, que consideraríamos como uma justificativa mais do que ampla para a deflagração de uma guerra se os Estados Unidos ou seus aliados fossem as vítimas, não os agressores.[31]

Pela mesma fonte, descobrimos ainda que, em 23 de agosto de 1962, o presidente havia emitido o Memorando de Ação para a Segurança Nacional (National Security Action Memorandum – NSAM, na sigla em inglês) nº 181, "uma diretiva para engendrar uma revolta interna que seria seguida por intervenção das Forças Armadas norte-americanas", envolvendo "significativos planos militares, manobras e movimentação de tropas e equipamento" que eram de conhecimento de Cuba e da Rússia.[32] Também em agosto os ataques terroristas se intensificaram, incluindo investidas de lanchas munidas de metralhadoras contra um hotel cubano à beira-mar "onde sabidamente reuniam-se técnicos militares soviéticos, matando inúmeros russos e cubanos"; ataques a cargueiros britânicos e cubanos; contaminação de carregamentos de açúcar; e outras atrocidades e atos de sabotagem, em sua maior parte levados a cabo por organizações de exilados cubanos que tinham permissão para agir livremente na Flórida. Pouco depois, o mundo se veria diante do "momento mais perigoso na história humana", que não surgiu exatamente do nada.

Depois que a crise amainou, Kennedy renovou oficialmente as operações terroristas. Dez dias antes de ser assassinado, o presidente aprovou um plano da CIA para pôr em execução "operações de destruição", mediante forças de procuração dos EUA, "contra uma refinaria de petróleo de grande porte, com imensas instalações de estocagem de combustível, uma grande usina elétrica, refinarias de açúcar, pontes ferroviárias e demolição subaquática de docas e navios". Aparentemente um complô para matar Castro foi iniciado no dia do assassinato de Kennedy. A campanha terrorista foi cancelada em 1965, mas, segundo Garthoff, "um dos primeiros atos de Nixon, tão logo assumiu a presidência em 1969, foi ordenar que a CIA intensificasse as operações secretas contra Cuba".[33]

Podemos, finalmente, ouvir as vozes das vítimas graças ao estudo do historiador canadense Keith Bolender, *Voices from the other side* (Vozes do outro lado, em tradução livre), a primeira história da campanha de terrorismo contra Cuba, publicada em 2010 – um dos muitos livros que no Ocidente não receberão mais que uma mera menção de passagem, ou quando muito uma nota de rodapé, por causa de seu conteúdo demais revelador.[34]

Em *Political Science Quarterly*, o periódico profissional da Associação Norte-Americana de Ciência Política, Montague Kern observa que a crise dos mísseis cubanos é uma daquelas "crises completas e de força máxima [...] em que um inimigo ideológico (a União Soviética) é tido de maneira unânime e universal como aquele que primeiro partiu para o ataque, levando a um efeito do tipo todos-reunidos--em-volta-da-bandeira-nacional,* que expandem enormemente o apoio popular a um presidente, aumentando suas opções políticas".[35]

---

* No original, a expressão é *rally-round-the-flag*, conceito usado em ciência política e relações internacionais para explicar o súbito aumento do apoio da opinião pública ao presidente dos EUA durante períodos de consternação causada por crise internacional, guerra ou após eventos internacionais de grande visibilidade, tais como os atentados de 11 de Setembro de 2001. Verificou-se que o crescimento das ameaças externas cria um ambiente de forte nacionalismo e aumento da confiança dos cidadãos norte-americanos

Kern tem razão quando diz de maneira "unânime e universal", com exceção daqueles que escaparam dos grilhões ideológicos para prestar alguma atenção aos fatos; Kern, verdade seja dita, é um deles. Outro é Sheldon Stern, que constata o que essas pessoas diferentes e afastadas dos padrões já sabem há muito tempo. Stern escreve que agora sabemos que "a explicação original de Kruschev para enviar mísseis a Cuba tinha sido verdadeira: o líder soviético jamais pretendera que essas armas fossem uma ameaça à segurança dos Estados Unidos; antes, considerava o posicionamento estratégico dos armamentos uma manobra defensiva para proteger seus aliados cubanos de ataques norte-americanos e um esforço desesperado no sentido de dar à URSS a aparência de igualdade no equilíbrio de poder nuclear".[36] Dobbs reconhece também que "Castro e seus benfeitores soviéticos tinham motivos concretos e reais para temer as tentativas norte-americanas de mudança de regime, incluindo, como um último recurso, uma invasão dos EUA a Cuba [...] [Kruschev] era sincero em seu desejo de defender a revolução cubana do poderoso vizinho ao norte.[37]

"Terrores da terra"

Os ataques norte-americanos são invariavelmente menosprezados pelos analistas e comentaristas políticos como traquinagens bobocas, travessuras da CIA que ficaram fora de controle. Isso está longe da verdade. A reação dos melhores e mais brilhantemente inteligentes ao fracasso da baía dos Porcos beirou a histeria, incluindo o presidente, que informou ao país que "as sociedades complacentes e autoindulgentes, as sociedades fracas estavam prestes a ser varridas para os escombros da história [e] somente as fortes [...] têm possibilidade de sobreviver". E só conseguiriam sobreviver, ele acreditava, por meio de doses maciças de terror – embora esse adendo tenha sido mantido em sigilo e ainda hoje não seja de conhecimento dos patriotas, cuja

---

nas instituições nacionais, fenômeno que causa a chamada "mobilização em torno da bandeira" ou "união da nação em torno do presidente em momentos de adversidade". Esse efeito possibilita uma rápida mudança no clima nacional e cria reações patrióticas entre a população; em consequência, em curto prazo a popularidade do presidente cresce exponencialmente. (N. T.)

percepção é de que o inimigo ideológico "partiu para o ataque" (percepção quase universal, conforme observa Kern). Após a derrota na baía dos Porcos, escreve o historiador Piero Gleijeses, jfk lançou um esmagador embargo para punir os cubanos por terem derrotado uma invasão comandada pelos eua, com tropas formadas e treinadas pelo governo norte-americano, e "pediu ao seu irmão, o procurador-geral Robert Kennedy, que liderasse um grupo interagências de alto escalão incumbido de supervisionar a Operação Mangusto, um programa de operações militares, guerra econômica e sabotagem que entrou em vigor no início de 1961 a fim de desestabilizar o regime cubano e lançar sobre Fidel Castro os 'terrores da Terra' e, em termos mais prosaicos, derrubá-lo".[38]

A expressão "terrores da Terra" é de Arthur Schlesinger, em sua biografia semioficial de Robert Kennedy, a quem foi atribuída a responsabilidade de conduzir a guerra terrorista e coube informar à cia que o problema cubano é "absoluta prioridade no governo dos Estados Unidos – todo o resto é secundário – nenhum esforço, tempo ou efetivo devem ser poupados" –, no afã de derrubar o regime de Castro.[39] As ações da Operações Mangusto foram chefiadas por Edward Lansdale, que tinha ampla experiência na "contrainsurgência" – um termo padrão para o terrorismo que nós praticamos. Ele forneceu um cronograma de atentados que definia até mesmo a sequência de alvos que deveriam ser eliminados na ilha de modo a levar à "rebelião, insubordinação e derrubada do regime comunista" em outubro de 1962. A "definição final" do programa reconhecia que "o sucesso cabal exigirá a decisiva intervenção militar dos eua" depois que o terrorismo e a subversão tiverem lançado as bases para tanto". Fica subentendido que a intervenção militar se daria em 1962 – quando a crise dos mísseis eclodiu. Os eventos aqui mencionados explicam por que Cuba e Rússia tinham bons motivos para levar a sério tais ameaças.

Anos depois, Robert McNamara reconheceu que Cuba tinha justificativas para temer um ataque. "Se eu estivesse na pele dos cubanos ou dos soviéticos, teria pensado a mesma coisa", observou ele numa conferência de grande porte sobre a crise dos mísseis por ocasião do aniversário de quarenta anos do episódio.[40]

Quanto aos russos e seu "esforço desesperado no sentido de dar à URSS a aparência de igualdade" a que Stern se refere, cumpre lembrar que a vitória de Kennedy por estreita margem na eleição de 1960 baseou-se numa suposta "disparidade de mísseis", forjada para aterrorizar o país e condenar a administração Eisenhower como um governo fraco e frouxo em termos de segurança nacional.[41] Havia de fato uma "disparidade de mísseis", mas a balança pendia a favor dos Estados Unidos.

A primeira "declaração pública e inequívoca do governo" acerca dos fatos verdadeiros, de acordo com o analista estratégico Desmond Ball em seu competente estudo acerca do programa de mísseis de Kennedy, se deu em outubro de 1961, quando o vice-secretátio de Defesa Roswell Gilpatric informou ao Conselho de Negócios que "depois de um ataque surpresa, os Estados Unidos teriam um sistema de lançamento de armas atômicas maior que a força nuclear a qual a União Soviética seria capaz de acionar em seu primeiro ataque".[42] Os russos, é claro, tinham plena consciência de sua relativa fraqueza e vulnerabilidade. Sabiam também da reação de Kennedy quando Kruschev se ofereceu para reduzir drasticamente sua capacidade ofensiva e passou a fazê-lo unilateralmente; o presidente norte-americano não respondeu, e em vez disso empreendeu um gigantesco programa armamentista.

Donos do mundo, no passado e agora

As duas perguntas essenciais com relação à crise dos mísseis são: como ela começou? E como terminou? Começou com o ataque terrorista de Kennedy contra Cuba, com uma ameaça de invasão em outubro de 1962. Terminou com o presidente rejeitando ofertas russas que pareceriam justas para uma pessoa "racional", mas que eram impensáveis porque teriam questionado o princípio fundamental de que os Estados Unidos têm o direito unilateral de posicionar mísseis nucleares em qualquer lugar do planeta, apontados para a China ou Rússia ou qualquer outro lugar, até mesmo nas fronteiras dos países, e o princípio subjacente de que Cuba não tinha nenhum direito de possuir mísseis para se defender contra o que parecia ser uma iminente invasão norte-americana. De modo a estabelecer com firmeza esses princípios, era adequado correr o alto risco de uma guerra de destruição inimaginável e rejeitar maneiras simples e reconhecidamente justas de dar fim à ameaça.

Garthoff observa que "nos Estados Unidos era quase universal a aprovação da forma como o presidente Kennedy lidou com a crise".[43] Dobbs escreve que "o tom implacavelmente otimista foi estabelecido pelo historiador da corte, para quem Kennedy 'deslumbrou o mundo', por meio de 'uma combinação de firmeza, beligerância e contenção, força de vontade, ousadia e sabedoria, de maneira brilhantemente controlada, com calibragem incomparável'".[44] De modo bem mais sóbrio, Stern concorda em parte, salientando que Kennedy rejeitou reiteradamente o conselho de seus assessores e chefes militares, que insistiam no uso de força bélica e na recusa a opções pacíficas. Os eventos de outubro de 1962 são enaltecidos como "o melhor momento" de Kennedy, seu momento de insuperável grandeza e coragem. Graham Allison faz coro a muitos outros, apresentando-os como "um guia sobre como resolver conflitos, gerenciar relacionamentos entre as grandes potências e tomar decisões bem fundadas e íntegras sobre a política em geral".[45]

Em um sentido bastante estrito, essa ponderação é bastante sensata. As fitas da ExComm revelam que o presidente manteve-se à parte, numa postura afastada dos outros, em alguns momentos de quase todos os outros, ao rejeitar a violência prematura. Há, porém, uma questão adicional: de que modo a relativa moderação de JFK em seu gerenciamento da crise deveria ser avaliada à luz do contexto das considerações mais amplas que aqui acabamos de mencionar? Mas essa pergunta não surge numa cultura intelectual e moral disciplinada, que aceita sem questionamento o princípio básico de que os Estados Unidos são efetivamente os proprietários do mundo por direito e são, por definição, uma força permanente e definitiva, apesar dos ocasionais erros e equívocos, um princípio segundo o qual é aberto e plenamente adequado que os EUA mobilizem e posicionem de forma estratégica um colossal poderio militar no mundo inteiro, ao passo que é um abominável e afrontoso ultraje que outros países (exceto os aliados e clientes dos norte-americanos) façam o mais ínfimo gesto nessa direção ou sequer pensem em deter a ameaça de uso da violência por parte da benigna hegemonia global.

Essa doutrina é a principal acusação oficial contra o Irã atualmente: a de que os iranianos talvez representem um estorvo contra as forças norte-americanas e israelenses. Essa reflexão também foi feita durante a crise dos mísseis. Em discussões internas, os irmãos Kennedy expressaram seus receios quanto à possibilidade de que mísseis cubanos pudessem tolher a invasão da Venezuela por tropas dos EUA, que então estava sendo cogitada. Por isso "a baía dos Porcos foi a coisa certa", concluiu JFK.[46]

Esses princípios contribuem para o constante risco de guerra nuclear. Não tem havido escassez de perigos graves desde a crise dos mísseis. Dez anos depois, durante a Guerra Árabe-Israelense de 1973,* o assessor especial do NSC Henry Kissinger pôs o país em DEFCON 3 a fim de alertar os russos para que se mantivessem longe enquanto ele secretamente autorizava Israel a violar o cessar-fogo imposto pelos Estados Unidos e pela Rússia.[47] Quando Ronald Reagan assumiu a presidência alguns anos depois, os Estados Unidos iniciaram operações sondando as defesas russas e estimulando ataques aéreos e navais, ao mesmo tempo em que posicionavam em solo alemão mísseis Pershing que levariam de cinco a dez minutos para atingir alvos russos, propiciando o que a CIA chamou de "capacidade de primeiro ataque supersúbito".[48] Isso gerou apreensão na Rússia, que ao contrário dos EUA havia sido repetidas vezes invadida e praticamente destruída. Isso levou a um temor de guerra em 1983. Houve também centenas de casos em que a intervenção humana abortou um primeiro ataque minutos antes dos lançamentos de mísseis, depois que sistemas automatizados deram falsos alarmes. Não dispomos dos arquivos russos, mas não restam dúvidas de que seus sistemas são bem mais propensos a acidentes.

---

* Conflito conhecido também pelos nomes de Quarta Guerra Árabe-Israelense, Guerra do Ramadã, Guerra de Outubro e Guerra do Yom Kippur, ocorrido entre Israel e um grupo de nações sob a liderança da Síria e do Egito entre 6 e 26 de outubro de 1973. (N. T.)

Nesse meio-tempo, Índia e Paquistão chegaram bem perto de uma guerra nuclear em diversas ocasiões, e as fontes de conflito perduram. Ambos recusaram-se a assinar o NPT, juntamente com Israel, e receberam apoio dos EUA para o desenvolvimento de seus programas de armamentos nucleares.

Em 1962, a guerra foi evitada graças à disposição de Kruschev de aceitar as hegemônicas exigências de Kennedy. Mas não podemos contar eternamente com essa sanidade. É quase um milagre que até aqui a guerra nuclear tenha sido evitada. Há mais motivos do que nunca para prestarmos atenção ao alerta feito por Bertrand Russell e Albert Einstein, há sessenta anos, de que é imprescindível que encaremos o dilema que é "penoso e inquietante e inescapável: poremos um fim à espécie humana ou a humanidade renunciará à guerra?".[49]

CAPÍTULO 9

Os acordos de paz de Oslo: seu contexto, suas consequências

Em setembro de 1993, o presidente Clinton foi o anfitrião de um encontro nos jardins da Casa Branca que culminou num aperto de mãos entre o primeiro-ministro israelense Yitzhak Rabin e o presidente da OLP, Yasser Arafat – encerrando um "dia de deslumbramento", como a imprensa descreveu, com reverência, o evento.[1] A ocasião marcou o anúncio da Declaração de Princípios (Declaration of Principles – DOP, na sigla em inglês) para um acordo político visando à solução do conflito Israel-Palestina, arranjo que foi resultado de reuniões secretas em Oslo, sob os auspícios do governo norueguês.

Negociações independentes entre Israel e os palestinos estavam em marcha desde novembro de 1991, iniciadas por Washington durante o brilho de êxito após a primeira guerra do Iraque, que estabeleceu que "o que nós dizemos acontece", nas palavras triunfantes do presidente George W. Bush.[2] As negociações foram abertas com uma breve conferência em Madri e continuaram sob a batuta dos Estados Unidos (e, tecnicamente, da mortiça União Soviética, para dar a ilusão de apoio internacional). A delegação palestina, que consistia de palestinos de dentro dos Territórios Ocupados ("palestinos internos"), era liderada pelo dedicado e incorruptível nacionalista de esquerda Haidar Abdul Shafi, provavelmente a figura mais respeitada na Palestina. Os "palestinos externos" – a OLP, baseada em

Túnis e encabeçada por Yasser Arafat – foram excluídos, embora tivessem um observador extraoficial, Faisal Husseini. A imensa população de refugiados palestinos foi totalmente excluída, sem nenhum respeito aos seus direitos, mesmo os que haviam sido concedidos pela Assembleia Geral da ONU.

Para compreender a natureza e o significado dos acordos de Oslo e as consequências que deles emanaram, é importante entender os antecedentes e o contexto em que se deram as negociações de Madri e Oslo. Começarei analisando os aspectos culminantes do panorama imediato que estabeleceu o cenário e o conjunto de circunstâncias para as negociações, a seguir discorrerei sobre a Declaração de Princípios e as consequências do processo de Oslo, que se estendem até o presente, e finalmente acrescentarei algumas palavras sobre lições que devem ser aprendidas.

A OLP, Israel e os Estados Unidos haviam divulgado recentemente posicionamentos formais acerca das questões básicas que foram os tópicos das negociações de Madri e Oslo. A posição da OLP foi apresentada em novembro de 1988 na declaração do Conselho Nacional Palestino (PNC), insistindo em uma longa série de iniciativas diplomáticas que haviam sido rejeitadas. A declaração reivindicava o estabelecimento de um Estado palestino nos territórios ocupados por Israel desde 1967 e solicitava ao Conselho de Segurança da ONU que "formulasse e garantisse acordos de segurança e paz entre todos os Estados interessados na região, incluindo o Estado palestino", ao lado de Israel.[3] A declaração do PNC, que aceitava o esmagador consenso internacional sobre um acordo diplomático, era praticamente idêntica à resolução de dois Estados levada ao Conselho de Segurança em janeiro de 1976 pelos "Estados de confrontação" árabes (Egito, Síria e Jordânia). A proposta foi vetada pelos Estados Unidos na ocasião e novamente reprovada em 1980. Durante quarenta anos os EUA bloquearam o consenso internacional, e ainda o fazem, cordialidades diplomáticas à parte.

Em 1988, a postura rejeicionista de Washington estava ficando insustentável. Em dezembro, a administração Reagan, já de saída do poder, tornou-se alvo de risadas e motivo de chacota da comunidade internacional por seus esforços cada vez mais desesperados de fingir que, sozinha no mundo, não era capaz de ouvir as conciliadoras propostas da OLP e dos Estados árabes. De má vontade, Washington decidiu "declarar vitória", alegando que por fim a OLP havia sido coagida a pronunciar as "palavras mágicas" do secretário de Estado George Schultz e expressar sua disposição de optar pela via diplomática.[4] Como Schultz deixa claro em suas memórias, o objetivo era impingir à OLP a humilhação máxima, ao mesmo tempo em que se admitia que as ofertas de paz já não podiam ser negadas. Ele informou ao presidente Reagan que Arafat ora dizia, "Ti, Ti, Ti", ora dizia "Sa, Sa, Sa", mas, até então, em momento nenhum tinha sido capaz de pronunciar "Tio Sam", admitindo a total capitulação ao estilo humilde que se espera das classes mais baixas. Portanto, seriam permitidas discussões de baixo escalão com a OLP, mas a partir da compreensão de que essas tratativas seriam insignificantes: especificamente, estipulou-se que a OLP deveria abandonar sua solicitação de uma conferência internacional, de modo que os Estados Unidos mantivessem o controle.[5]

Em maio de 1989, o governo formado por uma coalizão entre a liderança do partido Likud e o líder do partido Trabalhista respondeu formalmente à aceitação palestina de uma solução de dois Estados, declarando que não poderia haver nenhum "Estado palestino adicional" entre a Jordânia e Israel (a Jordânia já sendo um Estado palestino conforme determinação israelense, a despeito do que pudessem pensar jordanianos e palestinos), e que "não haverá mudança no status da Judeia, Samaria e Gaza [a Cisjordânia e Gaza], a menos que em conformidade com as diretrizes básicas do governo [israelense]".[6] Ademais, Israel não poderia conduzir negociações com a OLP, mas permitiria "eleições livres" sob a supervisão das Forças Armadas israelenses, com boa parte das lideranças palestinas na prisão ou expulsas da Palestina.

No plano proposto pelo secretário de Estado James A. Baker, a nova administração Bush endossou sem ressalvas essa proposta em dezembro de 1989. Ela constituiu as três posições formais às vésperas das negociações de Madri, com Washington atuando como "mediador honesto".

Quando Arafat foi a Washington para fazer parte do "dia de deslumbramento", em setembro de 1993, a reportagem principal do jornal *The New York Times* celebrou o aperto de mãos como uma "imagem dramática" que "transformará o sr. Arafat em um estadista e pacifista conciliador", alguém que finalmente renunciou à violência sob a tutela de Washington.[7] Na extremidade crítica da mídia dominante, Anthony Lewis, colunista do *Times*, escreveu que até aquele momento os palestinos sempre haviam rejeitado a transigência, mas agora estavam dispostos a "tornar possível a paz".[8] Obviamente, os Estados Unidos e Israel haviam rejeitado a diplomacia, e a OLP vinha fazendo concessões e oferecendo soluções conciliadoras durante anos a fio, mas a inversão dos fatos por parte de Lewis era bastante normal e incontestada: ninguém na grande mídia apresentava qualquer tipo de questionamento.

Houve outros desdobramentos decisivos nos anos imediatamente anteriores a Madri e Oslo. Em dezembro de 1987, a Intifada eclodiu em Gaza e rapidamente se alastrou pelos Territórios Ocupados.[9] Essa insurreição de alcance amplo e extraordinariamente contida surpreendeu em igual medida a OLP em Túnis e as forças de ocupação israelenses, por causa de seu extenso sistema de forças militares e paramilitares, vigilância e colaboradores. A Intifada não se limitou à resistência contra a ocupação. Foi também uma revolução social na sociedade palestina, rompendo padrões de subordinação das mulheres, a autoridade dos "notáveis" e outras formas de hierarquia e dominação.

Embora o momento de eclosão da Intifada tenha sido uma surpresa, a insurreição propriamente dita não foi surpresa nenhuma, pelo menos não para aqueles que prestavam alguma atenção às operações realizadas por Israel – com o respaldo dos EUA – dentro dos territórios. Alguma coisa estava fadada a acontecer; há um limite para o que as pessoas são capazes de suportar. Ao longo dos vinte anos anteriores à revolta, os palestinos, sob o jugo da ocupação militar, haviam sido submetidos à mais violenta repressão, à brutalidade e a cruel humilhação enquanto assistiam ao que restava de seu país ser destruído diante de seus olhos à medida que Israel conduzia seus programas de assentamento, implementava enormes projetos de infraestrutura planejados para integrar partes valiosas dos territórios dentro de Israel, roubava seus recursos e punha em prática outras medidas efetivas a fim de barrar o desenvolvimento independente – sempre com o vital apoio militar, econômico e diplomático dos Estados Unidos, e com suporte ideológico para moldar a forma como essas questões eram formuladas.

Para citar apenas um dos inúmeros exemplos que no Ocidente não suscitaram a menor preocupação ou interesse e tampouco mereceram menção: antes da eclosão da Intifada, uma menina palestina, Intissar al-Atar, foi assassinada a tiros no pátio de uma escola em Gaza por um morador de um assentamento judeu dos arredores.[10] Ele era um dos muitos milhares de colonos israelenses que fixaram residência em Gaza graças a substanciais subsídios estatais e protegidos pela enorme e poderosa presença de um Exército enquanto assumiam o controle da maior parte das terras e da escassa reserva de água da Faixa, vivendo "com abundância e esbanjamento em 22 assentamentos em meio a 1,4 milhão de palestinos destituídos", conforme o crime é descrito pelo acadêmico israelense Avi Raz.[11]

O assassino da estudante, Shimon Yifrah, foi preso; no entanto, rapidamente ganhou a liberdade mediante pagamento de fiança quando o tribunal determinou que "o delito não é suficientemente grave" para justificar a detenção. O juiz comentou que Yifrah pretendia apenas assustar a garota, disparando a arma de fogo na direção dela no pátio de uma escola, e não matá-la, portanto "não se trata do caso de um indivíduo criminoso que deva ser punido, detido e mantido encarcerado como meio de lição". Yifrah recebeu uma pena de sete meses que acabou sendo suspensa, sentença que levou os colonos presentes à sala do tribunal a iniciarem uma comemoração com dança e cantoria. E o costumeiro silêncio reinou. Afinal de contas, era a rotina.

E assim foi: tão logo Yifrah foi libertado, a imprensa israelense noticiou que uma patrulha armada efetuou disparos na direção do pátio de uma escola num campo de refugiados da Cisjordânia, ferindo cinco crianças, num ataque que, da mesma forma, tinha como única intenção "assustá-las". Não houve acusações formais nem investigações, tampouco punições, e mais uma vez o evento não atraiu atenção nenhuma. Era apenas mais um episódio de um programa de "analfabetismo como punição" – segundo a definição da imprensa israelense –, que incluía o fechamento de escolas, o uso de bombas de gás, o espancamento de estudantes com coronhadas de rifle e o bloqueio de assistência médica às vítimas. Para além das escolas, reinava uma brutalidade mais severa, e que durante a Intifada se tornou ainda mais selvagem, sob as ordens do ministro da Defesa Yitzhak Rabin. Depois de dois anos de violenta e sádica repressão, Rabin informou aos líderes da organização Paz Agora que os "habitantes dos territórios estão sujeitos a dura pressão militar e econômica. No fim, eles serão quebrados e sucumbirão", e então aceitariam os termos de Israel – como fizeram quando Arafat recuperou o controle por meio do processo de Oslo.[12]

As negociações de Madri entre Israel e os palestinos internos continuavam de forma inconclusiva desde 1991, porque Abdul Shafi insistia que tivesse fim a expansão dos assentamentos israelenses. Os assentamentos eram todos ilegais, o que havia sido reiterado por autoridades internacionais, incluindo o Conselho de Segurança da ONU (entre outras resoluções, a Resolução 446 do conselho UNSC, aprovada por 12 votos a 0, com abstenções dos Estados Unidos, Reino Unido e Noruega).*[13] A legalidade dos assentamentos foi mais tarde reafirmada pela Corte Internacional de Justiça. E também havia sido reconhecida pelas mais altas instâncias e autoridades legais de Israel e os altos escalões do governo israelense no final de 1967, quando os projetos de assentamento estavam no início. O criminoso empreendimento incluía a vasta expansão e anexação da Grande Jerusalém, em uma explícita violação das repetidas ordens do Conselho de Segurança.[14]

---

* 22 de março 1979 – Resolução 446: a política israelense de promover "assentamentos nos territórios palestinos e árabes ocupados não tem validade legal e constitui um sério obstáculo" para a paz no Oriente Médio. (N. T.)

A posição de Israel já na abertura da conferência de Madri foi resumida de forma pontual pelo jornalista israelense Danny Rubinstein, um dos mais bem informados analistas do tema dos Territórios Ocupados.[15] Rubinstein escreveu que, em Madri, Israel e Estados Unidos concordariam com alguma forma de "autonomia" palestina, conforme exigida pelos Acordos de Camp David de 1978, mas que seria a "mesma autonomia de um campo de prisioneiros, onde os presos são 'autônomos' para cozinhar suas próprias refeições sem interferência e para organizar eventos culturais".[16] Os palestinos receberiam pouco mais do que já tinham – o controle dos serviços locais –, e o programa israelense de assentamentos continuaria.

Enquanto as negociações de Madri e as negociações secretas de Oslo estavam em andamento, esses programas tiveram uma rápida expansão, primeiro sob Yitzhak Shamir e depois sob Yitzhak Rabin, que se tornou primeiro-ministro em 1992 e "alardeou que em momento nenhum desde 1967 se construíram tantas moradias nos territórios quanto durante o seu mandato". Rabin explicou de maneira sucinta o princípio norteador: "O mais importante é o que está dentro das fronteiras, e o menos importante é onde se localizam as fronteiras, contanto que Israel cubra a maior parte do território da Terra de Israel [Eretz Israel, a antiga Palestina],* cuja capital é Jerusalém".

Pesquisadores israelenses informaram que o objetivo do governo Rabin era expandir drasticamente "a zona de influência da Grande Jerusalém", estendendo-se de Ramallah a Hebron, ao limite da fronteira de Ma'aleh Adumim, junto a Jericó, e "concluir a criação de círculos de assentamentos judaicos contíguos na zona de influência da Grande Jerusalém, de modo a cercar ainda mais as comunidades palestinas, limitar seu desenvolvimento e impedir qualquer possibilidade de que Jerusalém Oriental possa tornar-se uma capital palestina". Além disso, "uma vasta rede de estradas está em construção, formando a espinha dorsal do padrão de assentamento".[17]

---

* Terra de Israel, nome pelo qual era designada a região que, segundo o Tanach, a Bíblia hebraica, foi prometida por Deus aos descendentes de Abraão por meio de seu filho Isaac e aos hebreus, descendentes de Jacó, neto de Abraão; nomeava a parte da Palestina que viria a se tornar o Estado de Israel, antes de sua criação. (N. T.)

Esses programas continuaram se expandindo rapidamente após os Acordos de Oslo, incluindo novos assentamentos e o "adensamento" dos antigos, estímulos especiais para atrair novos colonos e projetos de construção de rodovias a fim de cantonizar o território. Excluindo Jerusalém Oriental anexada, os novos empreendimentos de edificação aumentaram em mais de 40% entre 1993 e 1995, de acordo com um estudo da Paz Agora.[18] Os investimentos governamentais para custear e financiar assentamentos nos territórios tiveram um aumento da ordem de 70% em 1994, ano seguinte ao dos Acordos.[19] O *Davar*, o jornal diário filiado ao Partido Trabalhista no poder, informou que a administração Rabin estava mantendo as prioridades do ultradireitista governo anterior, do premiê Shamir. Enquanto fingia interromper os assentamentos, o Partido Trabalhista "fomentou-os com uma ajuda financeira maior que o governo Shamir jamais havia feito", ampliando assentamentos "em todas as partes da Cisjordânia, mesmo nas áreas mais provocativas".[20] Essa política foi levada adiante nos anos seguintes, e é a base para os atuais programas de assentamento do governo Netanyahu. O propósito é assegurar a Israel o controle de 40% a 50% da Cisjordânia, com o restante do território cantonizado e aprisionado enquanto Israel assume as rédeas do vale do Jordão, numa patente violação aos Acordos de Oslo, assim impedindo que qualquer potencial entidade palestina tenha acesso ao mundo exterior.

A Intifada foi iniciada e levada a cabo pelos palestinos internos. A OLP, em Túnis, tentou exercer algum controle sobre os eventos, mas com pouco êxito. Os programas do início da década de 1990, enquanto as negociações estavam em processo, aprofundaram o distanciamento entre os palestinos internos e a liderança da OLP no exterior.

Sob essas circunstâncias, não foi surpresa que Arafat tenha buscado uma maneira de restabelecer a autoridade da OLP. A oportunidade foi oferecida pelas negociações secretas entre Arafat e Israel sob os auspícios noruegueses, que minaram a liderança local. Quando as negociações foram concluídas, em agosto de 1993, o crescente afastamento da OLP foi analisado por Lamis Andoni, uma das poucas jornalistas que se mantinha vigilante e de olhos abertos para o que estava acontecendo entre os palestinos sob ocupação e em campos de refugiados nos países vizinhos.

Andoni relatou que a OLP estava "enfrentando a pior crise desde sua criação [à medida que] – grupos palestinos – exceto a Fatah – e independentes estão se afastando da OLP [e da] panelinha cada vez mais reduzida em torno de Yasir Arafat". Ela informou ainda que "dois altos dirigentes da OLP, o poeta palestino Mahmoud Darwish e Shafiq al-Hout, desligaram-se da comissão executiva da organização", ao passo que negociadores palestinos estão apresentando suas cartas de demissão, e até mesmo os grupos que continuam fazendo parte da organização estão se distanciando de Arafat. O líder da Fatah no Líbano exigiu a renúncia de Arafat, ao passo que a oposição pessoal a ele e à corrupção e à autocracia da OLP avolumavam-se nos territórios. Juntamente com "a rápida desintegração do grupo dominante e perda de apoio dentro de seu próprio movimento [...] a veloz desintegração das instituições da OLP e a contínua erosão da organização poderiam tornar insignificantes quaisquer avanços nas conversas de paz".

"Em momento nenhum da história da OLP a oposição à liderança, e ao próprio Arafat, foi tão vigorosa", Andoni observou, "ao passo que pela primeira vez há uma crescente sensação de que salvaguardar os direitos nacionais palestinos já não serve para fundamentar a defesa do papel da OLP. Muitos acreditam que são as políticas de liderança da organização que estão destruindo as instituições palestinas e colocando em risco os direitos nacionais palestinos."

Por essas razões, apontou Andoni, Arafat tinha em mente adotar a opção Jericó-Gaza oferecida pelo acordo de Oslo, que, esperava ele, "afirmaria a autoridade da OLP, especialmente em meio a sinais de que o governo israelense poderia esforçar-se e ir além do esperado ao conversar diretamente com a OLP, dessa maneira salvando para a organização a legitimidade que ela está perdendo internamente".

As autoridades israelenses tinham plena consciência da marcha dos acontecimentos dentro da Palestina e chegaram à conclusão de que fazia todo sentido negociar com os que estavam "destruindo as instituições palestinas e colocando em risco os direitos nacionais palestinos" antes que a população buscasse alguma outra forma para assegurar seus objetivos e direitos nacionais.

A reação dos palestinos de dentro dos territórios aos acordos de Oslo foi ambivalente. Alguns alimentavam grandes esperanças. Outros viram poucos motivos para comemorar. "As provisões do acordo alarmaram até mesmo os palestinos mais moderados, que se preocupavam com a possibilidade de o acordo consolidar o controle israelense nos territórios", segundo Lamis Andoni. Saeb Erekat, experiente negociador palestino, comentou que "aparentemente esse acordo visa a uma reorganização da ocupação israelense, e não a um gradual término".[21] Mesmo Faisal Husseini, que era próximo de Arafat, disse a respeito do acordo que "sem dúvida não é o início que o nosso povo estava procurando". Haidar Abdul Shafi criticou a liderança da OLP por aceitar um acordo que permitia a Israel dar continuidade a suas políticas de assentamento e apropriação de terras, bem como a "anexação e judaização" de sua área de Jerusalém expandida e sua "hegemonia econômica" em detrimento dos palestinos – e se recusou a comparecer à celebração no gramado da Casa Branca.[22] Particularmente desagradável e irritante para muitos era o que viam como "o comportamento desleixado da liderança da OLP, incluindo o padrão de ignorar os palestinos que durante 27 anos sofreram as agruras da ocupação israelense em favor de exilados vindos de Túnis para tomar o poder", escreveu Youssef Ibrahim nas páginas do *The New York Times*. Ibrahim acrescentou que os representantes da OLP, "ao entrar em Jericó em jipes do Exército, foram bombardeados por pedras arremessadas por jovens palestinos".[23] A lista provisional de Arafat para a sua Autoridade Provisória revelava que "ele está determinado a abarrotar a Autoridade com legalistas e membros da diáspora palestina", informou o repórter Julian Ozanne de Jerusalém para o *Financial Times*, incluindo apenas dois palestinos "bem informados e membros do círculo mais íntimo", Faisal Husseini e Zakaria al-Agha, ambos legalistas leais a Arafat.[24] Os demais vinham de "facções políticas leais" a Arafat de fora dos territórios.

Um exame do conteúdo dos Acordos de Oslo revela que essas reações eram, quando muito, excessivamente otimistas.

A Declaração de Princípios era bastante explícita sobre satisfazer às exigências de Israel, mas reticente e omissa acerca dos direitos nacionais palestinos. O documento estava em conformidade com a concepção articulada por Dennis Ross, o principal conselheiro de Clinton para o Oriente Médio e negociador em Camp David em 2000 – e, mais tarde, também um dos principais conselheiros do presidente Obama. Como explicou Ross, Israel tem *necessidades*, mas os palestinos têm apenas *desejos* – obviamente de menor importância.[25]

O Artigo 1º da Declaração de Princípios afirma que o resultado final do processo deve ser "uma solução permanente baseada nas Resoluções 242 e 338 do Conselho de Segurança da ONU". Quem tem alguma familiaridade com a diplomacia concernente ao conflito Israel-Palestina não terá dificuldade nenhuma para compreender o que isso significava. As Resoluções 242 e 338 não dizem uma palavra sequer acerca dos direitos palestinos, a não ser por uma vaga referência sobre um "acordo justo para a solução do problema dos refugiados".[26] Resoluções posteriores referindo-se aos direitos nacionais palestinos foram ignoradas pela DOP. Se a culminação do processo de paz for implementada nesses termos, os palestinos podem dar adeus a suas esperanças de ter algum grau limitado de direitos nacionais na antiga Palestina.

Outros artigos da Declaração explicam tudo isso detalhadamente e de maneira mais clara. Estipulam que a Autoridade Palestina se estende pelo "território da Cisjordânia e da Faixa de Gaza, exceto em questões que serão discutidas nas negociações de status permanente: Jerusalém, os assentamentos, as instalações militares e os israelenses" – isto é, exceto todas as questões relevantes.[27] Além disso, "subsequentemente à retirada dos israelenses, Israel continuará a ser responsável pela segurança externa, bem como pela segurança interna e a ordem pública dos assentamentos e dos israelenses. As forças militares e os civis israelenses podem continuar utilizando livremente as estradas dentro dos limites da Faixa de Gaza e da área de Jericó", as duas áreas de onde Israel se comprometera a retirar-se – um dia.[28] Em suma, não haveria nenhuma mudança expressiva. A

Declaração de Princípios também não diz uma única palavra com relação aos programas de assentamento no coração do conflito, que mesmo antes da vasta expansão sob o processo de Oslo já estavam minando perspectivas realistas de se chegar a qualquer autodeterminação palestina significativa.

Em resumo, é somente sucumbindo ao que às vezes é chamado "ignorância intencional" que se pode acreditar que o processo de Oslo era um caminho para a paz. Porém, essa convicção tornou-se praticamente um dogma entre os comentaristas e intelectuais ocidentais.

Os Acordos de Oslo foram seguidos por adicionais ajustes entre Israel e Arafat-OLP, dos quais o primeiro e mais importante foi Oslo II, em 1995, pouco antes do assassinato do primeiro-ministro Rabin, um evento trágico mesmo que as ilusões fabricadas sobre "Rabin, o pacifista conciliador", não sejam capazes de se sustentar após o escrutínio de uma análise.

O Acordo Oslo II é o que se esperaria de um grupo de inteligentes alunos de direito incumbidos da tarefa de elaborar um documento que desse às autoridades dos EUA e de Israel a opção de fazer o que bem quisessem sem deixar espaço para a especulação acerca de resultados mais aceitáveis. Quando esses resultados se mostrarem irrealizados, a culpa pode recair sobre os "extremistas" que minaram o compromisso.

À guisa de ilustração, o Acordo Oslo II estipulava que os colonos assentados (ilegalmente) nos Territórios Ocupados permaneceriam sob a jurisdição e legislação israelenses. Segundo a redação oficial do pacto, "o governo militar de Israel [nos territórios] manterá os necessários poderes e responsabilidades legislativos, judiciais e executivos, em conformidade com o direito internacional" – o que os Estados Unidos e Israel sempre interpretaram ao seu bel-prazer e da maneira que melhor lhes aprouvera, com a tácita anuência europeia. Tal latitude também conferia a essas autoridades efetivo poder de veto sobre a legislação palestina. O acordo determinava que qualquer "legislação que modifique ou revogue leis ou ordens militares [impostas por Israel] existentes [...] não terá efeito e será nula *ab initio* se exceder a jurisdição do Conselho [palestino]" – que não tinha nenhuma autoridade na maior parte dos territórios, e cuja autoridade em todas as outras regiões estava condicionada à aprovação israelense – ou é "caso contrário, inconsistente com este ou qualquer outro acordo". Além disso, "o lado palestino deverá respeitar os direitos legais dos israelenses (incluindo corporações de propriedade de israelenses) relativos a terras localizadas em áreas sob jurisdição territorial do Conselho" – isto é, nas áreas limitadas em que as autoridades palestinas teriam jurisdição sujeita à aprovação israelense; especificamente, seus direitos relacionados ao governo e à assim chamada "terra absentista", uma complexa interpretação legal que efetivamente transfere para a jurisdição israelense a terra dos palestinos ausentes dos territórios tomados por Israel.[29] As duas últimas categorias constituem a maior parte da região, embora o governo de Israel, que determina suas fronteiras unilateralmente, não tenha fornecido números oficiais. A imprensa israelense noticiou que "terras estatais despovoadas" compunham cerca de metade do território da Cisjordânia e cerca de 70% do total de terras estatais.[30]

Assim, Oslo II anulou a decisão de praticamente todo o mundo e todas as autoridades legais relevantes, unânimes em julgar que Israel não tem o direito de reivindicar os territórios ocupados em 1967 e que os assentamentos são ilegítimos. O lado palestino reconheceu a legalidade dos assentamentos, juntamente com outros direitos legais não especificados dos israelenses em toda a extensão dos territórios, incluindo as zonas A e B (sob o condicional controle palestino). Oslo II implantou com mais firmeza a mais importante conquista de Oslo I: todas as resoluções da ONU que afetavam os direitos palestinos ou com eles tinham alguma ligação foram revogadas, incluindo aquelas concernentes à legalidade dos assentamentos, o status de Jerusalém e o direito de retorno. Isso aniquilou praticamente todo o histórico da diplomacia do Oriente Médio, à exceção da versão implementada no unilateral "processo de paz" comandado pelos Estados Unidos. Os fatos básicos não foram apenas extirpados da história, pelo menos nos comentários nos EUA, mas também foram removidos oficialmente.

E assim a situação continuou até o presente.

Conforme já apontamos, é compreensível que Arafat quisesse aproveitar a oportunidade de minar a liderança dos palestinos internos e tentar reafirmar seu próprio poder – então em declínio – nos territórios. Mas o que exatamente os negociadores noruegueses consideravam estar conquistando? O único estudo acadêmico sério sobre a questão, que eu saiba, é a obra de Hilde Henriksen Waage, que fora incumbida pelo ministério das Relações Exteriores da Noruega de pesquisar o tema e ganhou livre acesso a documentos internos, apenas para fazer a extraordinária descoberta de que os registros documentais sobre o crucial período haviam desaparecido.[31]

Waage observa que os Acordos de Oslo foram um ponto de inflexão na história do conflito Israel-Palestina, ao mesmo tempo em que estabeleceu Oslo como a "capital da paz". Do processo de Oslo "esperava-se que trouxesse a paz para o Oriente Médio", Waage escreve, mas "para os palestinos, resultou no loteamento da Cisjordânia, na duplicação do número de colonos, na construção de um debilitante muro de separação, num draconiano regime de restrições e numa sem precedentes separação entre a Faixa de Gaza e a Cisjordânia".[32]

Waage conclui, de forma plausível, que o "processo de Oslo poderia servir como o perfeito estudo de caso para falhas" no modelo de "um Estado pequeno atuando como a terceira parte mediadora em conflitos extremamente assimétricos" – e, como ela sintetiza de maneira incisiva, "o processo de Oslo foi conduzido com base em premissas de Israel, com a Noruega atuando como prestativo menino de recados de Israel".

"Os noruegueses", escreve ela, "acreditavam que por meio do diálogo e de uma gradual construção de confiança mútua seria criada uma irresistível dinâmica de paz, capaz de fazer o processo avançar rumo a uma solução. O problema com esse enfoque em sua totalidade é que não se trata de uma questão de confiança, mas de poder. O processo facilitador mascara essa realidade. Ao fim e ao cabo, os resultados que podem ser alcançados por uma fraca terceira parte mediadora nunca vão além daquilo que a parte forte concede e permite [...]. A pergunta a ser feita é: esse modelo tem condições de ser adequado?".[33]

Uma boa pergunta, sobre a qual vale a pena ponderar, uma vez que agora a culta opinião ocidental adota a absurda suposição de que significativas negociações Israel-Palestina podem ser conduzidas com seriedade sob os auspícios dos Estados Unidos como um "intermediador honesto" – na realidade, um parceiro de Israel durante quarenta anos no bloqueio a uma solução diplomática que conta com apoio quase universal.

CAPÍTULO 10

À beira da destruição

À pergunta "O que o futuro poderá trazer?", uma postura razoável talvez seja tentar olhar de fora para a espécie humana. Assim, imagine que você é um observador extraterrestre que está tentando assumir uma atitude neutra e entender o que vem acontecendo aqui ou, quem sabe, você é um historiador daqui a cem anos – supondo que daqui a cem anos ainda existirão historiadores, o que não é óbvio – e está olhando para o passado a fim de examinar o que acontece no mundo de hoje. Você veria algo até certo ponto extraordinário.

Pela primeira vez na história da espécie humana, desenvolvemos a capacidade de nos destruirmos. Isso é uma verdade desde 1945. Agora, por fim, se reconheceu que há mais processos de longo prazo, como a destruição ambiental, levando à mesma direção – talvez não à destruição total, mas pelo menos à destruição da capacidade de uma existência decente.

E existem outros perigos, como as pandemias, relacionadas à globalização e interação. Portanto, há processos em curso e instituições vigentes, como sistemas de armamentos nucleares, capazes de desferir um catastrófico golpe numa existência organizada – ou talvez levar à sua aniquilação.

Como destruir um planeta sem fazer muito esforço

A pergunta é: o que as pessoas estão fazendo a respeito? Nada disso é segredo. Tudo está completamente às claras. A bem da verdade, tão escancarado que é preciso fazer algum esforço para não enxergar. E há uma gama de reações distintas. Existem os que estão tentando com afinco fazer algo em relação a essas ameaças e outros que estão agindo para intensificá-las. O historiador do futuro ou o observador extraterreste que olhasse para que tipo de pessoa está em cada grupo veria algo muito estranho: as pessoas que estão tentando mitigar ou derrotar essas ameaças pertencem às sociedades menos desenvolvidas – os povos indígenas ou os remanescentes das populações nativas; as sociedades tribais e as primeiras nações do Canadá. Elas não estão debatendo a guerra nuclear, mas sim falando sobre desastre ambiental e tentando fazer alguma coisa a respeito.

De fato, no mundo todo – Austrália, Índia, América do Sul – estão acontecendo batalhas, às vezes guerras. Na Índia, trava-se uma guerra de grandes proporções por causa da destruição ambiental direta, em que sociedades tribais vêm tentando resistir às operações de extração de recursos, extremamente danosas em âmbito local e também em suas consequências gerais. Em sociedades onde as populações indígenas têm influência, muitos estão adotando uma posição vigorosa. O país cuja postura é a mais forte com relação ao aquecimento global é a Bolívia, que tem população de maioria indígena e requisitos constitucionais para proteger os "direitos da natureza". O Equador, país onde a população indígena também é numerosa, é o único exportador de petróleo que conheço cujo governo está procurando auxílio para ajudar a manter esse petróleo no solo em vez de produzi-lo e exportá-lo – e o solo é o lugar onde ele deveria estar.

O presidente venezuelano Hugo Chávez, que morreu recentemente e foi objeto de escárnio, insultos e ódio de uma ponta à outra do mundo ocidental, poucos anos atrás compareceu a uma sessão da Assembleia Geral da ONU e na ocasião suscitou todo tipo de pilhéria por chamar George W. Bush de "diabo". No evento, Chávez proferiu um discurso bastante interessante. A Venezuela é um grande produtor de petróleo; o petróleo é responsável por praticamente todo o PIB do país. Em seu discurso, Chávez alertou para os perigos do uso excessivo dos combustíveis fósseis e insistiu com os países produtores e consumidores que se unissem para tentar encontrar formas de reduzir o uso desses combustíveis. Uma posição bastante impressionante da parte de um produtor de petróleo. Chávez era em parte índio, vinha de uma família de origem nativa. Ao contrário das coisas engraçadas que fez, esse aspecto de suas ações na ONU jamais foi noticiado.[1]

Assim, em uma extremidade do espectro temos sociedades indígenas tribais tentando estancar a corrida rumo ao desastre. Na outra extremidade, as sociedades mais ricas e mais poderosas na história do mundo, como os Estados Unidos e o Canadá, estão correndo a todo vapor para destruir o meio ambiente o mais rápido possível. Diferentemente do Equador e de sociedades nativas em todo o mundo, querem extrair do solo cada gota de hidrocarbonetos, com toda a velocidade possível. Os dois grandes partidos políticos norte-americanos, o presidente Obama, a mídia e a imprensa internacional parecem estar aguardando com enorme entusiasmo o que chamam de "um século de independência energética" para os EUA. "Independência energética" é um conceito quase desprovido de significado, mas deixemos isso de lado. O que eles querem dizer é: teremos um século durante o qual poderemos maximizar o uso de combustíveis fósseis e contribuir para a destruição do planeta.

E essa é em linhas gerais a situação em todo lugar. Reconhecidamente, quando se trata do desenvolvimento de energia alternativa, a Europa está fazendo alguma coisa. Enquanto isso, os Estados Unidos, o país mais rico e mais poderoso da história do mundo, são a única nação, entre talvez uma centena de nações relevantes, que não possui uma política nacional de restrição do uso de combustíveis fósseis, e nem ao menos estabeleceu metas de energia renovável. Não é porque a população não queira; os norte-americanos estão bem próximos da norma internacional em sua preocupação com o alerta de aquecimento global. São as estruturas institucionais que bloqueiam a mudança. Os interesses comerciais não querem a mudança e dispõem de um esmagador poder na determinação de políticas, portanto temos um enorme abismo entre a opinião e as diretrizes políticas em um sem-número de questões, incluindo esta.

Então, é isso que o historiador do futuro – se houver um futuro – veria. Talvez ele também lesse as publicações científicas publicadas hoje em dia. Praticamente toda e qualquer uma delas que o leitor abra traz em suas páginas uma previsão mais desesperadora que a outra.

A outra questão é a guerra nuclear. Sabe-se há muito tempo que na eventualidade de um primeiro ataque desferido por uma superpotência, mesmo que sem retaliação, isso provavelmente destruiria a civilização somente por causa das consequências do inverno nuclear que se seguiria. É possível ler a respeito disso em *The bulletin of the atomic scientists* (Boletim de cientistas atômicos, em tradução livre). Então, o perigo sempre foi muito pior do que pensávamos.

Recentemente passamos pelo 50º aniversário da Crise dos Mísseis Cubanos. Escapamos por um triz da hecatombe, e não foi a única vez em que estivemos perto do fim. Em muito sentidos, o pior aspecto desses sombrios eventos é que suas lições não foram aprendidas. Dez anos depois, em 1973, o secretário de Estado Henry Kissinger pôs o país em alerta vermelho nuclear. Foi sua maneira de advertir os russos para que não interferissesm na guerra entre árabes e israelenses então em curso e, em especial, que não interferissem depois que o próprio Kissinger tinha informado aos israelenses que eles poderiam violar um cessar-fogo acordado pelos Estados Unidos e a Rússia.[2] Felizmente, nada aconteceu.

Dez anos depois, o presidente Ronald Reagan estava no poder. Tão logo entrou no Salão Oval da Casa Branca, ele e seus assessores e conselheiros decidiram dar ordens para que a Força Aérea dos EUA invadisse o espaço aéreo soviético a fim de tentar levantar informações sobre os sistemas de alerta russos, na chamada Operação Able Archer (Arqueiro Hábil).[3] Essencialmente, foram falsos ataques. Os russos hesitaram e ficaram sem saber ao certo como responder – alguns oficiais de alta patente temiam que fosse o primeiro passo para um ataque concreto. Felizmente, não reagiram, mas foi por um triz. E a história continua na mesma toada.

O que dizer sobre as crises nucleares iraniana e norte-coreana

Nos casos do Irã e da Coreia do Norte a questão nuclear habitualmente ocupa as primeiras páginas dos jornais e as manchetes dos noticiários. Há maneiras de lidar com essas crises em andamento. Talvez não funcionassem, mas ao menos poderiam ser colocadas em prática. Mas ninguém está sequer cogitando tentá-las, e elas não são nem mesmo mencionadas.

Vejamos o caso do Irã, considerado no Ocidente – não no mundo árabe, tampouco na Ásia – a maior e mais grave ameaça à paz mundial. É uma obsessão ocidental, e é interessante investigar os motivos, mas aqui deixarei isso de lado. Há alguma maneira de lidar com a suposta mais grave ameaça à paz mundial? A bem da verdade há um bocado de maneiras. Uma delas, e bastante sensata, foi proposta em uma reunião dos países não alinhados em Teerã em 2013. Na verdade, eles estavam apenas reiterando uma proposta que já vinha circulando durante décadas, sob a pressão particularmente do Egito, e que foi aprovada pela Assembleia Geral da ONU.

A proposta é avançar gradualmente rumo ao estabelecimento de uma zona livre de armas nucleares na região. Não seria a resposta para tudo, mas ainda assim seria um passo significativo. E havia modos de proceder: sob os auspícios da ONU, seria realizada uma conferência internacional na Finlândia em dezembro de 2012 a fim de tentar implementar esse plano. O que aconteceu? Você não lerá uma linha sobre isso nos jornais, porque o fato só foi divulgado em publicações especializadas. No início de novembro, o Irã concordou em comparecer à reunião. Alguns dias depois, Obama cancelou a reunião, dizendo que não era a hora certa.[4] O Parlamento Europeu emitiu uma declaração pedindo que a conferência tivesse continuidade; o mesmo fizeram os Estados árabes. O resultado foi nulo.

No nordeste da Ásia, é o mesmo tipo de coisa. A Coreia do Norte talvez seja o país mais louco do mundo; é um bom concorrente a esse título. Mas faz todo sentido tentar compreender o que se passa na cabeça das pessoas quando estão agindo loucamente. Por que se comportam da forma como se comportam? Basta imaginar-se na situação delas. Imagine o que significou, nos anos da Guerra da Coreia na década de 1950, ver seu país ser totalmente arrasado – tudo destruído por uma mastodôntica superpotência, a qual estava se regozijando com suas ações. Imagine a marca que isso deixaria.

Tenhamos em mente que a liderança norte-coreana à época provavelmente leu as publicações militares públicas dessa superpotência explicando que, uma vez que tudo na Coreia do Norte havia sido devastado, a força aérea foi enviada para lá a fim de destruir as represas norte-coreanas, enormes represas que controlavam o abastecimento de água da nação – um crime de guerra, aliás, pelo qual pessoas foram enforcadas em Nuremberg. E essas publicações oficiais discorriam entusiasticamente sobre como era maravilhoso ver a água jorrando e arrasando os vales, e o corre-corre dos "asiáticos" em sua tentativa de sobreviver.[5] As publicações exultavam com o que isso significava para aqueles asiáticos – horrores além da nossa imaginação. Significava a destruição de suas colheitas de arroz, o que queria dizer fome e morte. Que magnífico! Não está em nosso banco de memórias, mas está no deles.

Voltemos ao presente. Há uma interessante história recente: em 1993, Israel e Coreia do Norte caminhavam para um acordo no qual a Coreia do Norte interromperia o envio de todo e qualquer tipo de míssil e tecnologia militar para o Oriente Médio e em contrapartida Israel reconheceria o país. O presidente Clinton interveio e bloqueou o acordo.[6] Pouco depois, em retaliação, a Coreia do Norte realizou um teste de mísseis de pequena envergadura. Os Estados Unidos e a Coreia do Norte chegaram a um acordo estrutural em 1994, que interrompeu o programa nuclear norte-coreano e foi mais ou menos honrado por ambos os lados. Quando George W. Bush assumiu a presidência, a Coreia do Norte tinha talvez uma arma nuclear e comprovadamente não estava produzindo outras mais.

Bush imediatamente lançou seu militarismo agressivo, ameaçando a Coreia do Norte ("Eixo do Mal" e tudo mais), de modo que os norte-coreanos retomaram seu programa nuclear. Quando Bush deixou a Casa Branca, a Coreia do Norte possuía de oito a dez armas nucleares e um sistema de mísseis, outra formidável realização neoconservadora.[7] No meio, outras coisas aconteceram. Em 2005, os Estados Unidos e a Coreia do Norte chegaram efetivamente a um acordo por meio do qual a Coreia do Norte cessaria todo o desenvolvimento de armamentos nucleares e de mísseis; em troca, o Ocidente – mas principalmente os Estados Unidos – forneceria um reator de água leve para suas necessidades médicas e daria fim às suas declarações agressivas. A seguir, ambos firmariam um pacto de não agressão e caminhariam para a conciliação.

O acordo era muito promissor, mas quase imediatamente Bush o sabotou. O presidente retirou a oferta do reator de água leve e iniciou programas para coagir os bancos a pararem de realizar transações financeiras norte-coreanas, até mesmo as que fossem perfeitamente legais.[8] Os norte-coreanos reagiram retomando seu programa de armas nuclear. E é assim que a coisa vem seguindo.

O jargão é bem conhecido. Qualquer um pode lê-lo na produção acadêmica norte-americana dominante. Sem meias palavras, o que se diz é: trata-se de um regime bastante louco, mas que segue uma política do olho por olho, dente por dente. Você faz um gesto hostil e nós responderemos na mesma moeda, com o nosso próprio gesto louco. Você faz um gesto conciliador, e nós retribuímos da mesma forma.

Recentemente, o comando militar dos EUA e da Coreia do Sul realizaram exercícios militares de grande escala na península coreana, o que do ponto de vista do norte deve parecer ameaçador. Nós acharíamos ameaçador se manobras desse tipo estivessem acontecendo no Canadá, com armas apontadas para nós. Durante esses exercícios, os mais avançados bombardeiros da história, Stealth B-2 e B-52, simularam ataques de bombardeio nuclear bem nas fronteiras da Coreia do Norte.[9]

Isso fez soarem os sinos de alarme do passado. Os norte-coreanos lembram-se de algo daquele passado, por isso estão reagindo de forma bastante agressiva e extremada. Bem, o que chega ao Ocidente é o quanto os líderes norte-coreanos são loucos e terríveis. Sim, eles são – mas isso está longe de ser a história completa, e é assim que o mundo tem caminhado.

Não é que não haja alternativas. As alternativas simplesmente não estão sendo levadas em consideração. Isso é perigoso. Então, se me perguntarem o que acontecerá com o mundo e como vejo a feição do mundo no futuro, a imagem não é nada boa. A menos que as pessoas façam algo a respeito. Sempre podemos.

CAPÍTULO 11

Israel-Palestina: as opções concretas

No dia 13 de julho de 2013, o ex-chefe do Shin Bet (serviço de segurança geral israelense), Yuval Diskin, fez um alerta funesto ao governo de Israel: ou chegava a alguma espécie de acordo para uma solução de dois Estados ou haveria uma "mudança no sentido de um resultado praticamente inevitável da única realidade restante – um Estado "do mar até o rio". O resultado praticamente inevitável, "um Estado para duas nações", representará "uma imediata ameaça existencial de apagamento da identidade de Israel como Estado judaico e democrático", que em breve teria uma maioria palestina-árabe.[1]

Em uma linha de raciocínio semelhante, dois destacados especialistas em Oriente Médio, Clive Jones e Beverly Milton-Edwards, ao escreverem na principal publicação britânica de assuntos internacionais, afirmam que "se Israel deseja ser judaico e democrático", deve encampar a "solução de dois Estados".[2]

É fácil citar muitos outros exemplos, mas desnecessário, porque é dado como certo quase universalmente que há duas opções para a Palestina mandatória: ou dois Estados – um palestino e o outro judaico-democrático – ou um Estado único "do mar até o rio". Analistas israelenses expressam preocupação sobre o "problema demográfico": palestinos demais num Estado judaico. Muitos palestinos e seus defensores apoiam a "solução de Estado único", antecipando uma luta por direitos civis e antiapartheid que levará à democracia secular. Outros especialistas, de forma consistente, também apresentam as opções em termos similares.

Essa análise é quase universal, mas tem falhas cruciais. Existe uma terceira opção – a saber, é aquela em que Israel vem insistindo com o constante respaldo dos EUA –, e essa terceira opção é a única alternativa realista à solução de dois Estados.

Faz sentido, na minha opinião, contemplar uma futura democracia secular binacional na antiga Palestina, do mar ao rio. Que fique registrado – caso tenha alguma relevância: é o que venho defendendo há setenta anos. Mas enfatizo a palavra "defendo". Fazer a defesa de algo por meio de argumentos e ideias, defender uma posição, o que é distinto de meramente apresentar uma proposta, exige traçar um caminho de um ponto A até um ponto B. As formas da verdadeira defesa de causa mudaram com as circunstâncias cambiantes. Desde meados da década de 1970, quando os direitos nacionais palestinos tornaram-se uma questão proeminente, a única forma plausível de defesa passou a ser um processo paulatino começando com uma solução de dois Estados. Nenhum outro caminho sugerido teve a mais remota chance de sucesso. Na verdade, propor um arranjo binacional ("Estado único") sem avançar para a defesa propicia apoio para a terceira opção, a opção realista ganhando forma diante de nossos olhos. Israel está sistematicamente ampliando os planos que foram esboçados e iniciados pouco depois da guerra de 1967 e institucionalizados mais plenamente com a ascensão ao poder do partido Likud de Menachem Begin, uma década depois.

O primeiro passo era criar o que Yonatan Mendel chamou de "uma perturbadora cidade nova", ainda chamada "Jerusalém", mas que se estendia muito além da Jerusalém histórica, incorporando dezenas de vilarejos palestinos e terras circundantes, e agora designada como uma cidade judaica e a capital de Israel.[3] Tudo isso em direta violação às ordens explícitas do Conselho de Segurança. Um corredor a leste dessa nova Grande Jerusalém incorpora a cidadezinha de Ma'aleh Adumim (fundada na década de 1970, mas erguida basicamente após os Acordos de Oslo de 1993), com terras praticamente alcançando Jericó, o que efetivamente bifurca a Cisjordânia. Corredores ao norte incorporando as cidades de colonos de Ariel e Kedumim dividem ainda mais o que restar sob algum grau de controle palestino.[4]

Nesse ínterim, Israel está incorporando o território do lado israelense do ilegal "muro de separação" (na realidade um muro de anexação), terras cultiváveis e recursos hídricos e muitos vilarejos, estrangulando a cidade de Qalqilya e separando aldeões palestinos de seus campos. No que Israel chama de "zona de costura" entre o muro e a fronteira, perto de 10% da Cisjordânia, qualquer um tem permissão de entrar – exceto os palestinos. Os que vivem na região são obrigados a passar por intrincados procedimentos burocráticos para ganhar permissão de entrada temporária. Quem precisa sair – por exemplo, para receber cuidados médicos – é submetido aos mesmos entraves. O resultado, previsivelmente, é uma grave perturbação na vida dos palestinos e, de acordo com relatórios da ONU, uma queda de mais de 80% no número de fazendeiros que rotineiramente cultivam suas terras e um declínio de 60% do rendimento da produção total dos bosques de oliveiras, entre outros efeitos prejudiciais.[5] O pretexto para a construção do muro foi segurança e proteção, mas isso significa segurança e proteção para os colonos judeus ilegais; cerca de 85% do muro atravessa a Cisjordânia ocupada.[6]

Israel está ocupando também o vale do Jordão e aprisionando os cantões que restam. Enormes projetos de infraestrutura ligam os colonos aos centros urbanos de Israel, assegurando que não verão nenhum palestino. Seguindo um tradicional modelo neocolonial, há um moderno centro para as elites palestinas em Ramallah, ao passo que o restante da população basicamente definha.

Para completar a separação da Grande Jerusalém dos cantões palestinos remanescentes, Israel teria de assumir o controle da região E1. Até aqui essa ação foi impedida por Washington, e Israel se viu obrigado a recorrer a subterfúgios, como construir uma delegacia de polícia lá. Obama é o primeiro presidente norte-americano a impor limites às ações israelenses. Ainda resta ver se Obama permitirá que Israel assuma as rédeas da zona E1 – talvez com expressões de descontentamento e uma piscadela diplomática para deixar claro que essa insatisfação não é genuína e tampouco séria.

São rotineiras as expulsões de palestinos. Somente no vale do Jordão, a população foi reduzida de 300 mil habitantes em 1967 a 60 mil hoje, e processos semelhantes estão em curso em outros lugares.[7] Ao adotar políticas que remontam a um século, as ações têm escopo limitado de modo a não despertar demasiada atenção internacional, mas têm efeito cumulativo e intenções que são bastante claras.

Além disso, desde que os Acordos de Oslo declararam que Gaza e Cisjordânia são uma unidade territorial indivisível, a dupla EUA-Israel se mantém empenhada em separar as duas regiões. Um efeito significativo é assegurar que nenhuma entidade palestina limitada tenha acesso ao mundo externo.

Nas áreas que Israel está encampando, a população palestina é pequena e esparsa e está sendo reduzida ainda mais por causa das expulsões regulares. O resultado será uma Grande Jerusalém com uma substancial maioria judaica. Sob essa terceira opção, não haverá "problema demográfico" nenhum e tampouco uma luta por direitos civis ou antiapartheid – nada além do que já existe dentro das fronteiras reconhecidas de Israel, onde o mantra "judaico e democrático" é sempre entoado para o benefício dos que escolhem acreditar, alheios à contradição inerente, que é bem mais do que meramente simbólica.

A menos que seja alcançada por etapas, a opção de Estado único acabará por se mostrar uma ilusão. Ela tem apoio internacional, e não existe razão para que Israel e os EUA não a aceitem.

A pergunta, que invariavelmente vem à baila, sobre se o primeiro-ministro Benjamin Netanyahu – um falcão linha-dura que defende o uso da força em vez de medidas políticas – aceitaria um "Estado palestino" é enganosa. A bem da verdade, sua administração foi a primeira a encorajar essa possibilidade quando assumiu o poder em 1996, após os governos de Yitzhak Rabin e Shimon Peres, que a rejeitaram. O diretor de comunicações e planejamento de políticas de Netanyahu, David Bar-Illan, explicou que algumas áreas seriam deixadas para os palestinos, e se eles quisessem chamá-la "um Estado", Israel não apresentaria objeções – ou bem poderiam chamá-la "galinha frita".[8] Sua resposta reflete a atitude operativa da coalizão EUA-Israel para com os direitos palestinos.

Os Estados Unidos e Israel exigem negociações sem precondições. Em ambos os países, bem como em todo o Ocidente, os comentários e as análises alegam que os palestinos estão impondo tais precondições, e dessa forma, emperram o "processo de paz". Na realidade, são os Estados Unidos e Israel que insistem em precondições cruciais. A primeira é de que as negociações devem ser mediadas pelos Estados Unidos, ao passo que qualquer negociação autêntica deveria estar, é óbvio, nas mãos de algum Estado neutro com certo grau de respeito internacional. A segunda precondição é de que a ilegal expansão dos assentamentos deve ter autorização para continuar, como aconteceu de forma ininterrupta durante os vinte anos após os Acordos de Oslo.

Nos primeiros anos da ocupação, os Estados Unidos fizeram coro à opinião do mundo e também consideraram ilegais os assentamentos, o que foi confirmado pelo Conselho de Segurança da ONU e pela Corte Internacional de Justiça. Desde os anos Reagan o status dos assentamentos foi rebaixado e relegado a "uma barreira para a paz". Obama enfraqueceu ainda mais a designação da construção de assentamentos nos territórios ocupados, para "nada benéficos para a paz".[9] O extremo rejeicionismo de Obama despertou alguma atenção em fevereiro de 2011, quando ele vetou uma resolução do Conselho de Segurança apoiando a política oficial dos EUA, que pede o fim da expansão dos assentamentos.[10]

Enquanto essas precondições se mantiverem em vigor, a diplomacia continuará num impasse. Com breves e raras exceções, essa vem sendo a verdade desde janeiro de 1976, quando os Estados Unidos vetaram uma resolução do Conselho de Segurança apresentada por Egito, Jordânia e Síria, exigindo uma solução de dois Estados na fronteira internacionalmente reconhecida, a Linha Verde, com garantias para a segurança de todos os Estados dentro dos limites de fronteiras seguras e reconhecidas.[11] Esse é o consenso geral que a essa altura é universal, com as duas usuais exceções. O consenso foi modificado para incluir "pequenos e mútuos ajustes" na Linha Verde, para tomar de empréstimo a escolha oficial de palavras dos EUA antes de romperem com o restante do mundo.[12]

O mesmo se aplica a todas as negociações que possam ocorrer em Washington ou em qualquer outro lugar sob a supervisão de Washington. Tendo em vista essas precondições, poucos avanços podem ser obtidos além de deixar que Israel leve adiante seu projeto de encampar tudo que considerar valioso na Cisjordânia e nas colinas sírias de Golã, anexadas em violação às ordens do Conselho de Segurança, ao mesmo tempo em que mantém o cerco a Gaza. Pode-se, claro, esperar o melhor, mas é difícil ser otimista.

A Europa poderia desempenhar um papel no aumento das esperanças do mundo para um acordo diplomático de paz se estivesse disposta a adotar um caminho independente. A decisão da União Europeia (UE) de excluir os assentamentos da Cisjordânia de quaisquer futuros acordos com Israel talvez possa ser um passo nessa direção. As políticas dos EUA também não estão gravadas na pedra, embora tenham profundas raízes estratégicas, econômicas e culturais. Na ausência de tais mudanças, há todos os motivos para esperar que a imagem "do rio até o mar" se amoldará à terceira opção. Os direitos e as aspirações palestinos serão engavetados e postos de lado, pelo menos temporariamente.

Se o conflito Israel-Palestina não for resolvido, um acordo de paz regional será improvável. Esse fracasso tem implicações bem mais amplas – em particular para o que a mídia dos EUA chama de "a maior e mais grave ameaça à paz mundial": os programas nucleares iranianos. As implicações tornam-se mais claras quando examinamos as maneiras mais óbvias de lidar com a suposta ameaça e qual seria o destino delas. É útil, em primeiro lugar, ponderar sobre algumas perguntas preliminares: quem considera que essa ameaça tem proporções tão cósmicas? E qual é a percepção da ameaça?

A "ameaça" iraniana é, esmagadoramente, uma obsessão do Ocidente; os países não alinhados – a maior parte do mundo – apoiaram vigorosamente o direito de o Irã, na condição de signatário do NPT, enriquecer urânio.[13] No discurso ocidental, é comum alegar-se que os árabes apoiam a posição dos EUA com relação ao Irã, mas a referência é feita aos ditadores árabes, não à população em geral. Também padrão é a referência ao "impasse entre a comunidade internacional e o Irã", para citar a literatura acadêmica corrente. Aqui, a expressão "comunidade internacional" alude aos Estados Unidos e quem quer que se coadune com a postura estadunidense – neste caso, uma ínfima minoria da comunidade internacional, mas muitos mais se os posicionamentos políticos tiverem valor medido por um critério de poder.

Qual é, então, a percepção da ameaça? Uma resposta abalizada é dada pelos serviços de inteligência dos EUA e o Pentágono em suas periódicas análises da segurança global. Eles concluem que o Irã não é uma ameaça militar. Os gastos militares do país são baixos até mesmo pelos padrões da região, e é limitada sua capacidade de mobilização de força bélica. A doutrina estratégica iraniana é defensiva, planejada para resistir a ataques. Os relatórios da comunidade internacional não fornecem evidências concretas de que o Irã esteja desenvolvendo armamentos nucleares, mas se estiver, concluem eles, isso seria parte da estratégia iraniana de intimidação.

É difícil pensar em um país do mundo que precise mais de deterrência – um conjunto de medidas baseadas na intimidação tomadas por um país a fim de prevenir ou dissuadir ações hostis de outro(s) país(es) – do que o Irã. Os iranianos vêm sendo atormentados pelo Ocidente sem descanso desde que seu regime parlamentar foi derrubado por um golpe militar orquestrado por EUA e Inglaterra em 1953, primeiro sob o cruel e brutal regime do xá, depois sob o assassino ataque de Saddam Hussein com respaldo ocidental.[14] Foi em larga medida a intervenção dos Estados Unidos que induziu o Irã a capitular em sua guerra contra o Iraque, e pouco depois o presidente George H. W. Bush convidou engenheiros nucleares iraquianos para passar uma temporada nos Estados Unidos a fim de receber treinamento avançado em produção de armamentos, uma extraordinária ameaça ao Irã.[15]

Logo depois, o Iraque tornou-se um inimigo dos Estados Unidos, mas nesse meio-tempo o Irã foi submetido a duras sanções, intensificadas por iniciativa norte-americana. O país também esteve sujeito à ameaça de ataques militares dos EUA e de Israel, em violação à Carta da ONU, se é que alguém se importa com isso.

É, no entanto, compreensível que Estados Unidos e Israel considerem a deterrência iraniana uma ameaça intolerável. Esse rechaço limitaria a capacidade de os dois países controlarem a região, pela violência se assim o preferirem, como eles têm feito muitas vezes. Essa é a essência da ameaça iraniana tal como é concebida.

Que o regime clerical é uma ameaça ao seu próprio povo é incontestável, embora o Irã esteja longe de ser o único nesse quesito. Porém, vai muito além da ingenuidade acreditar que a repressão interna no Irã seja uma grande preocupação para as grandes potências.

Seja lá o que se queira pensar acerca da ameaça, há maneiras de mitigá-la? A bem da verdade, há um bocado delas. Uma das mais razoáveis, como eu disse em outro momento, seria avançar no estabelecimento de uma zona livre de armas nucleares na região. Os Estados árabes e outros exigem medidas imediatas para eliminar as armas de destruição em massa como um passo rumo à segurança regional. Os Estados Unidos e Israel, em contraste, invertem a ordem, e exigem segurança regional – o que significa segurança para Israel – como um pré-requisito para eliminar essas armas. No não muito remoto pano de fundo está a compreensão de que Israel, sozinho na região, tem um avançado sistema de armamentos nucleares e se recusa a assinar o NPT, juntamente com Índia e Paquistão, ambos países que se beneficiam do apoio estadunidense para fomentar seus próprios arsenais nucleares.

A conexão do conflito Israel-Palestina com a suposta ameaça iraniana é, portanto, clara. Enquanto Estados Unidos e Israel persistirem em sua postura rejeicionista, bloqueando o consenso internacional acerca de uma solução de dois Estados, não haverá acordo nenhum em prol da segurança regional, e consequentemente nenhum avanço no estabelecimento de uma zona livre de armas nucleares e na mitigação, e talvez até mesmo no término daquilo que os Estados Unidos e Israel alegam ser a mais grave ameaça à paz – pelo menos em termos de fazer isso do modo mais óbvio e abrangente.

Deve-se salientar que, juntamente com a Inglaterra, os Estados Unidos têm a responsabilidade especial de envidar esforços para a criação de uma zona livre de armas nucleares no Oriente Médio. Quando tentaram fornecer um tênue subterfúgio legal para a invasão ao Iraque em 2003, os dois agressores apelaram para a Resolução nº 687 (adotada pelo Conselho de Segurança da ONU em 3 de abril de 1991), sob a alegação de que Saddam Hussein havia violado a exigência de encerrar seus programas de armas nucleares. A resolução tem também um outro parágrafo, exigindo "esforços no sentido de criar no Oriente Médio uma zona livre de armas de destruição em massa" – obrigando os Estados Unidos e o Reino Unido, mais que outros, a encarar com seriedade essa iniciativa.[16]

Esses comentários deixam de fora muitos tópicos urgentes, entre eles a aterradora derrocada suicida da Síria e os sinistros eventos no Egito, que terão impacto regional. Entretanto, é essa a feição de algumas questões fundamentais, pelo menos a meu ver.

CAPÍTULO 12

"Nada para os outros": luta de classes nos Estados Unidos

O clássico estudo de Norman Ware sobre os trabalhadores industriais despontou noventa anos atrás, e foi o primeiro de seu gênero.[1] Não perdeu minimamente a importância. As lições que Ware extrai de sua minuciosa investigação do impacto da emergente revolução industrial sobre a vida da classe trabalhadora e da sociedade em geral são tão pertinentes hoje quanto na época em que ele a escreveu, se não ainda mais, à luz dos impressionantes paralelos entre a década de 1920 e a atualidade.

É importante lembrarmos qual era a condição do operariado quando Ware escreveu. O poderoso e influente movimento operário que surgiu durante o século XIX estava sendo submetido a um brutal ataque, culminando no Pavor Vermelho de Woodrow Wilson após a Primeira Guerra Mundial. Na década de 1920, o movimento estava praticamente dizimado; um clássico estudo de autoria do eminente historiador dos trabalhadores industriais urbanos David Montgomery é intitulado *The fall of the house of labor* (A queda da casa do trabalho, em tradução livre). A queda ocorreu nos anos 1920. No final dessa década, ele escreve, "o domínio corporativo da vida norte-americana parecia assegurado [...] A racionalização do negócio pôde então seguir adiante com o indispensável apoio do governo", com o governo, em larga medida, nas mãos do setor corporativo.[2]

Nem de longe foi um processo pacífico; a história do movimento operário norte-americano é singularmente violenta. Um estudo acadêmico conclui que "os Estados Unidos registraram mais mortes no fim do século XIX em decorrência da violência laboral – em termos absolutos e proporcionalmente ao tamanho da população – do que qualquer outro país, exceto a Rússia czarista".[3] O termo "violência laboral" (a violência relacionada ao trabalho) é uma forma polida de se referir à violência impingida pelo Estado e por forças privadas de segurança tendo como alvo os trabalhadores. Isso continuou até o final da década de 1930; ainda me lembro desse tipo de cena, que presenciei na minha infância.

Como resultado, Montgomery escreveu, "os modernos Estados Unidos foram criados em função dos protestos de seus trabalhadores, ainda que cada etapa da formação do país tenha sido influenciada pelas atividades, organizações e propostas que haviam emanado da vida da classe operária", sem falar das mãos e dos cérebros daqueles que faziam o trabalho.[4]

O movimento operário reviveu durante a Grande Depressão, influenciando de modo significativo a legislação e incutindo medo nos corações dos donos de indústrias. Em suas publicações, os industrialistas alertavam para o "perigo" que agora tinham diante de si e que teriam de enfrentar por causa da ação operária respaldada pelo "recém-percebido poder político das massas".

Embora a repressão violenta não tenha acabado, já não era adequada para a tarefa. Era necessário engendrar meios mais sutis de assegurar o domínio corporativo, essencialmente uma enxurrada de sofisticada propaganda e "métodos científicos de pelegismo", aprimorado e elevado à forma de grande arte pelas empresas que se especializam na tarefa.[5]

Não devemos nos esquecer da perspícua observação de Adam Smith de que os "mestres da humanidade" – em sua época, os mercadores e industriais da Inglaterra – nunca deixam de ir ao encalço de sua "vil máxima": "Tudo para nós e nada para os outros".[6]

O contra-ataque corporativo foi temporariamente suspenso durante a Segunda Guerra Mundial, mas pouco depois do conflito voltou à carga com renovado vigor, por meio da aprovação de uma severa legislação restringindo os direitos dos trabalhadores e uma extraordinária campanha de propaganda cujos alvos eram fábricas, escolas, igrejas e outras formas de associação. Todos os meios de comunicação disponíveis foram empregados. Na década de 1980, com a ferrenhamente antitrabalhista administração Reagan, o ataque foi mais uma vez desferido com força total. O presidente Reagan deixou bem claro para o mundo patronal e empresarial que as leis que protegiam os direitos trabalhistas, nunca muito fortes, não seriam cumpridas. A demissão ilegal de líderes sindicais aumentou de forma vertiginosa, e os Estados Unidos retomaram a prática dos fura-greves, banidos em praticamente todos os países desenvolvidos, à exceção da África do Sul. A progressista administração Clinton minou os movimentos dos trabalhadores de diferentes maneiras. Um meio bastante eficaz foi a criação do NAFTA, bloco econômico formado por Canadá, México e Estados Unidos.

Para fins de propaganda, o NAFTA foi rotulado como um "acordo de livre comércio". Apesar dessa classificação, não tinha nada disso. Como outros acordos do gênero, o NAFTA tinha fortes elementos protecionistas, e boa parte dele nem sequer tratava de comércio; era um tratado para tutelar e ampliar os direitos dos investidores. E, como outros "acordos de livre comércio" do gênero, este previsivelmente mostrou-se danoso para a classe trabalhadora dos países participantes. Um efeito foi o enfraquecimento da organização dos trabalhadores: um estudo realizado sob os auspícios do NAFTA revelou que a organização sindical bem-sucedida diminuiu drasticamente, graças a práticas como alertas das gerências e diretorias das fábricas para que, se uma empresa fosse sindicalizada, seria transferida para o México.[7] Essas práticas são, é claro, ilegais, mas isso é irrelevante, contanto que o negócio possa contar com o "indispensável apoio do governo" a que Montgomery se referiu.

Mediante esses métodos e instrumentos, os sindicatos do setor privado foram reduzidos a menos de 7% da mão de obra, apesar do fato de que a maioria da força de trabalho prefere sindicatos.[8] A seguir, o ataque voltou-se aos sindicatos do setor público, que de uma forma ou de outra haviam sido protegidos pela legislação. Esse processo de destruição está ferozmente em curso, e não pela primeira vez. Podemos nos lembrar de que Martin Luther King Jr. foi assassinado em 1968 enquanto liderava uma marcha em apoio a uma greve em Memphis, Tennessee.

Em muitos aspectos, as condições da classe trabalhadora no período em que Ware escreveu eram semelhantes às que vemos hoje, na medida em que a desigualdade atingiu mais uma vez os altíssimos e assombrosos índices do final da década de 1920. Para uma ínfima minoria, a riqueza se acumulou para além dos limites da avareza. Na década passada, 95% do crescimento econômico foi parar nos bolsos de 1% da população – a maior parte da riqueza fica com uma fração ainda menor.[9] A renda média real está abaixo do nível de 25 anos trás. Para os homens, a renda média real está abaixo do que se registrava em 1968.[10] A participação dos trabalhadores nos lucros das empresas – a fatia do bolo que cabe aos trabalhadores – chegou ao índice mais baixo desde a Segunda Guerra Mundial.[11] Isso não é o resultado dos misteriosos mecanismos de funcionamento do mercado ou das leis econômicas, mas, de novo e em larga medida, dos "indispensáveis" apoio e iniciativa de um governo que está significativamente em mãos corporativas.

A revolução industrial norte-americana, Ware observou, criou "um dos mais importantes tons da vida estadunidense" nas décadas de 1840 e 1850. Embora seu resultado final possa ser "bastante agradável aos olhos modernos, foi repugnante para uma parte assombrosamente ampla da comunidade norte-americana". Ware analisa as abomináveis condições de trabalho impostas aos outrora independentes artesãos e agricultores, bem como às "meninas das fábricas", moças trazidas das fazendas no interior para trabalhar nas tecelagens dos arredores de Boston. Mas o principal foco de interesse de Ware são aspectos mais fundamentais da revolução que persistiram mesmo quando as condições específicas foram sendo aprimoradas no decorrer de renhidas lutas ao longo de muitos anos.

Ware enfatizou "a degradação sofrida pelo trabalhador industrial", a perda "de status e de independência" que haviam sido seus bens mais preciosos como cidadãos livres da República, uma perda que não poderia ser compensada nem mesmo pela melhoria material. Ware investiga o devastador impacto da drástica "revolução social" capitalista "em que a soberania nos assuntos econômicos passou da comunidade como um todo para a manutenção de uma classe especial" de mestres e senhores, um grupo "alheio e estranho aos produtores" e geralmente distante da produção. Ele mostra que, "para cada protesto contra a indústria de maquinário", podem-se encontrar cem contra o novo poder da produção capitalista e sua disciplina".

Os trabalhadores faziam greves não apenas por pão e rosas, para tomar de empréstimo o lema tradicional. Buscavam dignidade e independência, o reconhecimento de seus direitos como homens e mulheres livres. Criaram uma imprensa operária vigorosa e independente, escrita e produzida por aqueles que trabalhavam nas fábricas. Em seus jornais e panfletos, condenavam a "destrutiva influência de princípios monárquicos em solo democrático". Reconheciam que essa agressão aos direitos humanos elementares só seria sobrepujada quando "os que trabalham nas fábricas forem donos delas", e quando a soberania retornar aos produtores livres. Então, os trabalhadores já não mais serão "servos e capachos ou humildes súditos de um déspota estrangeiro, [os proprietários ausentes], escravos no sentido mais estrito da palavra [que] trabalham [...] para seus senhores. Ao contrário, reaverão seu status de "cidadãos norte-americanos livres".[12]

A revolução capitalista instituiu uma mudança crucial para o valor do salário. Quando o produtor vendia seu produto por um determinado preço, Ware escreve, "ele mantinha sua pessoa. Mas quando passou a vender sua mão de obra, vendeu a si mesmo", e perdeu sua dignidade como pessoa à medida que se tornou um escravo – um "escravo do salário", termo comumente empregado. O trabalho assalariado era considerado similar à escravidão, embora dela diferisse por ser temporário – em teoria. Essa compreensão era tão generalizada e difundida que se tornou um slogan do Partido Republicano, defendido por sua figura de proa, Abraham Lincoln.[13]

O conceito de que iniciativas e empreendimentos produtivos devem ser de propriedade dos trabalhadores e pertencer à mão de obra era corrente em meados do século XIX, ratificado não apenas por Marx e pela esquerda, mas também pela mais destacada figura do liberalismo clássico da época, John Stuart Mill. Ele defendia que "a forma de associação, se a humanidade continuar a se aperfeiçoar, como se espera que predomine é [...] a associação dos próprios trabalhadores entre si, em termos de igualdade, possuindo eles, coletivamente, a propriedade do capital com o qual operam, e trabalhando sob o comando de administradores eleitos e passíveis de substituição por eles mesmos".[14] O conceito tem de fato sólidas raízes em noções que animavam o pensamento liberal clássico. É um pequeno passo vinculá-lo ao controle de outras instituições e comunidades numa estrutura de livre associação e organização federal, no estilo de uma gama de pensamento que inclui, juntamente com boa parte da tradição anarquista e do marxismo esquerdista antibolchevique, o socialismo de guildas de George Douglas Howard Cole e as obras teóricas muito mais recentes.[15] E, de modo ainda mais significativo, inclui ações, à medida que muitos trabalhadores de diversas profissões e classes sociais buscam reaver o controle de suas vidas e seus destinos.

Para minar essas doutrinas subversivas, era necessário que os "mestres da humanidade" tentassem mudar as atitudes e convicções que as fomentavam. Como relata Ware, os ativistas dos movimentos dos trabalhadores alertaram sobre o "Novo Espírito da Época: torna-te rico e esquece-te de tudo, menos de ti mesmo" – a vil máxima dos mestres e senhores, que eles naturalmente tentavam impor a seus súditos, sabendo que esses vassalos só teriam condições de ganhar uma diminuta porção da riqueza disponível. Em drástica reação a esse espírito degradante, os ascendentes movimentos dos operários e lavradores radicais, o mais importante dos movimentos democráticos populares na história norte-americana, devotaram-se à solidariedade e ao auxílio mútuo.[16] Foram derrotados, quase sempre pela via da força. Mas a batalha está longe de terminar, apesar dos reveses, da repressão invariavelmente violenta e dos gigantescos esforços para incutir na opinião pública e na mente coletiva a vil máxima, por meio dos recursos dos sistemas educacionais, da imensa indústria da publicidade e de outras instituições de propaganda dedicadas a essa tarefa.

Há graves barreiras e empecilhos a superar na luta por justiça, liberdade e dignidade, mesmo além da cruel e implacável luta de classes incessantemente conduzida pelo mundo corporativo – que tem elevada consciência de classe – com o "apoio indispensável" dos governos que em larga medida são controlados pelas corporações. Ware discute algumas dessas insidiosas ameaças da forma como eram entendidas pela classe trabalhadora. Ele discorre sobre o pensamento de trabalhadores qualificados de Nova York 170 anos atrás, que repetiam a opinião comum de que um salário diário é uma forma de escravidão e alertavam, com aguçado discernimento, que chegaria um dia em que os escravos do salário "terão até certo ponto se esquecido tanto daquilo que se deve à humanidade como à glória, em um sistema que lhes é impingido por sua necessidade e em oposição a seus sentimentos de independência e autorrespeito".[17] Eles tinham a esperança de que esse dia estivesse "bem distante". Hoje, são comuns os sinais desse dia, mas as demandas por independência, respeito próprio, dignidade pessoal e controle de cada indivíduo sobre o próprio trabalho e a própria vida, tal qual a velha toupeira de Marx, continuam a cavar e a circular incessantemente por baixo da terra, não muito longe da superfície, pronta para irromper bruscamente quando é despertada pelas circunstâncias e pelo ativismo militante.

CAPÍTULO 13

Segurança para quem? Como Washington protege a si mesmo e ao setor corporativo

A questão de como a política externa é determinada tem importância decisiva nos assuntos do mundo atual. Nos comentários a seguir, posso fornecer alguns indícios sobre como a meu ver o tema pode ser investigado de maneira produtiva, atendo-me aos Estados Unidos por diversas razões. Em primeiro lugar, a significativa posição dos EUA, em termos de relevância e impacto globais, não tem paralelo. Em segundo lugar, trata-se de uma sociedade singularmente aberta, sem semelhança com qualquer outro país, o que significa que por causa dessa distintiva característica sabemos mais sobre os EUA. Por fim, a questão é da maior importância para os norte-americanos, capazes de influenciar as decisões políticas nos Estados Unidos – e para outros, na medida em que suas ações podem influenciar tais decisões. Os princípios gerais, porém, estendem-se a outras grandes potências e muito além.

Existe uma "versão padrão recebida", comum no meio acadêmico, nos pronunciamentos governamentais e no discurso público. De acordo com essa versão, o primeiro compromisso sério de qualquer governo, sua obrigação fundamental, é garantir segurança; e a preocupação primordial dos Estados Unidos e de seus aliados, desde 1945, era a ameaça russa.

Há diversos modos de se avaliar essa doutrina. Uma pergunta óbvia a ser respondida é: o que aconteceu quando a ameaça russa desapareceu, em 1989? A resposta: tudo continuou quase exatamente como antes.

Os Estados Unidos invadiram imediatamente o Panamá, matando talvez milhares de pessoas e instalando um regime cliente. Esse tipo de prática era rotineira nos domínios e territórios ocupados e controlados pelos EUA – mas neste caso não foi tão rotineiro assim. Pela primeira vez, um ato de política externa de grande envergadura não era justificado por uma suposta ameaça russa.

Em vez disso, para a invasão foi engendrada uma série de pretextos fraudulentos, maquinações que não resistem a um primeiro exame e, inconsistentes, desabam. A imprensa fez coro, entusiasticamente, louvando o magnífico feito de derrotar o Panamá sem se preocupar com o fato de que os pretextos eram ridículos, de que o ato em si era uma drástica violação do direito internacional e de que a invasão estava sendo execrada em outras partes do mundo, com especial severidade na América Latina. Também ignorado foi o veto dos EUA a uma Resolução do Conselho de Segurança da ONU condenando crimes cometidos por soldados norte-americanos durante a invasão – a Inglaterra se absteve da votação.[1]

Tudo rotina. E tudo foi esquecido e ficou por isso mesmo (o que também é rotina).

De El Salvador à fronteira Russa

A administração George H. W. Bush lançou uma nova política de segurança nacional e orçamento para a defesa, em reação ao colapso do inimigo global. Era basicamente a mesma situação de antes, embora com novos pretextos. Como no fim ficou claro, era necessário manter um *establishment* militar quase tão vasto e poderoso quanto o do restante do mundo somado, e muito mais avançado em termos de sofisticação tecnológica – mas não para a defesa contra a União Soviética em desaparecimento. Ao contrário, a desculpa foi a crescente "sofisticação tecnológica" de potências do Terceiro Mundo.[2] Intelectuais disciplinados compreenderam que teria sido inadequado cair no ridículo, por isso mantiveram-se em respeitável silêncio.

Os Estados Unidos, insistia a nova política, tinham de manter sua "base industrial de defesa". A expressão é eufemística, referindo-se de forma geral à indústria *high-tech*, que depende pesadamente de vasta intervenção estatal para pesquisa e desenvolvimento, atuando sigilosamente sob a asa do Pentágono, no que muitos economistas continuam a chamar de "economia de livre mercado" dos EUA.

Uma das disposições mais interessantes dos novos planos dizia respeito ao Oriente Médio. Lá, declarava-se, Washington tinha de manter forças de intervenção em cuja alça de mira estaria uma região crucial, onde os problemas mais graves "não poderiam ser deixados na porta do Kremlin". Ao contrário de cinquenta anos de enganação e mentiras, admitia-se discretamente que a principal preocupação nessa região não eram os russos, mas antes o que se chamava de "nacionalismo radical", o que significava nacionalismo independente, que não estava sob o controle dos Estados Unidos.[3]

Tudo isso tinha evidente relação com a versão padrão recebida, mas passou despercebido – ou talvez *por isso* passou despercebido.

Outros eventos importantes ocorreram imediatamente após a queda do Muro de Berlim, dando fim à Guerra Fria. Um deles aconteceu em El Salvador, o maior beneficiário de auxílio militar dos Estados Unidos em todo o mundo – com exceção de Israel e do Egito, uma categoria à parte – e um país com os piores históricos de desrespeito aos direitos humanos já registrados no planeta. Essa é uma correlação frequente e bastante estreita.

O alto comando salvadorenho deu ordens para que o Batalhão Atlacatl invadisse a universidade jesuíta e assassinasse seis destacados intelectuais latino-americanos, todos eles padres jesuítas, incluindo o reitor, o teólogo e filósofo frei Ignacio Ellacuría e todas as testemunhas, a saber, a governanta e a filha dela. O batalhão já havia deixado um rastro sangrento de milhares de vítimas – as habituais – no decurso da campanha de terror patrocinada pelos Estados Unidos em El Salvador, parte de uma campanha mais ampla de terror e tortura em toda a região.[4] Tudo rotina, tudo ignorado e praticamente esquecido pelos EUA e por seus aliados – como sempre, rotina. Mas isso nos diz muita coisa sobre os fatores que conduzem a política, se nos dermos ao trabalho de observar o mundo real.

Outro evento importante se deu na Europa. O presidente soviético Mikhail Gorbachev concordou em permitir a unificação da Alemanha e a integração da Alemanha unificada como membro da OTAN, uma aliança militar hostil. À luz da história recente, foi uma concessão espantosa. Houve uma troca justa, um toma lá dá cá: o presidente Bush e o secretário de Estado James Baker estavam de acordo que a OTAN não se expandiria "um centímetro que fosse para o leste", querendo dizer Alemanha Oriental. No mesmo instante, os dois expandiram a OTAN Alemanha Oriental adentro.

Gorbachev ficou obviamente enfurecido, mas, quando reclamou, Washington esclareceu que a coisa toda havia sido apenas um compromisso verbal, um acordo de cavalheiros, portanto sem força alguma.[5] Se Gorbachev foi ingênuo o bastante a ponto de acreditar na palavra de líderes norte-americanos, era problema dele.

Tudo isso também era rotina, bem como a silenciosa aceitação e aprovação da expansão da OTAN nos Estados Unidos e no Ocidente em geral. A seguir, o presidente Bill Clinton expandiu ainda mais a OTAN até as fronteiras da Rússia. Hoje, o mundo encara uma grave crise, em larga medida um resultado dessas políticas.

O fascínio de saquear os pobres

Outra fonte de provas são os registros históricos dessegredados e disponibilizados ao conhecimento público. Eles contêm explicações reveladoras dos reais motivos da política de Estado. A história é farta e complexa, mas alguns temas persistentes desempenham o papel dominante. Um deles foi articulado com clareza numa conferência para o hemisfério Ocidental convocada pelos Estados Unidos e realizada no México em fevereiro de 1945, ocasião em que Washington impôs uma "Carta Econômica das Américas", cujo intuito era eliminar o nacionalismo econômico "em todas as suas formas".[6] Havia uma condição tácita: o nacionalismo econômico seria bom para os EUA, cuja economia depende pesadamente de uma substancial intervenção do Estado.

A eliminação do nacionalismo econômico para os outros entrou em nítido e acentuado conflito com a posição latino-americana naquele momento, o que os funcionários do alto escalão do Departamento de Estado descreveram como "a filosofia do Novo Nacionalismo [que] adota políticas concebidas para ocasionar uma distribuição mais ampla de riqueza e aumentar o padrão de vida das massas".[7] Como acrescentaram analistas políticos norte-americanos, "os latino-americanos estão convencidos de que os primeiros beneficiários do desenvolvimento dos recursos de um país devem ser o povo desse país".[8]

Isso, é claro, não poderia acontecer. Washington entende que os "primeiros beneficiários" devem ser os investidores norte-americanos, enquanto cabe à América Latina cumprir sua função de oferecer serviços e propiciar recursos. Como as administrações Truman e Eisenhower deixariam bem claro, a América Latina não poderia passar por um "desenvolvimento industrial excessivo" que talvez prejudicasse os interesses dos EUA. Assim, o Brasil poderia produzir aço de baixa qualidade com o qual as empresas norte-americanas não precisavam se incomodar, mas cuja produção seria considerada "excessiva" caso viesse a concorrer com siderúrgicas norte-americanas.

Preocupações semelhantes ressoaram ao longo do período pós--Segunda Guerra Mundial. O sistema global que seria dominado pelos Estados Unidos estava ameaçado por aquilo que documentos internos chamam de "regimes radicais e nacionalistas" que responderam a pressões populares por desenvolvimento independente.[9] Foi essa a preocupação que motivou a derrubada dos governos parlamentaristas do Irã e da Guatemala em 1953 e 1954, bem como inúmeros outros golpes. No caso do Irã, uma das principais preocupações foi o impacto potencial da independência iraniana sobre o Egito, então em turbulência por causa das práticas coloniais britânicas. Na Guatemala, além do crime cometido pela nova democracia ao dar poder à maioria camponesa e as expropriações de latifúndios da United Fruit Company – o que por si só já era suficientemente ofensivo –, o que inquietava Washington eram a agitação dos trabalhadores e a mobilização popular em ditaduras vizinhas apoiadas pelos EUA.

Em ambos os casos, as consequências chegam até o presente. Literalmente, não se passou um dia desde 1953 sem que os Estados Unidos tivessem deixado de torturar o povo do Irã. A Guatemala continua sendo uma das mais perversas câmaras de horror do mundo; até hoje há maias fugindo dos efeitos das quase genocidas campanhas dos governos militares no país, respaldadas pelo presidente Ronald Reagan e seus comandantes do alto escalão. Como relatou em 2014 um médico guatemalteco, diretor da Oxfam no país: "Está em curso uma drástica deterioração do contexto político, social e econômico. Ataques contra defensores [dos direitos humanos] aumentaram em 300% no último ano. Há claras evidências de uma estratégia muito bem organizada pelo setor privado e o Exército; ambos capturaram o governo a fim de manter o *status quo* e impor o modelo econômico extrativista, expulsando dramaticamente os povos nativos de suas próprias terras, ocupadas pela indústria de mineração e por plantações de dendezeiros e cana-de-açúcar. Além disso, o movimento social que defende as terras e os direitos dos nativos foi criminalizado, muitos líderes estão presos e muitos outros foram assassinados".[10]

Nada disso chega ao conhecimento das pessoas nos Estados Unidos, e a causa óbvia desses fatos continua sendo abafada.

Na década de 1950, o presidente Eisenhower e o secretário de Estado John Foster Dulles explicaram o dilema enfrentado pelos Estados Unidos. Eles reclamaram do fato de que os comunistas contavam com uma vantagem injusta: tinha a habilidade de "apelar diretamente às massas" e "obter o controle dos movimentos de massa, coisa que nós não temos a capacidade de reproduzir. É com os pobres que eles falam diretamente, e sempre quiseram saquear os ricos".[11]

Isso causa problemas. De uma forma ou de outra os Estados Unidos, com sua doutrina segundo a qual os ricos devem saquear os pobres, encontram dificuldades para falar diretamente aos pobres.

O exemplo cubano

Uma clara ilustração do padrão geral foi Cuba, quando por fim obteve a independência, em 1959. Em questão de meses começaram os ataques militares à ilha. Pouco depois, a administração Eisenhower tomou a decisão secreta de derrubar o governo cubano. Em seguida, John F. Kennedy tornou-se presidente. Ele tinha a intenção de dedicar mais atenção à América Latina e então, logo ao tomar posse, criou um grupo de estudos para desenvolver políticas, sob a coordenação do historiador Arthur Schlesinger Jr., que resumiu suas conclusões para apresentar ao presidente que chegava à Casa Branca.

Conforme Schlesinger explicou, o ameaçador em uma Cuba independente era "a ideia de Castro que o país assumisse as rédeas de si mesmo", resolvesse os problemas por conta própria. Era uma ideia que, infelizmente, atraía a simpatia das massas na América Latina, onde "a distribuição de terra e outras formas de riqueza nacional favorecem as classes proprietárias, e onde os pobres e menos privilegiados, estimulados pelo exemplo da revolução cubana, agora exigem oportunidades de uma vida decente".[12] Mais uma vez, o dilema de sempre de Washington.

De acordo com o que a CIA explicou, "a vasta influência do 'castrismo' não é uma função do poder cubano [...] a sombra de Castro assoma, iminente e ameaçadora, porque as condições sociais e econômicas de uma ponta à outra da América Latina convidam a oposição a qualquer autoridade vigente e incitam a agitação em nome da mudança radical", para a qual Cuba oferece um modelo.[13] Kennedy temia que a ajuda russa pudesse fazer de Cuba uma "exposição ostentatória" do desenvolvimento, o que daria vantagem e controle aos soviéticos em toda a América Latina.[14]

A Equipe de Planejamento de Políticas do Departamento de Estado explicou que "o principal perigo que enfrentamos em Castro é [...] o impacto que a própria existência de seu regime tem sobre o movimento esquerdista em muitos países da América Latina [...] O fato simples é que Castro representa um insolente e bem-sucedido desafio aos EUA, uma negação de toda a nossa política com relação ao hemisfério em vigor há um século e meio" – isto é, desde a doutrina Monroe de 1823, quando os Estados Unidos declararam a sua intenção de dominar o hemisfério.[15]

Na época da doutrina, o objetivo imediato era conquistar Cuba, mas isso não era possível por causa do poder do inimigo britânico. Ainda assim, o formidável estrategista John Quincy Adams, pai intelectual da doutrina Monroe e do Destino Manifesto, informou aos seus colegas que com o tempo Cuba cairia em nossas mãos pela ação das "leis da gravitação política", como uma maçã cai da árvore.[16] Em suma, o poder dos EUA aumentaria e o da Inglaterra diminuiria.

Em 1898, o prognóstico de Adams se realizou: os Estados Unidos invadiram Cuba, sob pretexto de libertar a ilha. A invasão impediu que a ilha se tornasse independente da Espanha e a converteu numa "virtual colônia", para citar os historiadores Ernest May e Philip Zelikow.[17] Cuba continuou sendo uma virtual colônia norte-americana até janeiro de 1959, quando conquistou a independência. Desde então vem sendo alvo de descomunais guerras terroristas empreendidas pelos Estados Unidos, inicialmente durante os anos Kennedy, e estrangulamento econômico – e não por causa dos russos.

A mentira o tempo todo era de que estávamos nos defendendo da ameaça russa – uma explicação absurda que se mantinha incontestada. Um teste simples para pôr à prova essa tese é, de novo, o que aconteceu quando toda e qualquer ameaça russa concebível desapareceu: a política norte-americana com relação a Cuba tornou-se ainda mais dura, encabeçada pelos democratas progressistas, inclusive Bill Clinton, que flanqueou Bush pela direita nas eleições de 1992. Aparentemente, esses eventos deveriam afetar de modo considerável a validade da abordagem doutrinária para a discussão da política externa e dos fatores que a impulsionam. Mais uma vez, porém, o impacto é insignificante.

O vírus do nacionalismo

Henry Kissinger captou a essência da verdadeira política externa dos Estados Unidos quando definiu o nacionalismo independente como um "vírus" capaz de "disseminar doenças contagiosas".[18] Kissinger estava se referindo ao Chile de Salvador Allende; o vírus era a ideia de que poderia haver uma via parlamentar na direção de alguma espécie de democracia socialista. O modo de lidar com tamanha ameaça era destruir o vírus e vacinar todos os que pudessem ter sido contaminados, geralmente por meio da imposição de Estados assassinos de segurança nacional. Foi o que se fez no Chile em 1973, mas é importante reconhecer que esse tipo de pensamento permaneceu, e permanece, vivo em todo o mundo.

Foi, por exemplo, o mesmo raciocínio por trás da decisão de opor-se ao nacionalismo vietnamita no início da década de 1950 e apoiar o esforço dos franceses em sua tentativa de reconquistar sua ex-colônia. Temia-se que o nacionalismo vietnamita independente pudesse ser um vírus que espalharia o contágio nas regiões adjacentes, incluindo a Indonésia, rica em recursos. A doença virótica poderia até mesmo levar o Japão a tornar-se o centro industrial e comercial de uma nova ordem independente como a que o Japão imperial havia recentemente lutado para estabelecer. O remédio era claro – e foi usado com bastante sucesso: o Vietnã foi praticamente destruído e acabou cercado por ditaduras militares que contiveram o "vírus" e impediram o contágio.

O mesmo foi verdade na América Latina nesses mesmos anos: um após o outro, os vírus foram implacavelmente atacados e também destruídos ou enfraquecidos a ponto de mal conseguirem sobreviver. A partir do início da década de 1960, uma inaudita praga de repressão foi imposta em todo o continente, sem precedentes na violenta história do hemisfério, estendendo-se para a América Central nos anos 1980, um tema que não é preciso examinar aqui.

Boa parte disso também se deu no Oriente Médio. As relações singularíssimas entre Estados Unidos e Israel foram estabelecidas em sua configuração atual em 1967, quando Israel desferiu um violento golpe contra o Egito, o centro do nacionalismo secular árabe. Ao fazer isso, os israelenses protegeram a Arábia Saudita, aliada dos EUA, então envolvida em um conflito militar contra o Egito no Iêmen. A Arábia Saudita, é claro, é o mais extremado Estado islâmico fundamentalista, e também um Estado missionário, que gasta astronômicas somas a fim de difundir para além de suas fronteiras as doutrinas wahhabi-salafistas. Vale a pena lembrar que os EUA, como a Inglaterra antes deles, tendiam a apoiar o islã fundamentalista radical em oposição ao nacionalismo secular, que até recentemente foi percebido como uma ameaça maior de independência e contágio.

O valor do sigilo

Há muito mais a dizer, mas o registro histórico demonstra claramente que a doutrina padrão tem pouco mérito. A segurança, no sentido normal, não é um fator proeminente na formação de políticas.

Repito: "no sentido normal". Mas, ao avaliar a doutrina padrão, precisamos perguntar o que de fato significa "segurança": segurança para quem?

Uma resposta é: segurança para o poder do Estado. Há muitas ilustrações disso. Vejamos um exemplo recente: em maio de 2014, os Estados Unidos concordaram em apoiar uma resolução do Conselho de Segurança da ONU determinando que a Corte Internacional de Justiça investigasse crimes de guerra na Síria, mas com uma condição: não poderia haver investigação nenhuma sobre possíveis crimes de guerra cometidos por Israel.[19] Tampouco por Washington, ainda que fosse desnecessário acrescentar essa última ressalva; os EUA são o único país do mundo autoimunizado contra qualquer sistema legal internacional. A bem da verdade, existe uma lei do Congresso que autoriza o presidente a usar força armada para "resgatar" qualquer cidadão norte-americano que seja levado a julgamento em Haia: é a "Lei de Invasão aos Países Baixos", como é por vezes chamada na Europa.[20] Isso mais uma vez ilustra a importância de proteger a segurança do poder do Estado.

Mas protegê-la de quem? Há um sólido argumento a ser feito no sentido de que uma das preocupações fundamentais de um governo é garantir a segurança do Estado contra a própria população. Como sabe qualquer pessoa que tenha passado algum tempo vasculhando arquivos, o sigilo do governo raramente é motivado por uma genuína necessidade de segurança, mas serve para manter a população desinformada, às escuras. E por boas razões, que foram lucidamente explicadas pelo destacado intelectual de esquerda Samuel

Huntington, cientista político e conselheiro governamental. Nas palavras dele, "os arquitetos do poder nos Estados Unidos devem criar uma força que possa ser sentida, mas não vista. O poder permanece forte quando permanece no escuro; exposto à luz do sol, começa a evaporar".[21]

Huntington escreveu isso em 1981, quando a Guerra Fria estava mais uma vez esquentando, e explicou também que "talvez você tenha de vender [intervenção ou outra ação militar] de tal forma a criar a falsa impressão de que é contra a União Soviética que você está lutando. É isso o que os Estados Unidos vêm fazendo desde a doutrina Truman".[22]

Essas verdades simples raramente são reconhecidas, mas ajudam a descortinar – propiciando informações úteis e reveladoras – o poder e as políticas do Estado, com reverberações que chegam até nossos dias.

O poder do Estado tem de ser protegido de seu inimigo doméstico; em gritante contraste, a população não tem proteção e não está a salvo contra o poder do Estado. Um impressionante exemplo é o radical ataque à Constituição dos Estados Unidos desferido pela administração Obama e seu amplo programa de vigilância interna. Isso é justificado, claro, pelo argumento da "segurança nacional". Essa é a justificativa rotineira de todos os Estados para explicar praticamente todas as suas ações, e é um argumento que contém pouca informação.

Quando o programa de vigilância da Agência de Segurança Nacional dos Estados Unidos (National Security Agency – NSA, na sigla em inglês) foi desmascarado pelas revelações de Edward Snowden, funcionários de alto escalão alegaram que a vigilância teria evitado 54 atos terroristas. No inquérito, esse número desabou para uma dúzia. A seguir, um conselho consultivo de alto nível instalado pelo governo logo descobriu que havia apenas um caso: alguém tinha enviado 8.500 dólares para a Somália. Foi esse o resultado obtido com o monumental ataque contra a Constituição e, claro, contra milhões de outras pessoas em todo o mundo.[23]

A atitude da Inglaterra é interessante: em 2007, o governo britânico solicitou à colossal agência de espionagem de Washington que "analisasse e recolhesse todos os números de telefone celular, fax, endereços de e-mails e de IPs de qualquer cidadão britânico rastreado em seu banco de dados", noticiou o jornal *The Guardian*.[24] Essa é uma indicação útil da importância relativa, aos olhos do governo, da privacidade de seus próprios cidadãos e das demandas de Washington.

Outra preocupação é a segurança para o poder privado. Uma ilustração disso são as gigantescas parcerias comerciais – o Acordo de Associação Transpacífico e o Tratado Transatlântico – que agora estão sendo negociadas. São transações feitas "em segredo" – mas não totalmente em sigilo. Não são segredo nenhum para as centenas de advogados de corporações que estão redigindo as detalhadas cláusulas. Não é difícil deduzir quais serão os resultados, e os poucos vazamentos conhecidos sugerem que as expectativas são exatas. Como o NAFTA e outros pactos e parcerias desse tipo, não são acordos de livre comércio. A bem da verdade, não são sequer acordos de comércio, mas tratados para tutelar e ampliar os direitos dos investidores.

Mais uma vez, o sigilo tem importância decisiva para assegurar a proteção do principal eleitorado doméstico de qualquer governo envolvido: o setor corporativo.

O derradeiro século da civilização humana?

Há outros exemplos, inumeráveis demais para mencionar, fatos notórios e bem estabelecidos e que seriam ensinados em sociedades livres nas escolas de ensino fundamental.

Há, em outras palavras, amplas evidências de que proteger o poder estatal contra a população nacional e proteger o poder privado concentrado são as molas propulsoras na formação de políticas. Claro, não é assim tão simples. Há casos interessantes, alguns bastante atuais, em que esses objetivos assumidos entram em conflito, mas podemos considerar uma boa primeira aproximação, que é drasticamente oposta à doutrina padrão recebida.

Voltemos as atenções para uma outra questão: e quanto à segurança da população? É fácil demonstrar que essa é uma preocupação secundária e marginal para os planejadores de políticas. Vejamos dois destacados exemplos atuais, o aquecimento global e as armas nucleares. Como qualquer pessoa alfabetizada tem plena consciência, são ameaças pavorosas à segurança da população. Ao analisarmos a política de Estado, constatamos que ela está empenhada em acelerar essas duas ameaças – em nome dos interesses de suas principais e fundamentais preocupações, a proteção do poder do Estado e do poder privado concentrado, que em larga medida determina as políticas estatais.

Levemos em conta o aquecimento global. Hoje nos Estados Unidos há um exuberante discurso sobre "cem anos de independência energética" quando nos tornarmos "a Arábia Saudita do próximo século" – talvez o último século da civilização humana, caso persistam as atuais políticas.

Isso ilustra muito claramente a natureza da preocupação com a segurança – não para a população. Exemplifica também o cálculo moral do capitalismo de Estado contemporâneo: o destino dos nossos netos não conta e tem valor igual a zero quando comparado aos imperativos dos mais altos lucros de amanhã.

Essas conclusões são reforçadas por um olhar mais detido e atento sobre o sistema de propaganda. Há nos Estados Unidos uma gigantesca campanha de relações públicas, organizada pela grande indústria energética e o mundo dos negócios, de modo a tentar convencer a opinião pública de que o aquecimento global é ou irreal ou resultado de alguma coisa que não a ação humana. E isso tem tido algum impacto. Nos rankings que avaliam a preocupação pública com o aquecimento global, os EUA ocupam posições mais baixas em comparação a outros países, e os resultados são estratificados: entre os republicanos, o partido mais devotado aos interesses dos abastados e do poder corporativo, o índice de preocupação é ainda mais baixo que a média global.[25]

A principal publicação da crítica de mídia, a revista *Columbia Journalism Review*, publicou um interessante artigo sobre o tema, atribuindo esse resultado à doutrina da mídia de "justo e equilibrado". Em outras palavras, se um jornal ou revista publica uma opinião refletindo as conclusões de 97% dos cientistas, deve publicar também uma réplica, expressando o ponto de vista das corporações energéticas.

Isso é o que de fato acontece, mas não existe doutrina do "justo e equilibrado".[26] Assim, se um jornal publica um editorial ou artigo de opinião denunciando o presidente Vladimir Putin pelo ato criminoso de anexar a península da Crimeia, não precisará publicar um artigo apontando que, embora seja de fato uma ocupação criminosa, a Rússia tem razões e justificativas mais sólidas hoje que os Estados Unidos tinham, mais de um século atrás, para ocupar o sudeste de Cuba, incluindo Guantánamo, o principal porto do país – rejeitando a demanda cubana, desde a independência, para que a porção da ilha seja devolvida. O mesmo se aplica à maior parte dos outros casos. A atual doutrina da mídia é "justo e equilibrado" quando as preocupações do poder privado concentrado estão envolvidas, mas não em outros âmbitos.

Com relação à questão das guerras nucleares, o histórico é igualmente interessante – e assustador. Revela com extrema clareza que, desde os primórdios, a segurança da população não é uma questão, e assim permanece. Não há necessidade de examinar o impressionante histórico, mas restam poucas dúvidas de que os formuladores de políticas vêm jogando roleta-russa com o destino da espécie.

Como todos sabemos muito bem, agora estamos diante das decisões mais agourentas da história humana. Há muitos problemas que precisam ser discutidos e solucionados, mas dois são avassaladores em importância e significado: a destruição ambiental e a guerra nuclear. Pela primeira vez encaramos a possibilidade de destruir as perspectivas de uma existência decente – e num futuro não muito distante. Apenas por essa razão é imperativo dissipar as nuvens ideológicas e enfrentar de maneira honesta e realista a questão de como as decisões políticas são tomadas, e o que podemos fazer para alterá-las antes que seja tarde demais.

CAPÍTULO 14

Atrocidade

Praticamente todos os dias somos bombardeados por notícias de crimes horríveis, mas alguns são tão hediondos, tão horrendos e malignos que fazem com que todos os demais pareçam menores. Um desses raros eventos ocorreu quando o voo MH17 da Malaysia Airlines foi derrubado no leste da Ucrânia, matando 298 pessoas.

O Guardião da Virtude na Casa Branca condenou o episódio como "uma atrocidade de proporções indescritíveis", que ele atribuiu a "apoio russo".[1] Na ONU, a embaixadora dos EUA denunciou, aos berros, que "quando 298 civis são mortos" na "horrível derrubada" de um avião civil, "devemos trabalhar de forma irrefreável para determinar quem são os responsáveis e levá-los à justiça". Ela também conclamou Vladimir Putin a acabar com seus vergonhosos esforços de se evadir de sua claríssima responsabilidade.[2]

Verdade seja dita, aquele "homenzinho irritante" com "cara de rato" – como Timothy Garton Ash o descreveu – tinha exigido uma investigação independente, mas isso só poderia ter acontecido por causa das sanções do único país suficientemente corajoso para impô-las, os Estados Unidos.[3]

Na CNN, o ex-embaixador norte-americano na Ucrânia, William Taylor, assegurou ao mundo que aquele homenzinho irritante é "claramente responsável [...] pela derrubada dessa aeronave".[4] Durante semanas, as manchetes, matérias de capa e principais reportagens noticiaram a agonia das famílias, a vida das vítimas assassinadas, os esforços internacionais para reclamar os corpos e a fúria suscitada pelo horrível crime que "chocou o mundo", de acordo com o que a imprensa veiculava diariamente, com profusão de detalhes, o criminoso desastre.

Toda pessoa alfabetizada, e todos os editores, comentaristas e analistas deveriam instantaneamente ter recordado outro caso em que um avião civil foi abatido com um número comparável de perda de vidas: o voo 655 da Iran Air, em que morreram todas as 290 pessoas a bordo, entre elas 66 crianças; a aeronave foi derrubada em espaço aéreo iraniano, numa rota comercial claramente identificada. O agente responsável sempre foi do conhecimento de todos: um míssil guiado disparado pelo cruzador norte-americano *Vincennes*, operando em águas iranianas no golfo Pérsico.

O comandante de uma embarcação norte-americana que estava nos arredores, David Carlson, escreveu na revista do Instituto Naval dos EUA, *Proceedings*, que "se surpreendeu, incrédulo" quando "o *Vincennes* anunciou suas intenções" de atacar um alvo que era uma aeronave civil. Ele especulou que o "cruzador robô", como o *Vincennes* era chamado por causa de seu comportamento agressivo, "sentiu necessidade de provar a viabilidade do Aegis (o sofisticado sistema antiaéreo do cruzador) no golfo Pérsico, e que estava ansioso por mostrar seu equipamento.[5]

Dois anos depois, o comandante do *Vincennes* e o oficial encarregado do equipamento antiaéreo foram agraciados com a Legião de Mérito por "conduta excepcionalmente meritória na execução de extraordinários serviços" e pela "atmosfera calma e profissional" mantida durante o período em que o avião de passageiros iraniano foi derrubado. A destruição do avião não foi mencionada na cerimônia de entrega da comenda.[6]

O presidente Ronald Reagan culpou os iranianos pelo desastre e defendeu as ações do navio de guerra, que "seguiu ordens padrão e procedimentos amplamente divulgados, disparando para se proteger contra um possível ataque".[7] Seu sucessor, George H. W. Bush, proclamou que "jamais pedirei desculpas pelos Estados Unidos – não me importo com os fatos [...] Não sou o tipo de cara que pede desculpas em nome dos EUA".⁸

Nenhuma evasão de responsabilidade aqui, ao contrário dos bárbaros do Leste.

À época, as reações foram mínimas: nenhum furor, nenhuma busca desesperada por vítimas, nenhuma acusação veemente e apaixonada dos responsáveis, nenhum lamento eloquente da embaixadora dos EUA na ONU sobre a perda "imensa e pesarosa" quando o avião de passageiros foi derrubado. As condenações iranianas foram esporadicamente mencionadas, mas logo descartadas como "ataques de praxe contra os Estados Unidos", conforme definiu Philip Shenon no jornal *The New York Times*.⁹

Não é de surpreender, portanto, que esse insignificante evento anterior tenha merecido apenas algumas escassas linhas na mídia dos EUA durante o vasto furor por causa de um crime real, no qual o demoníaco inimigo talvez estivesse diretamente envolvido.

Uma exceção foi o jornal londrino *Daily Mail*, onde Dominic Lawson escreveu que, embora os "apologistas de Putin" talvez pudessem trazer à baila o ataque ao avião da Iran Air, a comparação demonstra os nossos altos valores morais em contraste com os dos miseráveis russos, que tentam, com mentiras, eximir-se de sua responsabilidade no caso do MH17, ao passo que Washington anunciou de imediato que o navio de guerra havia derrubado a aeronave iraniana – de modo correto e moralmente justo.¹⁰ Qual evidência mais poderosa poderia haver da nossa nobreza e da perversidade dos russos?

Sabemos por que ucranianos e russos estão em seus próprios países, mas é o caso de se perguntar o que exatamente o *Vincennes* estava fazendo em águas iranianas. A resposta é simples: a belonave estava defendendo o grande amigo de Washington, Saddam Hussein, em sua assassina agressão contra o Irã. Para as vítimas, a derrubada do avião não foi uma questão rasa. Foi um fator de considerável peso na aceitação por parte do Irã de que já não podia seguir lutando, de acordo com o historiador Dilip Hiro.¹¹

Vale a pena lembrar a extensão da devoção de Washington por seu amigo Saddam. Reagan retirou o nome de Saddam da lista de terroristas do Departamento de Estado, de modo que assim fosse possível enviar ajuda para acelerar o ataque de Hussein ao Irã, e mais tarde ambos negaram seus terríveis crimes contra os curdos, incluindo o uso de armas químicas, e Reagan bloqueou a condenação por parte do Congresso a esses crimes. Reagan também cedeu a Saddam um privilégio que só havia sido dado a Israel: não houve reação relevante quando o Iraque atacou com mísseis Exocet o USS *Stark*, matando 37 membros da tripulação, num caso muito parecido ao que aconteceu quando o USS *Liberty* foi repetidamente atacado por jatos e torpedeiros israelenses em 1967, matando 34 tripulantes.[12]

O sucessor de Reagan, George H. W. Bush, cedeu a Saddam um amparo maior ainda, auxílio de que Hussein precisava após a guerra contra o Irã, iniciada por ele. Bush também convidou engenheiros nucleares iraquianos para passar uma temporada nos Estados Unidos a fim de receber treinamento avançado em produção de armamentos. Em abril de 1990, Bush despachou uma delegação de alto escalão do Senado, encabeçada por Bob Dole, futuro candidato Republicano à presidência, para transmitir a seu amigo Saddam as mais calorosas saudações e reassegurar que ele deveria desprezar as críticas irresponsáveis da "imprensa arrogante e mimada", e que os torpes canalhas desse calibre haviam sido retirados da Voz da América.[13] A adulação a Saddam continuou até que ele tornou-se um novo Hitler meses depois, quando desobedeceu a ordens, ou talvez as tenha entendido mal, e invadiu o Kuwait, com claras consequências que devo deixar de lado aqui.

Desde então, outros precedentes do MH17 foram descartados como fatos sem importância e mandados para dentro do buraco da memória: vejamos, por exemplo, o episódio do avião de passageiros líbio (voo 114 da Libyan Arab Airlines) que, em fevereiro de 1973, se perdeu numa tempestade de areia e foi abatido por jatos israelenses fornecidos pelos EUA, a dois minutos de chegar a seu destino, em sua rota regular de Trípoli ao Cairo.[14] Nessa ocasião, o número total de mortos foi de apenas 110. Israel culpou o capitão francês do avião líbio, com o endosso do jornal *The New York Times*, que acrescentou que o ato israelense foi "na pior das hipóteses [...] um ato de insensibilidade que nem mesmo a selvageria das ações árabes prévias pode desculpar".[15] O incidente foi rapidamente ignorado nos Estados Unidos e passou em brancas nuvens, com poucas críticas. Quando a primeira-ministra Golda Meir chegou a Washington quatro dias depois, enfrentou algumas perguntas embaraçosas e voltou para casa levando alguns novos presentinhos militares. A reação foi basicamente a mesma quando a organização terrorista angolana favorita de Washington, a União Nacional para a Independência Total de Angola (UNITA) reivindicou ter derrubado dois aviões civis.

Voltando ao único crime autêntico e verdadeiramente horrível, *The New York Times* noticiou que, na sessão da ONU, a embaixadora Samantha Power "engasgou de emoção ao falar das crianças que morreram na queda do avião da Malaysia Airlines na Ucrânia [e] o primeiro-ministro das Relações Exteriores holandês, Frans Timmermans, mal pôde conter sua fúria ao se lembrar de ter visto fotografias de 'bandidos' arrancando alianças de casamento dos dedos das vítimas".[16]

Na mesma sessão, continua a matéria, houve "uma longa recitação de nomes e idades – todas pertencendo a crianças mortas na mais recente ofensiva de Israel em Gaza". A única reação relatada foi a do enviado palestino Riyad Mansour, que "se manteve em silêncio no meio" da recitação.[17]

O ataque israelense em Gaza, em julho, porém, suscitou indignação em Washington. O presidente Obama reiterou sua "veemente condenação" aos ataques do grupo militante Hamas – com foguetes e por meio de túneis – contra Israel, informou o jornal *The Hill*. Obama "também expressou 'crescente preocupação' sobre o número cada vez maior de mortes de civis palestinos em Gaza", mas sem condenação.[18] O Senado preencheu essa lacuna, em votação que aprovou unanimemente o apoio às ações israelenses em Gaza, embora condenasse "o disparo de foguetes, sem provocação, contra Israel" pelo Hamas e exigisse que o presidente da Autoridade Palestina Mahmoud Abbas dissolvesse o arranjo de governo de unidade com o Hamas e condenasse os ataques a Israel".[19]

Quanto ao Congresso, talvez seja suficiente juntar-se aos 80% da opinião pública que desaprova sua performance, embora a palavra "desaprova" seja por demais branda neste caso.[20] Em defesa de Obama, é preciso dizer que talvez ele não tenha ideia do que os israelenses estão fazendo em Gaza com as armas que ele generosamente lhes fornece. Afinal, Obama fia-se nas informações dos serviços de inteligência dos EUA, que podem estar ocupados demais interceptando telefonemas e coletando mensagens de e-mail de cidadãos que prestam muita atenção a esse tipo de coisa insignificante. Talvez seja útil, então, analisarmos o que todos nós devemos saber.

O objetivo de Israel é, há muito tempo, bastante simples: "calma por calma", um retorno à norma (embora possa exigir ainda mais agora). Qual era, então, a norma?

Para a Cisjordânia, a norma tem sido Israel prosseguir com a sua construção ilegal de assentamentos e de infraestrutura, de modo que possa anexar e integrar tudo o que tiver valor, ao passo que os palestinos recebem os cantões inviáveis e são submetidos a intensa repressão e violência. Nos últimos catorze anos, a norma tem sido Israel matar mais de duas crianças palestinas por semana. Um recente episódio de violência israelense teve início em 12 de junho de 2014, quando foram brutalmente assassinados três meninos israelenses de um assentamento ocupado na Cisjordânia. Um mês antes, dois meninos palestinos haviam sido mortos a tiros na cidade de Ramallah, na Cisjordânia. Isso despertou pouca atenção, o que é compreensível, já que é rotineiro. "O desprezo institucionalizado pela vida palestina no Ocidente ajuda a explicar não somente por que os palestinos recorrem à violência", segundo Mouin Rabbani, o respeitado analista do Oriente Médio, "mas também o mais recente ataque de Israel na Faixa de Gaza".[21]

A política da "calma por calma" também permitiu a Israel levar adiante seu programa de separação de Gaza da Cisjordânia. Esse programa tem sido adotado com vigoroso empenho, sempre com apoio dos Estados Unidos, desde que os EUA e Israel aceitaram os Acordos de Oslo, no qual declara que as duas regiões devem ser uma unidade territorial inseparável. Um exame do mapa explica a base lógica desse argumento. Gaza propicia o único acesso da Palestina ao mundo exterior, de modo que, tão logo os dois sejam separados, qualquer autonomia que Israel possa conceder aos palestinos os deixaria efetivamente aprisionados entre Estados hostis, Israel e Jordânia. O aprisionamento seria ainda mais severo à medida que Israel dá continuidade a seu sistemático programa de expulsão de palestinos do vale do Jordão e lá constrói assentamentos israelenses.

A norma em Gaza foi descrita em detalhes por Mads Gilbert, o heroico cirurgião de traumas norueguês que trabalhou no principal hospital de Gaza durante os mais grotescos crimes de Israel e voltou para presenciar o atual massacre. Em junho de 2014, imediatamente antes do início do violento ataque, Gilbert apresentou um relatório sobre o setor de saúde de Gaza à Agência das Nações Unidas de Assistência aos Refugiados da Palestina no Oriente Próximo (United Nations Relief and Works Agency for Palestine Refugees in the Near East – UNRWA, na sigla em inglês), a entidade que tenta, com orçamento apertado, cuidar dos refugiados.

"Pelo menos 57% das famílias de Gaza padecem de insegurança alimentar e cerca de 80% recebem ajuda humanitária", relatou Gilbert. "A insegurança alimentar e a pobreza crescente significam que a maior parte dos residentes não consome suas necessidades calóricas diárias, ao passo que 90% da água de Gaza foi considerada imprópria para consumo humano", uma situação que se tornou ainda pior quando Israel atacou mais uma vez os sistemas de abastecimento de água e de rede de esgoto, interrompendo de forma ainda mais drástica o acesso de cerca de 1 milhão de pessoas às necessidades mais básicas da vida.[22]

Gilbert relata também que "as crianças palestinas em Gaza estão sofrendo imensamente. Uma larga proporção é afetada pelo regime de desnutrição causado pelo bloqueio imposto pelos israelenses. A prevalência de anemia entre crianças menores de dois anos é de 72,8%, ao passo que o predomínio dos índices registrados de atrofia nutricional (déficit de peso), nanismo nutricional e subpeso foi documentado em 34,3%, 31,4% e 31,45%, respectivamente".[23] E tudo só piora, à medida que o relatório prossegue.

O ilustre advogado de direitos humanos Raji Sourani, que permaneceu em Gaza no decorrer dos anos de brutalidade e terror israelenses, relata que "a frase que eu ouço com mais frequência quando as pessoas começam a falar sobre cessar-fogo era: todos dizem que é melhor morrermos a voltarmos à situação em que vivíamos antes desta guerra. Não queremos isso de novo. Não temos dignidade, nenhum orgulho; somos apenas alvos fáceis e somos muito baratos. Ou esta situação realmente melhora ou é melhor morrer. Estou falando de intelectuais, acadêmicos, pessoas comuns: todo mundo diz a mesma coisa".[24]

Para Gaza, os planos para a norma foram explicados com franqueza por Dov Weisglass, um confidente de Ariel Sharon e a pessoa que negociou a retirada dos colonos israelenses de Gaza em 2005. Saudado como um gesto esplêndido em Israel e entre os acólitos, a retirada foi na realidade um "trauma nacional" meticulosamente encenado, ridicularizado por comentaristas israelenses bem informados, entre eles o mais importante sociólogo do país, o falecido Baruch Kimmerling. O que de fato aconteceu é que falcões de Israel, liderados por Sharon, perceberam que fazia todo sentido transferir os colonos ilegais de suas comunidades subsdiadas na devastada Gaza, onde eram mantidos a custos exorbitantes, para assentamentos subsidiados em outros territórios ocupados, que Israel pretende manter. Em vez de transferi-los, como teria sido bastante simples, era mais útil apresentar ao mundo imagens de criancinhas implorando aos soldados que não destruíssem suas casas, em meio a gritos de "Nunca mais de novo", com óbvias implicações. O que tornou a farsa ainda mais transparente foi o fato de que se tratou de uma reprodução do trauma encenado quando Israel teve de evacuar a parte egípcia da península do Sinai, em 1982. Mas cumpriu seu papel e surtiu bom efeito junto ao público-alvo em âmbito nacional e internacional.

Weisglass forneceu sua própria descrição da transferência dos colonos de Gaza para outros territórios ocupados: "O que eu acordei com os norte-americanos foi que [os principais blocos de assentamentos na Cisjordânia] não seriam objeto de negociação de nenhuma maneira, e que os restantes só seriam negociados quando os palestinos se tornassem finlandeses" – mas um tipo especial de finlandeses, que aceitariam submissamente o jugo de uma potência estrangeira. "A importância é o congelamento do processo político", continuou Weisglass. "E quando você congela esse processo, impede o estabelecimento de um Estado palestino e evita uma discussão sobre os refugiados, as fronteiras e Jerusalém. Todo esse pacote que é chamado de Estado palestino, com tudo o que isso acarreta, foi removido indefinidamente do nosso programa de ações prioritárias. E tudo isso com autoridade e permissão [do presidente Bush] e a ratificação de ambas as casas do Congresso".[25]

Weisglass explicou que os palestinos de Gaza continuariam sendo submetidos "a uma dieta, mas que não os faça morrer de fome" (o que não ajudaria em nada a declinante reputação de Israel).[26] Com sua vangloriosa eficiência técnica, os especialistas israelenses determinaram o número de calorias diárias de que os palestinos precisavam para sobreviver parcamente, enquanto os privavam de medicamentos e outros meios para uma vida decente. Forças militares israelenses confinaram os palestinos por terra, mar e ar, no que o primeiro-ministro britânico David Cameron descreveu como um campo de prisioneiros. Depois da retirada israelense, os palestinos tiveram o controle total de Gaza, consequetemente a força ocupante de acordo com o direito internacional. E, para cerrar ainda mais as muralhas da prisão, Israel excluiu os palestinos de uma vasta região ao longo da fronteira, incluindo um terço ou mais das escassas terras cultiváveis de Gaza. A justificativa era a segurança dos israelenses, o que poderia ter sido assegurado pela criação de uma zona de segurança no lado israelense da fronteira, ou pelo fim do selvagem cerco e de outras punições.

A história oficial é que depois que Israel, num gesto benevolente, cedeu Gaza aos palestinos na esperança de que construíssem um Estado próspero, os palestinos revelaram sua verdadeira natureza submetendo Israel a um ininterrupto ataque de foguetes e forçando a população cativa a se tornar mártir, para que Israel fosse retratado de modo desfavorável. A realidade é bastante diferente.

Algumas semanas depois que as tropas israelenses se retiraram, deixando a ocupação intacta, os palestinos cometeram um crime de grandes proporções. Em janeiro de 2006, votaram de forma errada numa eleição livre minuciosamente monitorada, entregando o controle de seu parlamento ao Hamas. Os meios de comunicação israelenses entoaram que o Hamas estava devotado à destruição do país. Na verdade, os líderes do Hamas já deixaram claro repetidas vezes que aceitariam uma solução de dois Estados, de acordo com o consenso internacional que há quarenta anos vem sendo bloqueado pelos Estados Unidos e por Israel. Em contraste, Israel dedica-se à destruição da Palestina, e à exceção de algumas ocasionais palavras sem sentido, está implementando essa meta.

Verdade seja dita, Israel aceitou o "mapa da estrada" para chegar à solução de dois Estados iniciada pelo presidente Bush e adotada pelo "quarteto" a quem caberia supervisioná-lo: os Estados Unidos, a UE, as Nações Unidas e a Rússia. Porém, tão logo aceitou formalmente o mapa, o primeiro-ministro Sharon acrescentou quatorze reservas que anularam o plano. Os fatos eram conhecidos pelos ativistas, mas só foram revelados ao público em geral pela primeira vez no livro de Jimmy Carter, *Palestina: paz, sim. Apartheid, não*.[27] Eles são mantidos em sigilo nos relatos da mídia e nos comentários dos analistas.

A plataforma (não revisada) de 1999 do partido no governo de Israel, o Likud de Benjamin Netanyahu, "rejeita categoricamente o estabelecimento de qualquer tipo de Estado árabe palestino a oeste do rio Jordão".[28] E para aqueles que têm obsessão por cartas e documentos sem sentido, o principal componente da coligação Likud, o partido Herut de Menachem Begin, ainda tem de abandonar sua doutrina fundante de que o território de ambos os lados do Jordão é parte da Terra de Israel.

O crime dos palestinos em janeiro de 2006 foi punido de imediato. Os Estados Unidos e Israel, com a Europa vergonhosamente seguindo logo atrás, impuseram duras sanções à população errante, e Israel recrudesceu sua violência. Em junho, quando os ataques se tornaram mais intensos, Israel já havia lançado mais de 7.700 bombas no norte de Gaza.[29]

Os Estados Unidos e Israel logo iniciaram planos para um golpe militar a fim de derrubar o governo eleito. Quando o Hamas teve a audácia de frustrar esses planos, os ataques e o cerco israelenses tornaram-se bem mais severos, justificados pela alegação de que o Hamas havia tomado à força a Faixa de Gaza.

Não deveria haver necessidade de examinar novamente o horrendo histórico desde então. O cerco implacável e os selvagens ataques são pontuados por episódios de "aparar a grama", para tomar emprestada a alegre expressão usada por Israel para definir os periódicos exercícios de investir contra alvos fáceis – o equivalente a tirar doce de criança –, no que os israelenses chamam de uma "guerra de defesa".

Assim que a grama é cortada e a população desesperada tenta reconstruir algo em meio à destruição e aos assassinatos, há um acordo de cessar-fogo. Essas interrupções das hostilidades são observadas com regularidade pelo Hamas, como Israel admite, até que os israelenses voltem a violar a trégua com renovada violência.

O mais recente cessar-fogo foi decretado após o ataque de Israel em outubro de 2012. Embora Israel tenha mantido um cerco devastador, o Hamas cumpriu o cessar-fogo, como as próprias autoridades israelenses reconhecem.[30] As coisas mudaram em junho, quando o Fatah e o Hamas formaram um acordo de unidade que instituiu um novo governo de tecnocratas que não tinha a participação do Hamas e havia aceitado todas as exigências do quarteto. Israel se mostrou naturalmente furioso, ainda mais quando até mesmo a administração Obama fez coro e sinalizou sua aprovação. O acordo de unidade não apenas minou a alegação de Israel de que não pode negociar com uma Palestina dividida como também ameaçou a meta israelense de longo prazo de separar Gaza da Cisjordânia e levar adiante suas políticas destrutivas em ambas as regiões.

Alguma coisa precisava ser feita, e uma oportunidade surgiu pouco depois, quando os três meninos israelenses foram assassinados na Cisjordânia. De imediato, o governo Netanyahu tinha sólidas provas de que eles estavam mortos, mas fingiu o contrário, o que propiciou a oportunidade de lançar uma ofensiva na Cisjordânia, tendo como alvo o Hamas, minando o temido governo de unidade e aumentando a repressão israelense.

Netanyahu alegou ter certas informações de que o Hamas havia sido o responsável. Era também uma mentira, reconhecida logo de início. Não houve o faz de conta de apresentar provas. Uma das principais autoridades de Israel em questões relativas ao Hamas, Shlomi Eldar, informou quase de imediato que os assassinos muito provavelmente faziam parte de um clã dissidente em Hebron, que, havia muito, era uma pedra no sapato do Hamas. Eldar acrescentou: "Estou certo de que eles não receberam nenhum sinal verde da liderança do Hamas, eles simplesmente julgaram que era o momento certo de agir".[31]

A ofensiva de dezoito dias teve sucesso em minar o temido governo de unidade e aumentar a repressão israelense. De acordo com fontes militares israelenses, soldados de Israel prenderam 419 palestinos, incluindo 335 afiliados ao Hamas, e mataram seis, revistando milhares de locais e confiscando 350 mil dólares.[32] Israel realizou também dezenas de ataques em Gaza, matando cinco membros do Hamas em 7 de julho.[33]

O Hamas finalmente reagiu disparando seus primeiros foguetes em dezenove meses, o que deu a Israel o pretexto para o início da Operação Margem Protetora, em 8 de julho.[34]

Houve uma ampla cobertura midiática acerca das façanhas do autoproclamado "Exército mais moral do mundo", que de acordo com o embaixador de Israel nos Estados Unidos deveria receber o prêmio Nobel da Paz. No final de julho, 1.500 palestinos já haviam sido assassinados, ultrapassando o número de mortos dos crimes da Operação Chumbo Fundido de 2008-2009. A maioria das vítimas – 70% delas – era de civis, incluindo centenas de mulheres e crianças.[35] Três civis israelenses também morreram.[36] Grandes porções de Gaza foram convertidas em escombros. Durante as breves pausas nos bombardeios, parentes desesperados procuravam corpos despedaçados ou objetos pessoais nas ruínas das casas. A principal central elétrica de Gaza foi atacada – não pela primeira vez; trata-se de uma especialidade israelense –, rapidamente reduzindo o já limitado abastecimento de eletricidade e, pior ainda, restringindo o mínimo suprimento de água limpa – outro crime de guerra. Nesse ínterim, equipes de resgate e ambulâncias eram repetidamente atacadas. Enquanto as atrocidades se avolumavam de uma ponta à outra em Gaza, Israel alegava que seu objetivo era destruir túneis na fronteira.

Quatro hospitais foram atacados, cada um deles configurando um crime de guerra. O primeiro foi o Hospital de Reabilitação Al--Wafa na Cidade de Gaza, atacado no dia em que tropas de terra israelenses invadiram a prisão. Algumas linhas no jornal *The New York Times*, parte de uma matéria sobre a invasão por terra, informou que "a maioria, mas não todos os 17 pacientes e 25 médicos foram evacuados antes que a eletricidade fosse cortada e pesados bombardeios quase destruíssem o edifício, disseram os médicos. 'Nós os evacuamos sob fogo cerrado', disse o dr. Ali Abu Ryala, um porta-voz do hospital. 'As enfermeiras e os médicos tiveram de carregar os pacientes nas costas, e alguns deles caíram na escadaria. Instalou-se no hospital um clima de pânico sem precedentes'".[37]

A seguir, três hospitais em funcionamento sofreram ataques, cujos pacientes e estafe clínico foram abandonados à própria sorte para sobreviver. Um crime israelense, porém, recebeu ampla condenação: o ataque à escola da ONU que estava servindo de abrigo para 3.300 aterrorizados refugiados que, por ordens do Exército israelense, tinham fugido dos escombros de seus bairros. Indignado, o comissário-geral da UNWRA, Pierre Krähenbühl, disse: "Condeno nos termos mais fortes possíveis essa grave violação do direito internaiconal por parte das forças israelenses [...] Hoje o mundo está em desgraça".[38] Houve pelo menos três investidas israelenses contra o abrigo de refugiados, lugar bem conhecido do Exército de Israel. "A localização exata da Escola Primária para Meninas Jabalia e o fato de que o prédio estava abrigando milhares de pessoas desalojadas foram comunicados ao Exército dezessete vezes, a fim de assegurar a proteção da escola", alegou Krähenbühl, "a última vez que a informação foi transmitida ocorreu às dez para as nove da noite, poucas horas antes do bombardeio fatal".[39]

O ataque também foi condenado "nos termos mais fortes possíveis" pelo normalmente reticente secretário-geral da ONU, Ban Ki-moon. "Nada é mais vergonhoso que atacar crianças dormindo", disse ele.[40] Não existem registros de que a embaixadora dos EUA nas Nações Unidas tenha "engasgado de emoção ao falar das crianças que morreram" no ataque israelenses à escola – ou no ataque a Gaza como um todo.

Mas a porta-voz da Casa Branca, Bernadette Meehan, reagiu. Ela declarou que "estamos extremamente preocupados com o fato de que milhares de palestinos desalojados que receberam ordens do Exército de Israel para deixar suas casas não estão seguros em abrigos definidos pela onu. Também condenamos os responsáveis por esconder armas em instalações das Nações Unidas em Gaza". Ela se esqueceu de mencionar que essas instalações estavam vazias e as armas foram encontradas pela unrwa, que já havia condenado aqueles que as escondiam.[41]

Mais tarde, o governo norte-americano fez coro às condenações ainda mais veementes contra esse crime específico – ao mesmo tempo em que liberava mais armas para Israel. Ao fazê-lo, porém, o porta-voz do Pentágono Steve Warren disse aos jornalistas: "Ficou claro que os israelenses precisam fazer mais para corresponder a seus altíssimos padrões [...] de proteção da vida dos civis" – os padrões que Israel vinha exibindo por anos a fio usando armas norte-americanas.[42]

Ataques a abrigos de refugiados são outra especialidade israelense. Um episódio famoso é o bombardeio a um abrigo em Qana identificado como instalação da onu, durante as assassinas operações da campanha Vinhas da Ira de Shimon Peres em 1996, que mataram 106 libaneses civis que para lá haviam ido em busca de proteção, incluindo 52 crianças.[43] Sem dúvida, Israel não está sozinho na prática. Vinte anos antes, seu aliado, a África do Sul, lançou um ataque aéreo no interior de Angola, tendo como alvo Cassinga, campo de refugiados administrado pela resistência namíbia Organização do Povo do Sudoeste Africano (South West Africa People's Organization – swapo, na sigla em inglês).[44]

As autoridades israelenses louvam o caráter humanitário de seu Exército, que chega ao ponto de informar aos moradores que suas casas serão bombardeadas. A prática é "sadismo, santimonialmente disfarçado de misericórdia", nas palavras da jornalista israelita Amira Haas: "Uma mensagem gravada exigindo que centenas de milhares de pessoas evacuem suas casas, já na alça de mira, para rumarem para outro lugar, igualmente perigoso, a 10 quilômetros de distância".[45] De fato, nenhum lugar na prisão está a salvo do sadismo israelense.

Alguns acham difícil tirar proveito da solicitude de Israel. Um apelo ao mundo feito pela Igreja Católica de Gaza citou um padre que explicou o infortúnio dos residentes da Casa de Cristo, instituição de caridade dedicada a cuidar de crianças deficientes. Eles foram desalojados da Igreja da Sagrada Família porque Israel havia transformado a área em alvo, mas pouco depois, escreveu ele, "a igreja de Gaza recebeu ordens de evacuar. Eles bombardearão a área de Zeitun e as pessoas já estão fugindo. O problema é que o padre George e três freiras de Madre Teresa estão com 29 crianças com necessidades especiais e nove senhoras que não conseguem andar. Como conseguirão deixar o local? Se alguém puder interceder junto a alguém em posição de poder, e orar, por favor, faça-o."[46]

Na verdade, não deveria ser difícil. Israel já havia fornecido as instruções ao Hospital de Reabilitação Al-Wafa. E, felizmente, pelo menos alguns Estados tentaram interceder, da melhor maneira que podiam. Em sinal de protesto, cinco países latino-americanos – Brasil, Chile, Equador, El Salvador e Peru – retiraram seus embaixadores de Israel, seguindo o exemplo de Bolívia e Venezuela, que já haviam rompido relações em reação a crimes anteriormente cometidos pelos israelenses.[47] Esses atos foram outro sinal da extraordinária mudança nas relações mundiais à medida que uma boa parte das nações da América Latina começa a se livrar da dominação ocidental, por vezes fornecendo um modelo de comportamento civilizado para as potências que durante quinhentos anos as controlaram.

As hediondas revelações provocaram uma reação diferente do Presidente Mais Virtuoso do Mundo, a de sempre: grande aprovação, simpatia e solidariedade para com os israelenses, severa condenação do Hamas e pedidos por moderação em ambos os lados. Em sua coletiva de imprensa de agosto, o presidente Obama expressou preocupação pelos palestinos "apanhados no fogo cruzado" (onde?), e mais uma vez apoiou vigorosamente o direito de Israel de se defender, como todo mundo. Nem todo mundo – os palestinos não, é claro. Eles não têm direito nenhum de se defender, não quando Israel está demonstrando bom comportamento, mantendo a norma da "calma por calma": roubando sua terra, expulsando-os de suas casas, submetendo-os a um cerco selvagem, e atacando-os com armas providenciadas por seu protetor.

Os palestinos são como os africanos negros – os refugiados namíbios nos acampamentos de Cassinga, por exemplo –, todos eles terroristas, para quem não cabe o direito de defesa.

Uma trégua humanitária de 72 horas deveria ter entrado em vigor às oito da manhã de 1º de agosto. A suspensão das hostilidades foi rompida quase de imediato. De acordo com um comunicado à imprensa do Centro para Direitos Humanos Al Mezan em Gaza, que tem uma sólida reputação de confiabilidade, um de seus trabalhadores de campo em Rafah, na fronteira com o Egito ao sul, ouviu disparos de artilharia por volta de 8h05. Por volta de 9h30, depois de relatos de que um soldado israelense havia sido capturado, teve início um intenso bombardeio aéreo e fogo de artilharia contra Rafah, matando provavelmente dezenas de pessoas e ferindo centenas que haviam voltado às suas casas assim que o cessar-fogo passou a vigorar, embora os números jamais tenham sido verificados.

Na véspera, em 31 de julho, o Serviço de Abastecimento de Água das Municipalidades Costeiras, o único fornecedor de água na faixa de Gaza, anunciou que já não tinha condições de prover água à região e de providenciar serviços sanitários por causa da falta de combustível e dos frequentes ataques a seus funcionários. O Centro para Direitos Humanos Al Mezan informou que naquele momento "quase todos os serviços essenciais de saúde [haviam sido] interrompidos na Faixa de Gaza devido à falta de água, coleta de lixo e serviços de saúde ambiental. A UNRWA também alertou para o risco iminente de disseminação de doenças em função da interrupção de fornecimento de água e serviços sanitários".[48] Enquanto isso, às vésperas do cessar-fogo, mísseis israelenses disparados de aeronaves continuaram matando e ferindo vítimas em toda a região.

Quando o mais recente e ainda em curso episódio de sadismo chegar ao fim, seja quando for, Israel espera ver-se livre para levar adiante, sem interrupções, suas criminosas políticas nos Territórios Ocupados. Os palestinos em Gaza estarão livres para voltar à norma em sua prisão gerenciada pelos israelenses, enquanto na Cisjordânia assistem pacificamente ao desmantelamento do que ainda resta de suas posses.

Esse é o resultado provável se os Estados Unidos mantiverem seu decisivo e praticamente unilateral apoio aos crimes israelenses e a sua postura de rejeição do longevo consenso internacional em nome de um acordo diplomático. Mas o futuro seria bastante diferente caso os Estados Unidos retirassem seu apoio. Nesse caso, seria possível caminhar na direção da "solução duradoura" em Gaza pedida pelo secretário de Estado John Kerry, suscitando críticas histéricas em Israel, porque a expressão poderia ser interpretada como a exigência do fim do cerco israelense, dos ataques regularmente empreendidos por Israel, e – horror dos horrores – a expressão poderia até mesmo ser interpretada como um pedido para a implementação das normas do direito internacional no restante dos Territórios Ocupados.

Não que a segurança de Israel fosse ameaçada pela adesão à leis internacionais; provavelmente a segurança aumentaria. No entanto, conforme explicou o general (depois presidente) israelense Ezer Weizman quarenta anos atrás, Israel não poderia "existir de acordo com a escala, o espírito e a qualidade que o país agora personifica".[49]

Há casos similares na história recente. Generais indonésios juraram que jamais abandonariam o que o ministro das Relações Exteriores australiano Gareth Evans chamou de "a província indonésia do Timor Leste", ao mesmo tempo em que fazia um acordo para roubar o petróleo timorense. Enquanto os generais contaram com o apoio norte-americano, no decorrer de décadas de massacre praticamente suicida, seus objetivos foram realistas. Por fim, em setembro de 1999, sob considerável pressão interna e internacional, o presidente Clinton informou que o jogo havia chegado ao fim, e eles se retiraram do Timor Leste, ao passo que Evans voltou-se para uma nova carreira como o incensado apóstolo da "responsabilidade de proteger" – em uma versão elaborada para permitir ao Ocidente que recorra à violência a seu bel-prazer.[50]

Outro caso relevante é o da África do Sul. Em 1958, o ministro das Relações Exteriores sul-africano informou ao embaixador dos Estados Unidos que, embora seu país estivesse se tornando um

Estado pária, isolado internacionalmente, isso não importava, contanto que Washington continuasse dando seu apoio. Essa avaliação mostrou-se acertada; trinta anos depois, Ronald Reagan era o último bastião significativo de apoio ao apartheid, que ainda se mantinha de pé. Poucos anos depois, Washington fez coro ao mundo e o regime desmoronou – não somente por essa única razão; um fator decisivo foi o extraordinário papel de Cuba na libertação da África, em geral ignorado no Ocidente, mas não na África.[51]

Há quarenta anos, Israel tomou a fatídica decisão de escolher a expansão em vez de optar pela segurança, rejeitando um tratado de paz total oferecido pelo Egito em troca da evacuação do Sinai egípcio ocupado, onde Israel iniciava um extenso projeto de assentamento e empreendimentos imobiliários. Israel dedica-se a essa política desde então, fazendo a mesma avaliação que a África do Sul fez em 1958.

No caso de Israel, se os Estados Unidos decidissem juntar-se ao mundo, o impacto seria bem maior. As relações de poder não permitem outra coisa além disso, como tem sido demonstrado toda vez que Washington exigiu que Israel abandonasse seus estimados objetivos. A essa altura, Israel conta com poucos recursos, tendo adotado políticas que o converteram de nação admirada em um país temido e desprezado, rumo que continua a seguir com cega determinação em sua resoluta marcha na direção da deterioração moral e possível derradeira destruição.

A política norte-americana poderia mudar? Não é impossível. A opinião pública sofreu consideráveis alterações em anos recentes, em especial entre os jovens, e isso não pode ser completamente ignorado. Já há alguns anos, existe uma boa base para demandas públicas no sentido de que Washington respeite as suas próprias leis e corte a ajuda militar a Israel. A lei norte-americana estipula que "nenhuma assistência de segurança deve ser fornecida a qualquer país cujo governo esteja envolvido em um padrão consistente de graves e amplas violações dos direitos humanos internacionalmente reconhecidos". Seguramente Israel é culpada desse padrão consistente. Essa é a razão pela qual a Anistia Internacional, durante a vigência da Operação Chumbo Fundido em Gaza, exigiu um embargo de armas contra

Israel e o Hamas.[52] O senador Patrick Leahy, autor dessa cláusula da lei, aventou a sua potencial aplicabilidade em casos específicos e, com um bem conduzido esforço educacional, organizacional e ativista, esse tipo de iniciativa poderia ser levado a cabo com êxito.[53] Isso por si só poderia ter um impacto bastante significativo, ao mesmo tempo em que propicia um ponto de partida e um trampolim para ações adicionais não somente para punir Israel por seu comportamento criminoso, mas também para instigar Washington a tornar-se parte da "comunidade internacional" e respeitar o direito internacional e princípios morais decentes.

Nada poderia ser mais importante para as trágicas vítimas palestinas de muitos anos de violência e repressão.

CAPÍTULO 15

Quantos minutos faltam para a meia-noite?

Se alguma espécie extraterrestre estivesse compilando uma história do *Homo sapiens*, poderia muito bem dividir o seu calendário em duas eras: AAN (antes das armas nucleares) e EAN (era das armas nucleares). Esta última, claro, teve início em 6 de agosto de 1945, o primeiro dia na contagem regressiva para o que pode ser o inglório fim desta estranha espécie que teve inteligência para descobrir os meios efetivos de destruir a si mesma, mas – assim mostram as evidências – não capacidade moral e intelectual de controlar seus piores instintos.

O primeiro dia da EAN foi marcado pelo "sucesso" de Little Boy [Menininho], uma bomba atômica simples. No quarto dia, Nagasaki sofreu os efeitos do triunfo tecnológico do Fat Man [Homem gordo], um design mais sofisticado. Cinco dias depois ocorreu o que a história oficial da Força Aérea chama de *grand finale*, um raide de mil aviões – uma realização logística de maneira alguma mesquinha – sobre as cidades japonesas, matando muitos milhares de pessoas, quando panfletos caíram em meio às bombas com os dizeres "o Japão se rendeu". O presidente Truman anunciou essa rendição antes que o último B-29 retornasse à base.[1]

Esses foram os auspiciosos dias inaugurais da EAN. Agora que entramos no ano 70 dessa era, deveríamos contemplar com espanto o fato de que tenhamos sobrevivido. Podemos apenas arriscar um palpite de quantos anos ainda nos restam.

Algumas reflexões sobre essas nefastas perspectivas foram feitas pelo general Lee Butler, ex-chefe do Comando Estratégico dos Estados Unidos (United States Strategic Command – STRATCOM, na sigla em inglês), que controla armas nucleares e estratégia. Vinte anos atrás, Butler escreveu que tínhamos sobrevivido até então em plena EAN "por uma combinação de competência, sorte e intervenção divina, e desconfio que esta última na maior proporção".[2] Refletindo ainda mais acerca de sua longa carreira do desenvolvimento de estratégias de armas nucleares e organização das forças para implementá-las de forma eficiente, Butler descreveu a si mesmo, em tom pesaroso, como alguém que estava "entre os mais ávidos defensores da fé nas armas nucleares". Porém, continuou ele, acabou por compreender que agora era sua "obrigação declarar com toda a convicção de que elas nos serviram extremamente mal". E Butler perguntou: "Com que autoridade as gerações sucessivas de líderes dos Estados detentores de armas nucleares usurparão o poder para ditar as probabilidades de que a vida continue em nosso planeta? E, de modo mais urgente, por que essa impressionante audácia persiste num momento em que deveríamos tremer em face da nossa loucura e nos unir em nosso compromisso de abolir suas manifestações mais mortíferas?".[3]

Butler chamou o plano estratégico dos EUA de 1960, que recomendava um ataque automatizado ao mundo comunista, de "o documento mais absurdo e irresponsável que eu jamais analisei em minha vida".[4] O análogo soviético provavelmente era ainda mais insano. Mas é importante ter em mente que há competidores pelo primado de maior irresponsabilidade, e o não menos relevante entre eles é a aceitação fácil de extraordinárias ameaças à sobrevivência.

Sobrevivência nos primeiros anos da Guerra Fria

De acordo com a doutrina dominante admitida nos meios universitários, na produção acadêmica e no discurso intelectual em geral, o objetivo essencial da política de Estado é a "segurança nacional".

Existem amplas evidências, porém, de que a doutrina da segurança nacional não abrange a segurança da população. Os registros históricos revelam, por exemplo, que a ameaça de uma hecatombe instantânea por armas nucleares não figurava entre as maiores preocupações de estrategistas. Isso foi demonstrado desde o início e continua sendo verdadeiro até o presente momento.

Nos primeiros dias da EAN, os Estados Unidos eram esmagadoramente poderosos e desfrutavam um excepcional nível de segurança: os EUA controlavam o hemisfério, os oceanos Atlântico e Pacífico e os lados opostos desses oceanos. Muito antes da Segunda Guerra Mundial, os EUA já tinham se tornado o país mais rico do mundo, com vantagens incomparáveis. Durante a guerra, a economia norte-americana explodiu num surto de prosperidade, ao passo que outras sociedades industriais foram devastadas ou severamente enfraquecidas. Com o advento da nova era, os EUA possuíam metade do total da riqueza mundial e eram donos de uma porcentagem maior ainda da capacidade industrial do mundo.

Havia, no entanto, uma potencial ameaça: mísseis balísticos intercontinentais com ogivas nucleares. Essa ameaça foi discutida no estudo padrão para políticas nucleares a que fontes de alto nível tinham acesso: *Danger and survival: Choices about the bomb in the first fifty years* (Perigo e sobrevivência: Escolhas a respeito da bomba nos primeiros cinquenta anos, em tradução livre), de McGeorge Bundy, consultor de segurança nacional durante as administrações Kennedy e Johnson.[5]

Bundy escreveu que "o desenvolvimento em tempo hábil dos mísseis balísticos durante o governo Eisenhower é uma das maiores realizações daqueles oito anos. Ainda assim, é válido começar com o reconhecimento de que tanto os Estados Unidos quanto a União Soviética talvez corressem um perigo nuclear muito menor hoje se [esses] mísseis jamais tivessem sido desenvolvidos". A seguir, Bundy acrescentou um comentário instrutivo: "Não tenho consciência de nenhuma proposta contemporânea séria, dentro ou fora de um ou de outro governo, no sentido de que os mísseis balísticos deveriam de alguma maneira ser banidos por acordo mútuo".[6] Em suma, aparentemente não se considerava tentar prevenir a única ameaça séria aos Estados Unidos, a ameaça de completa destruição numa guerra nuclear contra a União Soviética.

Poderia essa ameaça estar fora de questão? Não podemos, é claro, ter certeza, mas ela estava longe de ser inconcebível. Os russos, muito atrás em desenvolvimento industrial e sofisticação tecnológica, estavam em um ambiente bem mais ameaçador. Portanto, eram mais vulneráveis a esses sistemas de armas do que os Estados Unidos. Talvez tenha havido circunstâncias de explorar as possibilidades de desarmamento, mas, na extraordinária histeria do período, isso dificilmente teria sido percebido. E essa histeria era de fato extraordinária; um exame da retórica dos documentos centrais oficiais daquele momento, como o Memorando NSC-68 do Conselho de Segurança Nacional, continua sendo bastante chocante.

Uma indicação de possíveis oportunidades para debilitar a ameaça foi uma memorável proposta feita pelo soberano soviético Joseph Stálin em 1952, oferecendo-se para permitir que a Alemanha fosse unificada, com eleições livres, sob a condição de que depois o país não se juntasse a uma aliança militar hostil. Essa condição estava longe de ser extrema, à luz da história dos últimos cinquenta anos, durante os quais a Alemanha sozinha tinha praticamente destruído a Rússia duas vezes, cobrando um terrível preço.

A proposta de Stálin foi levada a sério pelo respeitado analista político James Warburg, mas de resto ignorada ou ridicularizada na época. Estudos acadêmicos recentes começaram a encarar a questão por um viés diferente. O estudioso Adam Ulam, especialista em União Soviética e ferrenhamente anticomunista, considerou o status da proposta de Stálin um "mistério não esclarecido". Washington "dedicou pouco esforço para rejeitar a iniciativa de Moscou", escreveu ele, sob a alegação de que "era embaraçosamente dúbia e pouco convincente". O fracasso político, intelectual e acadêmico geral deixou em aberto a "questão fundamental", acrescentou Ulam: "Stálin estava disposto a sacrificar a recém-criada República Democrática Alemã (RDA) no altar da democracia real", com consequências para a paz mundial e para a segurança norte-americana que poderiam ter sido enormes?[7]

Ao analisar pesquisas recentes nos arquivos soviéticos, um dos mais respeitados acadêmicos da Guerra Fria, Melvyn Leffler, observou que muitos estudiosos e especialistas se surpreenderam ao descobrir que "[Lavrenti] Beria – o sinistro e brutal comandante da polícia secreta [russa] – propôs que o Kremlin oferecesse ao Ocidente um acordo para a unificação e neutralização da Alemanha", concordando em "sacrificar o regime comunista da Alemanha Oriental a fim de reduzir as tensões entre Oriente e Ocidente" e melhorar as condições políticas e econômicas internas na Rússia – oportunidades que foram desperdiçadas em favor de assegurar a presença da Alemanha na OTAN.[8]

Sob essas circunstâncias, não é impossível que tenha havido a oportunidade de chegar a acordos que teriam preservado e protegido a segurança da população norte-americana das ameaças mais graves que pairavam no horizonte. Mas essa possibilidade aparentemente não foi levada em consideração, uma impressionante indicação do quanto é frouxo e pouco influente na política de Estado o papel desempenhado pela segurança nacional autêntica.

A crise dos mísseis cubanos

Essa conclusão foi enfatizada repetidas vezes nos anos seguintes. Quando Nikita Khruschev assumiu o controle da Rússia depois da morte de Stálin, ele reconheceu que a URSS não tinha condições de competir militarmente com os Estados Unidos, o país mais rico e poderoso na história, com vantagens incomparáveis. Se os soviéticos tinham a esperança de escapar do colapso econômico do país e dos devastadores efeitos da última guerra mundial, precisariam inverter a corrida armamentista.

Nesse sentido, Khruschev propôs um astuto e bem definido acordo de mútuas reduções nos armamentos ofensivos. A recém-empossada administração Kennedy ponderou sobre a oferta e a rejeitou, adotando, ao contrário, a postura de rápida expansão militar, embora os EUA já estivessem bastante à frente. O falecido Kenneth Waltz, respaldado por outra análise estratégica com estreitas conexões com a inteligência dos EUA, escreveu que a administração Kennedy "acumulou o maior arsenal e empreendeu a maior intensificação de forças militares estratégicas e convencionais em tempo de paz que o mundo já viu [...], embora Khruschev estivesse ao mesmo tempo tentando levar a cabo uma redução de grandes proporções nas forças convencionais e seguir uma estratégia de deterrência mínima, e nós fizemos isso a despeito do fato de o equilíbrio das armas estratégicas favorecer os Estados Unidos". Mais uma vez, o Estado optou por prejudicar a segurança nacional enquanto fortalecia o poder estatal.

A reação soviética à intensificação armamentista dos EUA naqueles anos foi posicionar mísseis em Cuba em outubro de 1962, a fim de tentar restabelecer o equilíbrio, ao menos um pouco. A manobra também foi motivada em parte pela campanha terrorista de Kennedy contra a Cuba de Fidel Castro, que levaria a uma invasão da ilha naquele mesmo mês, como Cuba e a Rússia devem ter ficado sabendo. A "crise dos mísseis" que se seguiu foi "o momento mais perigoso na história", nas palavras do historiador Arthur M. Schlesinger Jr., conselheiro e confidente de Kennedy. Não é de pouca importância o fato de que Kennedy seja enaltecido por sua coragem tranquila e suas qualidades de estadista na tomada de decisões no auge da crise, embora tenha colocado desnecessariamente a população em enorme risco por razões de Estado e imagem pessoal.

Dez anos depois, nos últimos dias da Guerra Árabe-Israelense de 1973, Henry Kissinger, então assessor de segurança nacional do presidente Nixon, colocou o país em alerta nuclear. O propósito era advertir os russos para que não interferissem nessas delicadas manobras diplomáticas cujo intuito era assegurar uma vitória israelense (de alcance limitado, de modo que os Estados Unidos ainda mantivessem o controle unilateral da região). E as manobras eram de fato delicadas: em conjunto, os EUA e a Rússia tinham imposto um cessar-fogo, mas Kissinger informou secretamente aos israelenses que eles poderiam ignorar a suspensão das hostilidades. Daí a necessidade de que o alerta nuclear afugentasse os russos. A segurança dos norte-americanos manteve seu status padrão.[9]

Dez anos depois disso, a administração Reagan lançou operações para sondar as forças aéreas soviéticas por meio da simulação de ataques aéreos e navais e de um alerta nuclear de alto nível, concebido para ser detectado pelos russos. Essas ações foram levadas a cabo num momento bastante tenso: Washington estava acionando e posicionando mísseis estratégicos Pershing II na Europa, a cinco minutos de tempo de voo de Moscou. O presidente Reagan também tinha anunciado a Iniciativa de Defesa Estratégica (o programa "Star Wars"), que os russos julgaram ser uma arma de primeiro ataque, interpretação padrão de defesa por mísseis de todos os lados. E outras tensões vinham se avolumando.

Naturalmente, essas ações causaram grande apreensão na Rússia, que ao contrário do EUA era bastante vulnerável e havia sido repetidamente invadida e praticamente destruída. Isso levou a um considerável temor de guerra em 1983. Arquivos recentemente divulgados revelam que o perigo era ainda mais grave do que supunham os historiadores. Um estudo confidencial de alto escalão da CIA intitulado "O temor da guerra era real" concluiu que a inteligência dos EUA talvez tenha subestimado as preocupações com a Rússia e a ameaça de um ataque nuclear preventivo soviético. Os exercícios "quase se tornaram um prelúdio para uma investida nuclear preventiva", de acordo com um trecho do *Journal of Strategic Studies*.[10]

Era ainda mais perigoso que isso, conforme ficamos sabendo no outono de 2013, quando a BBC informou que, em meio a essa marcha de acontecimentos que ameaçavam a existência do planeta, os sistemas russos de alarme e de alerta antecipado detectaram um ataque de mísseis oriundo dos Estados Unidos, o que colocou em prontidão de nível máximo seu sistema nuclear. O protocolo das Forças Armadas soviéticas era retaliar lançando seu próprio ataque nuclear. Felizmente, o oficial no comando, Stanislav Petrov, decidiu desobedecer às ordens e não comunicar os alertas aos seus superiores. Ele recebeu uma reprimenda oficial. E graças a essa negligente falta de cumprimento do dever, ainda estamos vivos para falar a respeito.[11]

A segurança da população não era alta prioridade para os estrategistas da administração Reagan, assim como não era o mais importante para os governos predecessores. Essa situação continua até o momento presente, mesmo deixando de lado os inúmeros e quase catastróficos acidentes nucleares que ocorreram ao longo dos anos, muitos deles analisados no amedrontador estudo de Eric Schlosser, *Command and control* (Comando e controle, em tradução livre).[12] Em outras palavras, é difícil contestar as conclusões do general Butler.

Sobrevivência na era pós-Guerra Fria

Os registros históricos das ações e doutrinas pós-Guerra Fria estão longe de ser tranquilizadores. Todo presidente que se preze tem de ter uma doutrina. A doutrina Clinton foi resumida no lema "multilateral quando pudermos, unilateral quando tivermos de ser". Em depoimento ao Congresso, a expressão "quando tivermos de ser" foi explicada de modo mais completo: os Estados Unidos têm o direito de recorrer ao "uso unilateral do poderio militar" a fim de assegurar "acesso irrestrito a mercados vitais, reservas energéticas e recursos estratégicos".[13]

Enquanto isso, o STRATCOM na era Clinton produziu um importante estudo, intitulado "Princípios fundamentais da deterrência no pós-Guerra Fria", divulgado bem depois de a União Soviética ter desmoronado e quando Clinton estava ampliando o programa de George H. W. Bush de expansão da OTAN leste adentro, numa violação às promessas verbais feitas ao premiê soviético Mikhail Gorbachev – com reverberações que chegam ao momento presente.[14] O referido estudo mostrava preocupação com "o papel das armas nucleares na era pós-Guerra Fria". Uma conclusão central: os Estados Unidos devem manter o direito de lançar um primeiro ataque, mesmo contra Estados não nucleares. Além disso, os armamentos nucleares devem estar sempre prontos porque "projetam uma sombra sobre qualquer crise ou conflito". Ou seja, as armas nucleares estavam sendo usadas com constância, exatamente como alguém que rouba uma loja apontando uma arma de fogo mas sem dispará-la (ponto que Daniel Ellsberg repetidamente enfatizou). O STRATCOM ia adiante para advertir que "os estrategistas não deveriam ser racionais demais quanto a determinar [...] qual é o adversário mais importante". Tudo e todos deveriam ser convertidos em alvos. "Dói retratarmos a nós mesmos como racionais e de cabeça fria [...] O fato de que os EUA podem se tornar irracionais e vingativos caso seus interesses vitais sejam atacados deveria ser uma parte da *persona* nacional que projetamos". É "benéfico [para a nossa postura estratégica] que alguns elementos possam parecer potencialmente 'fora de controle'", representando assim uma constante ameaça de ataque nuclear – uma grave violação da Carta da ONU, se é que alguém se importa com isso.

Não há muito aqui acerca dos nobres objetivos proclamados – ou, nesse particular, a obrigação sob o NPT de empreender esforços "de boa-fé" no sentido de eliminar esse flagelo da terra. O que ressoa, ao contrário, é uma adaptação do famoso dístico de Hilaire Belloc sobre a metralhadora Maxim (para citar o formidável historiador africano Chinweizu):

> *Aconteça o que acontecer, temos na mão*
> *A Bomba Atômica, eles não.*

Depois de Clinton veio, é claro, George W. Bush, cujo amplo endosso à guerra preventiva abarca o ataque japonês a bases militares em duas possessões norte-americanas de ultramar em dezembro de 1941, num momento em que os militaristas japoneses tinham plena consciência de que as Fortalezas Voadoras B-17 estavam sendo produzidas a toque de caixa nas linhas de montagem e deslocadas com toda a pressa possível para aquelas bases com o intuito de "incinerar o coração industrial do Império com ataques de bombas incendiárias nos abundantes bambuzais de Honshu e Kyushu". Assim foram descritos os planos pré-guerra por seu próprio arquiteto, o general da Força Aérea Claire Chennault, com a entusiástica aprovação do presidente Franklin Roosevelt, do secretário de Estado Cordell Hull e do chefe do Estado-Maior George Marshall.[15]

A seguir veio Barack Obama, com palavras agradáveis e simpáticas sobre trabalhar para a abolição das armas nucleares – combinadas a planos de gastar 1 trilhão de dólares no arsenal nuclear dos EUA no decorrer dos próximos trinta anos, um percentual do orçamento militar "comparável aos gastos para a aquisição de novos sistemas estratégicos na década de 1980 sob o governo do presidente Ronald Reagan", de acordo com um estudo do Centro James Martin para os Estudos de Não Proliferação do Instituto Middlebury de Estudos Internacionais em Monterrey.[16]

Obama também não hesitou em brincar com fogo em nome da obtenção de ganhos políticos. Vejam-se por exemplo a captura e o assassinato de Osama bin Laden, numa ação de soldados SEALS – unidade de forças especiais da Marinha dos EUA. Obama mencionou com orgulho esse fato num importante discurso sobre segurança nacional, em maio de 2013. O discurso recebeu ampla cobertura, mas um parágrafo crucial foi ignorado.[17]

Obama enalteceu a operação, mas acrescentou que ela não poderia ser a norma. A razão, disse ele, era que os riscos "eram imensos". "Os SEALs poderiam "ter se enredado em um extenso tiroteio". Ainda que, por sorte, isso não tenha acontecido, "o custo para a nossa relação com o Paquistão e a reação adversa entre a opinião pública paquistanesa por causa da invasão a seu território foi [...] severa".

Acrescentemos alguns detalhes. Os SEALs receberam ordens de lutar para tentar escapar caso fossem capturados. Não teriam sido abandonados à própria sorte caso "se enredassem em um extenso tiroteio"; todo o poderio das Forças Armadas dos EUA teria sido usado para resgatá-los. O Paquistão tem um Exército poderoso e bem treinado, protetor de sua soberania de Estado. Dispõe também de armas nucleares, e os especialistas paquistaneses preocupam-se com a possível infiltração de elementos jihadistas em seu sistema de segurança nuclear. Também não é segredo nenhum que a população tem ficado cada vez mais amargurada e exasperada com a campanha de terror com *drones* empreendida por Washington e por outras políticas dos EUA, sentimento que vem levando à radicalização dos paquistaneses.

Enquanto os SEALs ainda estavam no complexo residencial de Bin Laden, o chefe do Estado-Maior paquistanês Ashfaq Parvez Kayani foi informado da ação e deu ordens aos militares para que "combatessem qualquer aeronave sem identificação", que, supunha ele, seria de origem indiana. Enquanto isso, em Cabul, o comandante em chefe, general David Petraeus, ordenou que "aviões de guerra respondessem" caso os paquistaneses "decolassem às pressas seus caças de ataque".[18]

Como disse Obama, por sorte o pior não ocorreu, embora as coisas pudessem ter sido bem feias. Mas os riscos foram enfrentados sem nenhuma preocupação perceptível. Tampouco houve qualquer comentário subsequente.

Como observou o general Butler, é quase um milagre que até aqui tenhamos escapado da destruição total, e quanto mais desafiarmos o destino, menos provável é que possamos ter a esperança de que uma intervenção divina perpetue o milagre.

CAPÍTULO 16

Acordos de cessar-fogo em que as violações nunca cessam

Em 26 de agosto de 2014, Israel e a Autoridade Palestina aceitaram um acordo de cessar-fogo depois de um ataque israelense de cinquenta dias em Gaza, que resultou em 2.100 palestinos mortos e um rastro de vasta paisagem de destruição. Os termos do acordo previam o fim das ações militares de Israel e do Hamas, bem como um abrandamento do cerco israelense que durante muitos anos havia estrangulado Gaza.

Foi, no entanto, apenas o mais recente numa série de acordos de cessar-fogo acertados após cada uma das periódicas intensificações dos ataques de Israel em suas ininterruptas agressões a Gaza. Ao longo desse período, os termos desses contratos permaneceram na essência os mesmos. O padrão regular tem sido Israel desrespeitar todo e qualquer acordo em vigor enquanto o Hamas somente observa, até que um abrupto agravamento da violência por parte de Israel suscita uma resposta do Hamas, que é seguida por uma brutalidade israelense ainda mais feroz. Essas escaladas de violência são muitas vezes chamadas de "aparar a grama" no jargão israelense, embora a mais recente operação de Israel em 2014 tenha sido descrita com maior exatidão por um aterrorizado oficial veterano dos EUA como a "remoção da camada superficial do solo".

A primeira dessa série de tréguas foi o Acordo sobre Movimentação e Acesso, firmado entre Israel e a Autoridade Palestina em novembro de 2005, segundo o qual haveria a abertura de uma passagem entre Gaza e o Egito em Rafah para a exportação de bens e o trânsito de pessoas, a contínua operação de travessias entre Israel e Gaza para a importação-exportação de mercadorias e o trânsito de pessoas, a redução de obstáculos à livre circulação dentro da Cisjordânia, comboios de ônibus e caminhões entre a Cisjordânia e Gaza, a construção de um porto em Gaza e a reabertura do aeroporto de Gaza, que havia sido demolido por um bombardeio israelense.

Chegou-se a esse entendimento pouco depois de Israel retirar de Gaza seus colonos e forças militares. O motivo desse acordo de separação foi explicado com contagiante cinismo por Dov Weisglass, um confidente do então primeiro-ministro Ariel Sharon que estava encarregado da negociação e implementação do rompimento. Resumindo o propósito da operação, "a separação é a bem da verdade formol. Fornece toda a quantidade de formol necessária de modo que não haja processo político com os palestinos".[1]

Em segundo plano, os falcões israelenses reconheceram que em vez de investir substanciais recursos na manutenção de alguns poucos milhares de colonos nas comunidades ilegais subsidiadas na devastada Gaza, fazia mais sentido transferi-los para comunidades ilegais subsidiadas em áreas da Cisjordânia que Israel pretendia manter.

O cessar-fogo e a separação foram retratados como um nobre esforço para alcançar a paz, mas a realidade era bem diferente. Israel jamais renunciou ao controle de Gaza e é, convenientemente, reconhecida como a força ocupante pelas Nações Unidas, pelos Estados Unidos e outros Estados (além de Israel, é claro). Em sua abrangente história da ocupação nos Territórios Ocupados, os acadêmicos israelenses Idith Zertal e Akiva Eldar descrevem o que de fato aconteceu quando esse país "se separou": o arruinado território não se viu livre "por um único dia do domínio militar de Israel, tampouco do preço da ocupação que os habitantes pagam todo dia". Após a separação, "Israel deixou para trás uma terra arrasada, serviços devastados e pessoas sem presente nem futuro. Os assentamentos foram destruídos em uma manobra mesquinha por parte do ocupante, que continua a controlar o território e matar e acossar seus habitantes por meio de seu colossal poderio militar".[2]

Operações Chumbo Fundido e Pilar de Defesa

Israel logo arranjou um pretexto para violar mais severamente o Acordo de Novembro. Em janeiro de 2006, os palestinos cometeram um crime grave. Votaram "de forma errada" em eleições livres muito bem monitoradas, colocando o controle do parlamento nas mãos do Hamas. Israel e os Estados Unidos impuseram de imediato pesadas sanções, dizendo ao mundo qual era sua ideia de "promoção da democracia", e logo começaram a planejar um golpe militar para derrubar o inaceitável governo eleito, um procedimento habitual. Quando o Hamas antecipou-se ao golpe em 2007, o cerco de Gaza ficou mais intenso, e Israel deu início a ataques militares regulares. Votar da forma errada numa eleição livre era bastante ruim, mas prever um golpe militar planejado pelos EUA mostrou-se uma infração imperdoável.

Um novo acordo de cessar-fogo foi firmado em junho de 2008, mais uma vez prevendo a abertura das fronteiras de modo a "permitir a transferência de todos os bens que foram banidos e cuja entrada em Gaza havia sido restringida". Israel concordou formalmente, mas de imediato anunciou que só obedeceria ao acordo quando o Hamas soltasse Gilad Shalit, um soldado israelense mantido em cativeiro.

Israel tem uma longa história de sequestrar civis no Líbano e em alto-mar e mantê-los presos por prolongados períodos, sem acusações plausíveis, às vezes como reféns. Aprisionar civis com base em acusações duvidosas, ou sem acusação nenhuma, também é prática regular nos territórios controlados por Israel.

Israel não apenas manteve o cerco, em violação ao acordo de cessar-fogo de 2008, mas o fez com extremo rigor, inclusive impedindo a Agência das Nações Unidas de Assistência aos Refugiados da Palestina no Oriente Próximo, UNRWA, que cuida do enorme contingente de refugiados oficiais em Gaza, de reabastecer seus estoques.[3] Em 4 de novembro, enquanto a mídia se concentrava na eleição presidencial dos EUA, tropas israelenses entraram em Gaza e mataram meia dúzia de militantes do Hamas. O Hamas respondeu com mísseis e houve troca de tiros. (No fogo cruzado, todas as mortes foram de palestinos). No final de dezembro, o Hamas se dispôs a renovar o cessar-fogo. Israel ponderou sobre a oferta, mas rejeitou-a, preferindo em vez disso lançar a Operação Chumbo Fundido, uma incursão de três semanas que utilizou todo o poderio das Forças Armadas de defesa na Faixa de Gaza, resultando em atrocidades bem documentadas por organizações de direitos humanos israelenses e internacionais.

Em 8 janeiro de 2009, enquanto a Operação Chumbo Fundido estava a pleno vapor, o Conselho de Segurança da ONU aprovou uma resolução unânime (com abstenção dos Estados Unidos) ressaltando a urgência de "um cessar-fogo imediato, durável e respeitado totalmente, que leve à retirada total das forças israelenses de Gaza, à provisão e distribuição de ajuda humanitária sem impedimentos por toda Gaza, o que inclui alimentos, combustível e tratamento médico, e à intensificação dos esforços por parte da comunidade internacional no sentido de gerar garantias em Gaza que evitem o contrabando de armas e munição e a reabertura das fronteiras".[4]

Um novo cessar-fogo foi de fato assinado; semelhante às tréguas anteriores que mais uma vez nunca chegou a ser realmente observado e ruiu por completo no episódio seguinte de "corte da grama", a Operação Pilar de Defesa, em novembro de 2012. O que aconteceu nesse ínterim pode ser ilustrado pelo número de baixas de janeiro de 2012 ao lançamento dessa operação: um israelense morto por disparos de Gaza, 78 palestinos mortos por tiros israelenses.[5]

O primeiro ato da Operação Pilar de Defesa foi o assassinato de Ahmed Jabari, oficial de alta patente da ala militar do Hamas em Gaza. Aluf Benn, editor-chefe do mais importante jornal de Israel, o *Ha'aretz*, descreveu Jabari como um "subempreiteiro" de Israel em Gaza, que lá fez cumprir uma relativa serenidade dos ânimos por mais de cinco anos. Como sempre, havia um pretexto para o assassinato, mas a razão provável foi dada pelo ativista pacifista israelense Gershon Baskin. Ele tinha se envolvido em negociações diretas com Jabari durante anos e informou que, horas antes de ser assassinado, Jabari "recebeu o rascunho de um acordo permanente de trégua com Israel, que incluía mecanismos para a manutenção do cessar-fogo no caso de uma súbita explosão de violência entre Israel e as facções na Faixa de Gaza".[6]

Há um longo histórico de ações israelenses planejadas para deter a ameaça de acordo diplomático.

Depois de mais esse exercício de corte da grama, acertou-se um novo cessar-fogo. Repetindo os termos que agora eram o padrão, o entendimento previa a interrupção de todas as hostilidades e ações militares de ambos os lados na terra, mar e ar e o efetivo fim do cerco de Gaza, incluindo incursões e ataques contra indivíduos e agressões ao longo da fronteira; Israel deveria abrir "os postos de fronteira e facilitar os movimentos de pessoas e transferência de produtos, evitar restrições à livre movimentação de moradores e ataques contra residentes em áreas de fronteiras".[7]

O que aconteceu a seguir foi comentado por Nathan Thrall, veterano analista em assuntos do Oriente Médio para o Grupo de Crise Internacional. A inteligência israelense reconheceu que o Hamas estava observando os termos do cessar-fogo. "Israel", escreveu Thrall, "viu pouco incentivo para manter a parte que lhe cabia do acordo. Nos três meses que se seguiram ao cessar-fogo, as forças israelenses fizeram incursões regulares em Gaza, atacaram com metralhadoras agricultores palestinos e pessoas que recolhiam sucata e lixo em áreas do outro lado da fronteira e dispararam contra barcos de pesca, impedindo os pescadores de terem acesso à maior parte do mar de Gaza". Em outras palavras, o cerco jamais cessou. "As passagens foram mantidas permanentemente fechadas. As chamadas "zonas-tampão" – que incluem um terço ou mais das limitadas terras cultiváveis da Faixa de Gaxa e às quais os agricultores palestinos não têm acesso – foram reintegradas. As importações diminuíram, as exportações foram bloqueadas e menos palestinos obtiveram permissão para entrar em Israel e na Cisjordânia".[8]

Operação Margem Protetora

As coisas continuaram nessa situação até abril de 2014, quando ocorreu um importante evento. Os dois maiores e mais importantes grupos políticos palestinos, o Hamas – baseado em Gaza – e a Autoridade Palestina – dominada pelo Fatah na Cisjordânia – assinaram um acordo para formar um governo interino de unidade. O Hamas fez concessões de grande monta; o governo de unidade não continha nenhum de seus membros ou aliados. Em substancial medida, como Thrall observa, o Hamas entregou o governo de Gaza para a Autoridade Palestina. Milhares de homens das forças de segurança da Autoridade Palestina foram enviados para lá, com seus guardas posicionados nas fronteiras e nos postos de passagem, mas sem posições recíprocas para o Hamas no aparato de segurança da Cisjordânia. Por fim, o governo de unidade aceitou as três condições que Washington e a Europa havia muito exigiam: não violência, adesão aos acordos antigos e o reconhecimento de Israel.

Israel ficou enfurecido. Seu governo declarou que se recusaria a conversar com o governo de unidade e cancelou as negociações. A fúria israelense aumentou quando os Estados Unidos, juntamente com a maior parte do mundo, sinalizaram apoio para o governo de unidade.

Há boas razões para que Israel se oponha à unificação da Palestina. Uma delas é que o conflito Hamas-Fatah propiciou um pretexto útil para a recusa israelense de considerar a possibilidade de se envolver em negociações sérias. Como é possível negociar com uma entidade dividida? De maneira mais significativa, por mais de vinte anos Israel tem se empenhado em separar Gaza da Cisjordânia, numa violação aos Acordos de Oslo, que declaram que Gaza e a Cisjordânia são uma unidade territorial indivisível. Um exame do mapa explica a base lógica desse argumento: separados de Gaza, quaisquer enclaves deixados para os palestinos na Cisjordânia não dispõem de acesso ao mundo exterior.

Além disso, Israel vem sistematicamente avançando e ocupando o vale do Jordão, expulsando palestinos, instalando assentamentos, fechando poços e assegurando que ao fim a região – cerca de um terço da Cisjordânia, incluindo boa parte de suas terras cultiváveis – acabe sendo integrada a Israel, juntamente com as outras regiões que o país está encampando. Consequentemente, os cantões palestinos remanescentes ficarão confinados. A unificação com Gaza interferiria nesses planos, que remontam aos primeiros tempos da ocupação e que contaram com o firme apoio dos mais importantes blocos políticos, incluindo o endosso de figuras retratadas como pombas da paz, como o ex-presidente Shimon Peres, um dos arquitetos dos assentamentos no interior profundo da Cisjordânia.

Como sempre, era necessária a existência de um pretexto para seguir adiante e colocar em prática a manobra que levaria à escalada da violência seguinte. Essa oportunidade surgiu com o brutal assassinato de três meninos israelenses da comunidade de colonos na Cisjordânia. Teve início uma ofensiva de dezoito dias cujo alvo principal era o Hamas. Em 2 de setembro, o *Ha'aretz* noticiou que, após intensos interrogatórios, os serviços de segurança de Israel concluíram que o sequestro dos adolescentes "foi realizado por uma célula independente", sem nenhuma conexão direta com o Hamas.[9] A essa altura, o ataque de dezoito dias já havia tido êxito no enfraquecimento do temido governo de unidade.

O Hamas finalmente reagiu disparando seus primeiros foguetes em dezoito meses, o que forneceu a Israel o pretexto para lançar a Operação Margem Protetora, em 8 de julho. Essa campanha militar de cinquenta dias de ataques mostrou-se o mais extremo exercício das operações de aparar a grama – pelo menos até aqui.

Operação ainda sem nome

Hoje, pela primeira vez Israel está numa posição privilegiada para reverter sua política de separar Gaza da Cisjordânia – postura que já dura décadas – e respeitar um cessar-fogo de grande envergadura. Pelo menos temporariamente, a ameaça de democracia no vizinho Egito diminuiu, e a brutal ditadura militar egípcia do general Abdul Fattah al-Sisi é uma bem-vinda aliada de Israel para a manutenção do controle sobre Gaza.

Com o governo de unidade palestino colocando forças da Autoridade Palestina – treinadas pelos EUA – no controle das fronteiras de Gaza e o governo possivelmente passando para as mãos da Autoridade Palestina, que depende de Israel para sua sobrevivência bem como para suas finanças, Israel talvez sinta que há pouco a temer com relação a alguma forma limitada de autonomia para os enclaves que permanecerem em mãos palestinas.

Há também alguma verdade na observação do primeiro-ministro Benjamin Netanyahu: "Muitos elementos na região já entendem hoje que, na luta na qual são ameaçados, Israel não é inimigo, mas um parceiro.[10] Akiva Eldar, um destacado correspondente diplomático de Israel, acrescenta, no entanto, que "todos esses 'muitos elementos na região' compreendem que não há nenhum movimento diplomático corajoso e amplo no horizonte sem um acordo acerca do estabelecimento de um Estado palestino baseado nas fronteiras de 1967 e uma solução justa e consensual para o problema dos refugiados". Isso não consta da agenda de Israel, ele assinala.[11]

Alguns analistas israelenses, figuras abalizadas como o colunista Danny Rubinstein, acreditam que Israel está disposto a reverter esse curso e relaxar a força opressora com que vem matando Gaza por estrangulamento.

Veremos.

O histórico dos últimos anos sugere o contrário, e os primeiros sinais não são nem um pouco auspiciosos. Tão logo terminou a Operação Margem Protetora, Israel anunciou a sua maior apropriação de terras da Cisjordânia em trinta anos, cerca de 400 hectares. A Rádio Israel informou que essa encampação de terras foi uma resposta ao assassinato de três adolescentes judeus por "militantes do Hamas". Um menino palestino foi queimado vivo em retaliação aos assassinatos, mas nenhum israelense foi entregue aos palestinos, tampouco houve qualquer reação quando um soldado israelense atirou para matar o menino Khalil Anati, de 10 anos, numa rua tranquila de um campo de refugiados nos arredores de Hebron, e depois foi embora dirigindo seu jipe enquanto a criança sangrava até morrer.[12]

Anati foi um dos 23 palestinos (incluindo três crianças) assassinados por forças de ocupação israelenses na Cisjordânia durante o massacre de Gaza, de acordo com estatísticas da ONU, além de mais de 2 mil feridos, 38% deles em tiroteios. "Nenhum dos que foram mortos estava colocando em risco a vida de soldados", escreveu o jornalista israelense Gideon Levy.[13] Nada disso suscitou reação, e não houve reação nenhuma enquanto Israel matava, em média, mais de duas crianças palestinas por semana ao longo de catorze anos. Afinal de contas, os palestinos são não pessoas.

É comum que se diga, de todos os lados, que se a solução dos dois Estados está morta como resultado do roubo de terras palestinas por Israel, o resultado será um Estado único a oeste do rio Jordão. Alguns palestinos aceitam de bom grado essa solução, antecipando que poderão conduzir uma luta por direitos civis exigindo direitos iguais, com base no modelo da África do Sul sob o apartheid. Muitos analistas israelenses alertam que o "problema demográfico" daí resultante – por nascerem mais árabes que judeus e pela diminuição da imigração judaica – acabará minando a esperança de Israel com relação a um "Estado judeu democrático".

Porém, essas crenças amplamente alardeadas são duvidosas. A alternativa realista à solução de dois Estados é que Israel continuará levando adiante os planos que vem implementando faz anos: roubar tudo de valor que houver na Cisjordânia, ao mesmo tempo em que impede as concentrações de população palestina e remove os palestinos de áreas que vão sendo integradas a Israel. Isso deve evitar o temido "problema demográfico".

Essas políticas básicas estão em vigor desde a conquista de 1967, seguindo um princípio enunciado pelo então ministro da Defesa Moshe Dayan, um dos líderes israelenses mais simpáticos aos palestinos. Ele informou a seus colegas de partido que deveriam dizer aos refugiados palestinos na Cisjordânia: "Nós não temos solução nenhuma, vocês continuarão a viver como cães, e quem quiser pode ir embora, e veremos aonde esse processo levará".[14]

A sugestão era natural na preponderante concepção articulada em 1972 pelo futuro presidente Chaim Herzog: "Não nego aos palestinos um lugar ou uma tribuna em todas as questões [...]. Mas não estou preparado para considerá-los parceiros em nenhum aspecto numa terra que por mil anos foi consagrada às mãos da nossa nação. Para os judeus desta terra não pode haver parceiro nenhum". Dayan também reivindicou o "governo permanente" ("memshelet keva") de Israel nos Territórios Ocupados.[15] Quando Netanyahu expressa a mesma posição, não está sendo inovador, não está fazendo nada inédito.

Ao longo de um século, a colonização sionista da Palestina tem tido continuidade com base no princípio pragmático do discreto estabelecimento de fatos no local, o que o mundo por fim acabou aceitando. Tem sido uma política extremamente bem-sucedida. Há todas as razões para esperar que esse tipo de colonização persista, contanto que os Estados Unidos continuem oferecendo o necessário apoio militar, econômico, diplomático e ideológico. Para os que se preocupam com os direitos dos palestinos brutalizados, não pode haver prioridade mais urgente do que trabalhar para mudar as políticas dos EUA – o que não é de forma alguma um sonho disparatado.

CAPÍTULO 17

Os EUA são o principal Estado terrorista

Imagine que o *Pravda* publicasse como matéria de capa um estudo feito pela KGB analisando operações terroristas de grande envergadura comandadas pelo Kremlin e realizadas ao redor do mundo, como parte do empenho para determinar os fatores que levaram ao sucesso ou ao fracasso de cada uma dessas ações. E que no final chegasse à seguinte conclusão, como desfecho do estudo: infelizmente, o sucesso dos atos terroristas é uma raridade, portanto é necessário repensar um pouco os rumos dessa diretriz política. Suponha também que o artigo citasse o presidente Vladimir Putin, afirmando que havia pedido a KGB para levar a cabo essa investigação a fim de descobrir casos de "financiamento e fornecimento de armas a um movimento insurgente em um país estrangeiro que na verdade deu certo. E a organização secreta não foi capaz de encontrar muita coisa". Por isso, Putin tem alguma relutância em levar adiante esse tipo de empreitada.

Se, o que é quase inimaginável, um artigo desse tipo fosse publicado, gritos de ultraje e indignação subiriam aos céus, e a Rússia seria impiedosamente criticada – ou pior –, não somente pelo terrível histórico de ações terroristas que o país reconheceu, mas pela reação entre a liderança e a classe política russas: nenhuma preocupação, exceto sobre como o terrorismo de Estado russo funciona, e se essas práticas terroristas podem ser aprimoradas.

É difícil imaginar que um artigo desse tipo possa estar às claras, a não ser pelo fato de que acabou de ser publicado – ou quase.

Em 14 de outubro de 2014, a reportagem de primeira página do jornal *The New York Times* trazia um estudo elaborado pela CIA examinando operações terroristas de grande envergadura comandadas pela Casa Branca e realizadas ao redor do mundo, em um esforço para determinar os fatores que haviam levado ao sucesso ou ao fracasso de cada uma dessas ações; a conclusão era a mesmíssima mencionada anteriormente. O artigo ia adiante e citava o presidente Obama, afirmando que ele pedira à CIA para realizar essa investigação a fim de descobrir casos de "financiamento e fornecimento de armas a um movimento insurgente em um país estrangeiro que na verdade deu certo. E a organização secreta não foi capaz de encontrar muita coisa". Por isso, Obama tinha alguma relutância em dar continuidade a esse tipo de empreitada.[1]

Não se ouviu nenhum grito de ultraje, nenhuma indignação, nada.

A conclusão parece bastante clara. Na cultura política ocidental, toma-se como algo natural e adequado que o Líder do Mundo Livre governe um Estado bandido terrorista e proclame abertamente sua excelência nesse tipo de crime. E é natural e adequado que o professor de Direito Constitucional e ganhador do Prêmio Nobel da Paz que detém as rédeas do poder preocupe-se apenas com as formas de praticar com mais eficácia esse tipo de ação.

Um exame mais detido demonstra com firmeza essas conclusões.

O artigo se inicia citando operações dos EUA "de Angola à Nicarágua e a Cuba". Acrescentemos um pouco do que foi omitido, usando como fonte os pioneiros estudos sobre o papel de Cuba na libertação da África, de autoria de Piero Gleijeses, em especial em seu livro mais recente, *Visions of freedom* (Visões da liberdade, em tradução livre).[2]

Em Angola, os Estados Unidos juntaram-se à África do Sul fornecendo o apoio decisivo para a UNITA, o exército terrorista de Jonas Savimbi. E continuaram a fazê-lo mesmo depois de Savimbi já ter sido derrotado numa eleição livre e muito bem monitorada, e depois que a própria África do Sul já havia retirado seu apoio daquele "monstro cuja ânsia por poder havia impingido ao seu povo um apavorante sofrimento", nas palavras do embaixador britânico em Angola, Marrack Goulding, uma declaração respaldada pelo chefe da base da CIA na vizinha Kinshasa. O alto funcionário da CIA alertava que "não era uma boa ideia" apoiar o monstro, "por causa da extensão dos crimes de Savimbi. Ele era terrivelmente brutal".[3]

Apesar das amplas e assassinas operações terroristas apoiadas pelos EUA em Angola, forças cubanas expulsaram do país os agressores sul-africanos, forçaram-nos a deixar a Namíbia ilegalmente ocupada e abriram caminho para a realização da eleição em Angola; após sua derrota no pleito, Savimbi "desprezou as opiniões de quase oitocentos observadores estrangeiros, para quem as eleições [...] haviam sido em termos gerais livres e justas", segundo informou *The New York Times*, e continuou a guerra terrorista com o respaldo dos EUA.[4]

As façanhas de Cuba na libertação da África e no fim do apartheid foram enaltecidas por Nelson Mandela quando ele finalmente ganhou a liberdade. Um de seus primeiros atos foi declarar que "durante todos os meus anos de prisão, Cuba foi uma inspiração e Fidel Castro, uma torre de fortaleza [...] [As vitórias cubanas] destruíram o mito da invencibilidade do opressor branco [e] inspiraram as lutas das massas da África do Sul [...] um ponto de inflexão para a libertação de nosso continente – e do meu povo – do flagelo do apartheid [...]. Que outro país pode apontar para um histórico de maior altruísmo do que Cuba demonstrou em suas relações com a África?".[5]

O comandante terrorista Henry Kissinger, ao contrário, ficou "apoplético" diante da insubordinação do "zé-ninguém" Castro, que a seu ver tinha de ser "esmagado", conforme relatam William LeoGrande e Peter Kornbluh em seu livro *Back channel to Cuba* (Vias escusas para Cuba, em tradução livre), fiando-se em documentos recentemente dessegredados e liberados para conhecimento público.[6]

Voltando as nossas atenções para a Nicarágua, não há necessidade de nos demorarmos na guerra terrorista de Ronald Reagan, que prosseguiu mesmo muito tempo depois de a Corte Internacional de Justiça ter ordenado a Washington que cessasse seu "uso ilegal da força" – isto é, terrorismo internacional – e pagasse substanciais reparações. E mesmo depois de uma resolução do Conselho de Segurança da ONU exigindo que todos os Estados (leia-se: os EUA) respeitassem o direito internacional – vetada por Washington.[7] Porém, é preciso reconhecer que a guerra terrorista de Reagan contra a Nicarágua – ampliada por George H. W. Bush, o Bush "estadista" – não foi tão destrutiva quanto o terrorismo de Estado que ele entusiasticamente patrocinara em El Salvador e na Guatemala. A Nicarágua teve a vantagem de contar com um Exército para enfrentar as forças terroristas comandadas pelos EUA, ao passo que nos Estados vizinhos os terroristas que atacavam a população eram forças de segurança armadas e treinadas por Washington.

Em Cuba, as operações terroristas de Washington foram lançadas com plena fúria pelo presidente Kennedy e seu irmão, o procurador-geral Robert Kennedy, para punir os cubanos por terem derrotado a invasão da baía dos Porcos orquestrada pelos EUA. Essa guerra terrorista não foi café-pequeno. Envolveu a participação de quatrocentos norte-americanos, 2 mil cubanos, uma esquadra privada de lanchas e um orçamento anual de 50 milhões de dólares. A operação foi comandada em parte por uma base da CIA operando de Miami, em violação ao Ato de Neutralidade e, presumivelmente, à lei que proíbe operações da CIA dentro dos Estados Unidos. As ações incluíram o bombardeamento de hotéis e instalações industriais, o afundamento de barcos pesqueiros, o envenenamento de plantações e rebanhos, a contaminação dos estoques de açúcar para exportação e assim por diante. Algumas dessas operações não receberam autorizações específicas da CIA, mas foram executadas pelas forças terroristas que a CIA custeava e apoiava, uma distinção que é irrelevante e não faz diferença no caso.

Como se revelou desde então, a guerra terrorista (Operação Mangusto) foi um fator de peso na decisão de Khrushchev de enviar mísseis para Cuba e na resultante "crise dos mísseis", que chegou ameaçadoramente perto de uma guerra nuclear fatal. As "operações" dos EUA em Cuba não foram uma questão trivial.

Deu-se alguma atenção a apenas uma parte ínfima da guerra terrorista: as muitas tentativas de assassinar Fidel Castro, geralmente desconsideradas e tidas como meras traquinagens pueris da CIA. Além disso, nada do que aconteceu despertou muito interesse ou comentários. A primeira investigação séria em língua inglesa sobre o impacto das ações terroristas sobre os cubanos foi publicada em 2010 pelo pesquisador canadense Keith Bolender, em seu *Voices from the other side* (Vozes do outro lado, em tradução livre), estudo valioso que em larga medida passou em branco e foi ignorado.[8]

Os três exemplos sobre o terrorismo norte-americano, destacados na matéria publicada por *The New York Times*, são apenas a ponta do iceberg. Porém, é útil que haja esse fundamental e evidente reconhecimento da dedicação de Washington à operações de terrorismo mortíferas e destrutivas, e do quanto tudo isso é insignificante para a classe política, que aceita como normal e adequado que os EUA sejam uma superpotência terrorista, imune à leis e normas civilizadas.

Estranhamente, talvez o mundo não concorde, talvez não pense assim. Pesquisas de opinião internacionais mostram que os Estados Unidos são considerados a maior e mais grave ameaça, com ampla margem, à paz mundial.[9] Felizmente, os norte-americanos foram poupados dessa informação insignificante.

CAPÍTULO 18

A histórica medida de Obama

O estabelecimento de laços diplomáticos entre os Estados Unidos e Cuba foi saudado como um evento de importância histórica. O correspondente Jon Lee Anderson, que escreveu de forma bastante arguta sobre a região, resume na revista *The New Yorker* a reação geral entre os intelectuais de esquerda:

> Barack Obama mostrou que é capaz de agir como um estadista de peso histórico. A mesma coisa fez, neste momento, Raúl Castro. Para os cubanos, este momento será tão emocionalmente catártico como historicamente transformador. O relacionamento dos cubanos com seu vizinho norte-americano abastado e poderoso permaneceu congelado ao longo de cinquenta anos desde a década de 1960. De modo até certo ponto surreal, os destinos de ambos foram congelados. Para os estadunidenses, isso é importante também. A paz com Cuba nos leva de volta àquela época dourada quando os Estados Unidos eram uma nação amada de uma ponta à outra do mundo, quando um jovem, bonito e simpático JFK estava na presidência – antes do Vietnã, antes de Allende, antes do Iraque e de todas as outras desgraças – e nos permite sentir orgulho de nós mesmos por finalmente fazermos a coisa certa.[1]

O passado não é tão idílico como retratado na persistente imagem de Camelot. O presidente JFK não foi "antes do Vietnã" – ou mesmo antes de Allende e Iraque, mas deixemos isso de lado. No Vietnã, quando Kennedy assumiu a presidência, a brutalidade do regime de Ngo Dinh Diem que os Estados Unidos haviam imposto suscitou uma resistência doméstica que os EUA já não eram capazes de controlar.

Kennedy, por essa razão, de imediato intensificou a intervenção dos EUA para a agressão sem rodeios, dando ordens à Força Aérea norte-americana para que bombardeasse o Vietnã do Sul (valendo-se de aviões com insígnias sul-vietnamitas, que não enganavam ninguém), autorizando o uso de napalm e armas químicas para destruir as lavouras e o gado e lançando programas para expulsar os camponeses de suas casas e encaminhá-los para "aldeias estratégicas", essencialmente campos de concentração, a fim de "protegê-los" das guerrilhas que, Washington sabia, a maioria da população campesina apoiava.

Em 1963, relatórios do local pareciam indicar que a guerra de Kennedy estava sendo bem-sucedida, mas veio à tona um grave problema. Em agosto, a administração ficou sabendo que o governo Diem estava em busca de negociações com o Vietnã do Norte para dar fim ao conflito.

Se JFK tinha a menor intenção de se retirar do Vietnã, essa teria sido a perfeita oportunidade de fazê-lo com elegância, sem nenhum custo político. Ele poderia inclusive ter alegado, ao seu estilo habitual, que haviam sido a força moral e a íntegra defesa da liberdade norte-americanas que compeliram os norte-vietnamitas a "se render". Em vez disso, Washington patrocinou um golpe militar para instalar no poder generais violentos e mais afinados com os verdadeiros interesses de JFK. O presidente Diem e seu irmão foram assassinados no processo. Com a vitória aparentemente próxima, Kennedy aceitou, relutante, uma proposta do secretário de Defesa Robert McNamara para iniciar a retirada das tropas (Memorando de Ação de Segurança Nacional 263), mas somente com uma condição crucial: depois que a vitória estivesse assegurada. Kennedy manteve essa exigência até seu assassinato, poucas semanas depois. Muitas ilusões foram engendradas acerca desses eventos, mas rapidamente desmoronaram sob o peso de uma farta documentação histórica.[2]

A história não era tão idílica quanto as lendas de Camelot. Uma das mais importantes decisões de Kennedy, em 1962, foi alterar a missão dos militares da América Latina de "defesa hemisférica" (um resquício anacrônico da Segunda Guerra Mundial) para "segurança interna" – com horrendas consequências para o hemisfério. Os que não têm predileção por aquilo que o especialista em relações internacionais Michael Glennon chamou de "ignorância intencional" podem preencher as lacunas com os detalhes.[3]

Em Cuba, Kennedy herdou a política de embargo do presidente Eisenhower, bem como seus planos formais para a derrubada do regime, planos cuja agressividade ele intensificou levando a cabo a invasão à baía dos Porcos. Com o fracasso da invasão, o cenário em Washington beirou a histeria. Na primeira reunião de gabinete após o fiasco da invasão, o clima era "quase selvagem", segundo apontou de modo privado o subsecretário de Estado Chester Bowles. "A reação em favor de um programa de ação era quase frenética."[4] Kennedy articulou a histeria em seus pronunciamentos públicos, embora estivesse ciente, como ele disse de modo privado, que os aliados "pensam que estamos ligeiramente dementes" acerca da questão de Cuba.[5] Não sem razão.

As ações de Kennedy fizeram jus às suas palavras.

Hoje é grande o debate sobre se Cuba deve ter o nome retirado da lista de Estados que apoiam o terrorismo. Essa questão só pode trazer à mente as palavras de Tácito, segundo as quais "o crime, assim que é exposto, não tem refúgio a não ser na audácia".[6] Exceto pelo fato de que não exposto, graças à "traição dos intelectuais".

Ao tomar posse após o assassinato de Kennedy, o presidente Lyndon Johnson relaxou o reino de terror, que, entretanto, continuou em vigor ao longo da década de 1990. Mas ele não estava disposto a deixar Cuba sobreviver em paz. Johnson explicou ao senador William Fulbright que, apesar de "não me entusiasmar com esse tipo de coisa parecida com a baía dos Porcos", queria conselhos sobre "o que podemos fazer para apertar os parafusos mais do que estamos fazendo".[7] O historiador e professor de ciência política Lars Schoultz, especialista em relações latino-americanas, escreveu que "apertar os parafusos tem sido a política norte-americana desde então".[8]

Alguns julgaram que esses meios tão delicados não bastavam – veja-se o caso, por exemplo, de Alexander Haig, chefe de Gabinete de Richard Nixon, que pediu ao presidente: "Apenas me dê a ordem e transformarei aquela ilha de merda em um estacionamento".[9] Sua eloquência resumiu brilhantemente a longeva frustração de Washington com "aquela republiqueta cubana infernal" – a expressão que um furioso Theodore Roosevelt usou ao vociferar sobre a relutância de Cuba em aceitar graciosamente a invasão norte-americana de 1898 que impediria a libertação da ilha da Espanha e a transformaria em uma virtual colônia. Certamente sua corajosa investida na colina de San Juan tinha sido em nome de uma causa nobre (ignora-se, em geral, que batalhões afro-americanos foram em larga medida responsáveis pela conquista da colina).[10]

O historiador Louis Pérez escreve que a intervenção, enaltecida nos Estados Unidos como um ato humanitário para "libertar" Cuba, alcançou seus verdadeiros objetivos: "Uma guerra cubana pela libertação foi transformada em uma guerra norte-americana de conquista" – a "Guerra Hispano-Americana", em nomenclatura imperial –, que pretendia obscurecer uma vitória cubana rapidamente abortada pela invasão. O resultado aliviou as ansiedades estadunidenses acerca de que "era anátema para todos os formuladores de políticas norte-americanos desde Thomas Jefferson – a independência cubana".[11]

Como as coisas mudaram em dois séculos.

Nos últimos cinquenta anos houve algumas tentativas hesitantes no sentido de melhorar as relações, esforços analisados em detalhes por William LeoGrande e Peter Kornbluh em seu livro *Back channel to Cuba* (Bastidores de Cuba, em tradução livre).[12] Se deveríamos sentir "orgulho de nós mesmos" pelos passos dados por Obama ainda é passível de debate, mas eles são "a coisa certa", muito embora o esmagador embargo permaneça em vigor, numa afronta ao mundo todo (à exceção de Israel), e apesar de o turismo ainda estar proibido. Em seu discurso à nação anunciando a nova política, o presidente deixou claro que, em outros aspectos, a punição a Cuba por se recusar a se curvar à vontade e violência dos EUA continuará, repetindo pretextos que, de tão ridículos, nem vale a pena comentar.

Dignas de atenção, no entanto, são estas palavras do presidente:

> Orgulhosamente, os Estados Unidos têm apoiado a democracia e os direitos humanos em Cuba ao longo destas cinco décadas. Nós o fizemos por meio de políticas que visam isolar a ilha, impedindo a viagem e o comércio mais básicos de que os norte-americanos podem desfrutar em qualquer outro lugar. E embora essa política tenha raízes na melhor das intenções, nenhuma outra nação se junta a nós na imposição dessas sanções, que tiveram pouco efeito a não ser fornecer ao governo cubano um fundamento lógico para impor restrições a seu povo. [...] Hoje, estou sendo honesto com vocês. Jamais poderemos apagar a história entre nós.[13]

É de admirar a atordoante audácia desse pronunciamento, que mais uma vez evoca as palavras de Tácito. Obama não desconhece a história factual, que inclui não apenas a assassina guerra terrorista e o escandaloso embargo econômico, mas também a ocupação militar do sudeste de Cuba (a baía de Guantánamo), incluindo o mais importante porto do país, a despeito dos pedidos do governo cubano, desde a independência, para que fosse devolvido o que havia sido roubado sob a mira de arma – uma política somente justificada pelo fanático empenho para tolher o desenvolvimento econômico de Cuba. Em comparação, a ocupação ilegal da Crimeia empreendida por Vladimir Putin parece quase benigna. O devotamento à vingança contra os insolentes cubanos que resistem à dominação norte-americana tem sido tão extremada que prevaleceu até mesmo sobre os interesses comerciais de poderosos segmentos da comunidade corporativa – indústria farmacêutica, de agronegócios e energética, que desejavam a normalização –, um desdobramento incomum na política externa norte-americana. As cruéis e vingativas políticas de Washington praticamente isolaram os Estados Unidos no hemisfério e ensejaram o desprezo e a zombaria do mundo todo. Washington e seus acólitos gostam de fingir que "isolaram" Cuba, como Obama entoou, mas a história mostra que os Estados Unidos é que vieram se isolando, provavelmente a principal razão para a mudança parcial de rumo.

Sem dúvida, a opinião doméstica é um fator que pesou na "histórica medida" de Obama – embora a opinião pública já se mostrasse favorável à normalização havia muito tempo. Uma pesquisa realizada pela CNN em 2014 mostrou que atualmente apenas um quarto dos norte-americanos consideram Cuba uma ameaça séria aos Estados Unidos, em comparação aos mais de dois terços de trinta anos atrás, quando o presidente Reagan alertava para a grave ameaça à nossa vida representada pela capital mundial da noz-moscada (Granada) e pelo Exército nicaraguense, a apenas dois dias de marcha do Texas.[14] Com esses temores um tanto mitigados, talvez possamos relaxar um pouco nossa vigilância.

Nos amplos comentários e nas análises que se seguiram à decisão de Obama, um dos temas mais onipresentes é o fato de que os bondosos esforços de Washington para levar a democracia e os direitos humanos aos sofridos cubanos, maculados apenas pelas traquinagens infantis da CIA, foram um fracasso. Nossos altaneiros objetivos não foram atingidos, portanto uma relutante mudança de rumo é necessária.

Essas políticas foram um fracasso? Depende de qual era o objetivo. A resposta é cristalina na documentação histórica. A ameaça cubana era a habitual, que perpassa todo o período da Guerra Fria. Isso foi dito com todas as letras pela administração Kennedy: a principal preocupação era de que Cuba pudesse ser um "vírus" que "espalharia o contágio". Como observa o historiador Thomas Paterson, "Cuba, como símbolo e realidade, desafiava a hegemonia dos EUA na América Latina".[15]

A forma de lidar com um vírus é matá-lo e vacinar quaisquer vítimas potenciais. Essa sensata política é a que foi adotada por Washington, de maneira muito bem-sucedida. Cuba sobreviveu, mas sem a capacidade de realizar seu temido potencial. E a região foi "vacinada" com cruéis ditaduras militares, a começar pelo golpe militar inspirado por Kennedy e que instalou no Brasil um regime de terror e tortura pouco depois do assassinato de Kennedy. Os generais efetuaram uma "rebelião democrática", escreveu o embaixador Lincoln Gordon num telegrama para os EUA. A revolução foi "uma grande vitória para o mundo livre", que evitou "uma perda de todas as repúblicas sul-americanas e uma derrota total para o Ocidente", e que deveria "criar um clima tremendamente melhor para os investimentos privados". Essa revolução democrática era "a mais decisiva vitória da liberdade em meados do século XX", afirmou Gordon, "um dos mais importantes pontos de inflexão na história do mundo" nesse período, que tirou do poder o que via como um clone de Castro.[16]

A mesma coisa se aplicava à Guerra do Vietnã, também considerada um fracasso e uma derrota. O Vietnã propriamente dito não era uma preocupação considerável, mas, conforme revela a documentação histórica, os líderes em Washington estavam, sim, preocupados com a possibilidade de que o vírus do desenvolvimento independente pudesse infectar toda a região. O Vietnã foi praticamente destruído; não serviria de modelo para ninguém. E a região seria protegida por meio da instalação no poder de ditaduras assassinas, de maneira muito parecida com o que aconteceu na América Latina no mesmo período. Não é estranho que a política imperial siga rumos semelhantes em diferentes partes do mundo.

A Guerra do Vietnã é descrita como um fracasso, uma derrota norte-americana. Na realidade, foi uma vitória parcial. Os Estados Unidos não alcançaram seu objetivo máximo de transformar o Vietnã nas Filipinas, mas as preocupações de maior envergadura foram superadas, assim como no caso de Cuba. Esses resultados, portanto, não podem ser tidos como derrotas, fracassos, decisões terríveis.

A mentalidade imperial é algo maravilhoso de admirar.

CAPÍTULO 19

"E ponto final"

Na esteira do ataque terrorista ao *Charlie Hebdo*, o qual matou doze pessoas, entre elas o editor e outros quatro cartunistas, e em consequência do assassinato de quatro judeus em um supermercado *kosher* pouco depois, o primeiro-ministro francês Manuel Valls declarou "uma guerra contra o terrorismo, contra o jihadismo, contra o islã radical, contra tudo que pretende romper a fraternidade, a liberdade, a solidariedade".[1]

Milhões de pessoas saíram às ruas para manifestar sua condenação das atrocidades, amplificada por um coro de horror sob o lema "Je suis Charlie" (Eu sou Charlie). Ouviram-se eloquentes pronunciamentos de indignação, muito bem sintetizados pelo chefe da bancada do Partido Trabalhista de Israel, Isaac Herzog, que declarou que "terrorismo é terrorismo, e ponto final. Não há via de mão dupla em relação a isso", e que "todas as nações que buscam a paz e a liberdade [enfrentam] um enorme desafio" em face da brutal violência.[2]

Os crimes suscitaram uma avalanche de comentários e análises, indagações acerca das raízes desses chocantes ataques na cultura islâmica e investigações de meios para conter a onda assassina do terrorismo islâmico sem sacrificar nossos valores. O jornal *The New York Times* descreveu o atentado como um "choque de civilizações", mas foi corrigido por Anand Giridharadas, colunista do próprio *Times*, que tuitou que "não é e nunca houve uma guerra de civilizações entre eles. Mas uma guerra POR civilização contra grupos do outro lado da linha".³

A cena em Paris foi descrita em termos vívidos nas páginas de *The New York Times* pelo veterano correspondente do jornal na Europa, Steven Erlanger: "Um dia de sirenes, helicópteros no ar, frenéticos boletins de notícias; cordões policiais de isolamento e multidões aflitas; crianças pequenas sendo tiradas das escolas e levadas para locais seguros. Foi um dia, como os dois anteriores, de sangue e horror em Paris e nos arredores".⁴

Erlanger citou também um jornalista sobrevivente, que disse: "Tudo desabou. Não havia como sair. Havia fumaça por toda parte. Foi terrível. As pessoas gritavam. Era como um pesadelo". Outro descreveu "uma enorme explosão, e tudo ficou completamente às escuras". A cena, no dizer de Erlanger, "foi se tornando uma situação cada vez mais conhecida de vidros despedaçados, paredes desmoronadas, vigas retorcidas, pintura chamuscada e devastação emocional".

As citações do parágrafo anterior, no entanto – como nos lembra o jornalista independente David Peterson – não são de janeiro de 2015, mas se referem a uma reportagem de Erlanger publicada em 24 de abril de 1999, e que recebeu bem menos atenção. Erlanger estava cobrindo a "missão de ataque com mísseis contra a sede da televisão estatal sérvia", a mando da OTAN, e que "tirou do ar" a Rádio e Televisão da Sérvia (RTS) matando dezesseis jornalistas.

"Altos dirigentes da OTAN e autoridades norte-americanas defenderam o ataque", informou Erlanger, "como um esforço para minar o regime do presidente da Iugoslávia Slobodan Milosevic". O porta-voz do Pentágono, Kenneth Bacon, disse em uma reunião em Washington que "a televisão sérvia é uma parte tão importante da máquina de morte de Milosevic quanto seu Exército". Portanto, era um alvo legítimo de ataque.⁵

À época, não houve manifestações nem brados de indignação, tampouco gritos de "Somos todos RTS", muito menos investigações a respeito das raízes do ataque na cultura e na história cristãs. Ao contrário, o ataque à sede da emissora foi louvado. O prestigiadíssimo diplomata norte-americano Richard Holbrooke, então enviado especial à Iugoslávia, descreveu o bem-sucedido ataque à RTS como "um desdobramento tremendamente importante e, creio, positivo".⁶

Há muitos outros eventos que requerem uma profunda investigação na cultura e na história ocidentais: por exemplo, a pior atrocidade terrorista cometida por uma única pessoa na Europa em anos recentes, em julho de 2011, quando Anders Breivik, um extremista cristão ultrassionista e islamofóbico, matou 77 pessoas, em sua maioria adolescentes.

Ignorada na "guerra contra o terror" é também a campanha terrorista mais extrema dos tempos modernos, a série assassina de operações militares com *drones* patrocinada por Obama e cujos alvos são pessoas suspeitas de um dia talvez tentar fazer mal contra nós, e qualquer infeliz desavisado que por acaso estiver nas redondezas. Não faltam outros desafortunados, tais como os cinquenta civis mortos em um bombardeio aéreo capitaneado pelos EUA na Síria em dezembro e que mal e mal foi noticiado.⁷

A bem da verdade, uma pessoa foi punida com relação ao ataque da OTAN à RTS – um tribunal sérvio condenou Dragoljub Milanović, gerente-geral da emissora, a dez anos de prisão por sua incompetência ao não ter evacuado o edifício. O Tribunal Penal Internacional para a antiga Iugoslávia deliberou sobre o ataque da OTAN, chegando à conclusão de que não se tratava de um crime, e embora o número de vítimas civis fosse "lamentavelmente alto, não parece ser desproporcional".⁸

A comparação entre esses casos nos ajuda a entender a condenação do *The New York Times* por parte do advogado de direitos civis Floyd Abrams, famoso por sua vigorosa defesa da liberdade de expressão. "Há momentos para o autocontrole", escreveu Abrams, "mas na esteira imediata do mais ameaçador ataque contra o jornalismo na memória viva [os editores do *Times*] teriam servido melhor à causa da liberdade de expressão envolvendo-se nela – isto é, tomando partido e publicando as charges do *Charlie Hebdo* que ridicularizavam Maomé e provocaram o ataque.⁹

Abrams está correto ao descrever o ataque ao *Charlie Hebdo* como "o mais ameaçador ataque contra o jornalismo na memória viva". A razão tem a ver com o conceito de "memória viva", uma categoria cuidadosamente construída para incluir os crimes *deles* contra nós, ao mesmo tempo em que escrupulosamente exclui *nossos* crimes contra eles — estes últimos não são crimes, mas sim uma nobre defesa dos mais elevados valores, às vezes inadvertidamente falhos.

Há muitas outras ilustrações da interessante categoria "memória viva". Um exemplo é fornecido pela investida de tropas de infantaria dos EUA contra Fallujah em novembro de 2004, um dos piores crimes da invasão anglo-americana ao Iraque. O ataque começou com a ocupação do Hospital Geral de Fallujah por *marines* (fuzileiros navais), por si só um crime de guerra de grande monta, à parte a forma como foi levado a cabo. O crime foi noticiado com destaque na primeira página do jornal *The New York Times*, acompanhado de uma fotografia mostrando como "pacientes e funcionários do hospital foram arrancados dos quartos por soldados armados e receberam ordens de se sentarem ou se deitarem no chão enquanto os *marines* amarravam suas mãos atrás das costas". A ocupação do hospital foi considerada meritória e justificada, uma vez que "fechou o que os oficiais disseram ser uma arma de propaganda para os militantes: o Hospital Geral de Fallujah, com sua enxurrada de informes de vítimas civis".[10]

Evidentemente, fechar essa "arma de propaganda" não foi um ataque à liberdade de expressão e, portanto, não tem as qualificações necessárias para integrar a categoria de "memória viva".

Há outras perguntas. Qualquer pessoa indagaria como a França pode defender a liberdade de expressão, por exemplo, por meio da Ley Gayssot, repetidamente implementada, e que outorga ao Estado o direito de determinar a Verdade Histórica e punir quem diverge de seus éditos? Ou de que forma defende os sagrados princípios de "fraternidade, liberdade e solidariedade" se expulsa miseráveis descendentes de sobreviventes do Holocausto, os ciganos, relegando-os à encarniçada perseguição no Leste Europeu, ou mediante o deplorável tratamento que dispensa aos imigrantes do Norte da África nos *banlieues* (subúrbios) de Paris, onde os terroristas do *Charlie Hebdo* se converteram em jihadistas?

Qualquer pessoa com os olhos abertos enxergará outras impressionantes omissões. Foram ignorados, por exemplo, os assassinatos de três jornalistas na América Latina em dezembro de 2014, elevando para 31 o número de repórteres mortos naquele ano. Somente em Honduras já morreram dezenas de jornalistas desde o golpe militar de 2009, autorizado pelos Estados Unidos, provavelmente conferindo à Honduras pós-golpe o título de campeão mundial no quesito jornalistas assassinados *per capita*. Entretanto, uma vez mais, não foi um ataque à liberdade de imprensa no âmbito da memória viva.

Esses poucos exemplos ilustram um princípio geral observado com impressionantes dedicação e consistência: quanto mais podemos atribuir aos inimigos a culpa por crimes, maior a nossa indignação; quanto maior a nossa responsabilidade por crimes – e quanto mais podemos fazer para dar fim a eles –, menor a preocupação, tendendo ao esquecimento.

Ao contrário do que dizem os eloquentes pronunciamentos, a questão não se resume a "terrorismo é terrorismo, e ponto final. Não há via de mão dupla em relação a isso". Há definitivamente dois caminhos: o deles contra o nosso. E não apenas no que diz respeito ao terrorismo.

CAPÍTULO 20

Um dia na vida de um leitor do *The New York Times*

The New York Times pode ser considerado o jornal mais importante do mundo. É uma fonte indispensável de notícias, comentários e análises, mas há muito mais coisas que qualquer leitor pode aprender por meio de uma leitura cuidadosa e crítica de suas páginas. Atenhamo-nos a um único dia, 6 de abril de 2015 – ainda que qualquer outro forneça noções reveladoras acerca da ideologia e da cultura intelectual predominantes.

Uma matéria de primeira página é dedicada aos erros de uma reportagem publicada na revista *Rolling Stone* sobre um estupro no campus de uma universidade norte-americana, revelados pela *Columbia Journalism Review*, principal publicação da crítica de mídia. Desprovida de integridade jornalística, a matéria contém incorreções investigativas tão graves que também é tema da principal reportagem na seção de negócios, com uma página inteira dedicada à continuação do texto. Em tom de perplexidade, há referências a vários crimes já cometidos pela imprensa no passado: alguns casos de matérias inventadas, rapidamente desmascarados, e casos de plágio ("numerosos demais para serem listados"). O crime específico da *Rolling Stone* é "falta de ceticismo", que é "em muitos aspectos o mais insidioso" das três categorias.[1]

É reconfortante ver o comprometimento do *Times* com a integridade do jornalismo.

Na página 7 da mesma edição, há uma importante matéria de autoria de Thomas Fuller, intitulada "A missão de uma mulher para libertar o Laos de bombas não detonadas". O texto descreve o "obstinado empenho" de uma mulher laosiana-americana, Channapha Khamvongsa, "para livrar sua terra natal de milhões de bombas ainda enterradas lá, legado de uma campanha aérea norte-americana de nove anos de duração e que fez do Laos um dos lugares do planeta que mais foram fustigados por bombardeios pesados". A matéria de Fuller salienta que, como resultado do *lobby* da sra. Khamvongsa, os Estados Unidos aumentaram seus gastos anuais na remoção de bombas não detonadas em dadivosos 12 milhões de dólares. As mais letais são as bombas de fragmentação, artefatos explosivos projetados para "causar o máximo de baixas nas tropas" que, quando acionados, liberam "centenas de projéteis ou fragmentos lançados a alta velocidade em todas as direções dentro de uma grande área".[2] Cerca de 30% das bombas não foram detonadas e, por isso, matam e mutilam crianças que encontram partes delas, agricultores que acabam batendo nelas durante o trabalho e outros azarados. A reportagem vem acompanhada de um mapa da província de Xieng Khouang, no norte do Laos, mais conhecida como a planície de Jars, o principal alvo do intenso bombardeio, que atingiu o auge de sua fúria em 1969.

Fuller conta que a sra. Khamvongsa "foi instigada a agir quando encontrou uma coleção de desenhos dos bombardeios feitos por refugiados e compilados por Fred Branfman, um ativista antibelicista que ajudou a denunciar a Guerra Secreta".[3] Os desenhos aparecem no extraordinário livro de Branfman *Voices from the plain of Jars* (Vozes da planície de Jars, em tradução livre), publicado em 1972 e republicado pela editora da Universidade de Wisconsin em 2013 com uma nova introdução. Os desenhos mostram em vívidos detalhes o tormento das vítimas, camponeses pobres de uma área remota que não tinham praticamente nada a ver com a Guerra do Vietnã, conforme se admitiu oficialmente. Um relato típico, feito por uma enfermeira de 26 anos, sintetiza a natureza da guerra aérea. "Não se passava uma única noite sem que ficássemos pensando se iríamos sobreviver até a manhã seguinte, nunca houve uma manhã sem que pensássemos se conseguiríamos sobreviver até a noite. Nossos filhos choravam? Ah, sim, e nós também. Eu ficava na minha caverna. Durante dois anos não vi a luz do sol. Em que eu pensava? Eu costumava repetir: 'Por favor, não deixe os aviões chegarem, por favor, não deixe os aviões chegarem, por favor, não deixe os aviões chegarem'."[4]

De fato, os valentes esforços de Branfman resultaram em certa conscientização sobre aquela medonha atrocidade. Sua persistente pesquisa também desmascarou as razões da selvagem destruição de uma comunidade camponesa desamparada e indefesa. Ele revelou novamente as razões na introdução à nova edição de *Voices*. Em suas palavras:

> Uma das revelações mais terríveis sobre os bombardeios foi descobrir o motivo pelo qual haviam aumentado de forma tão drástica em 1969, conforme descreveram os refugiados. Averiguei que depois que o presidente Lyndon Johnson ordenou a interrupção de um bombardeio sobre o Vietnã do Norte em novembro de 1968, ele havia desviado os aviões para o norte do Laos. Não havia nenhuma razão militar para fazer isso. De acordo com o depoimento do vice-chefe de Missão Monteagle Stearns à Comissão de Relações Exteriores do Senado dos EUA em outubro de 1969, a explicação era a seguinte: "Bem, tínhamos todos aqueles aviões parados e não podíamos deixá-los lá sem fazer nada".[5]

Dessa forma, os aviões sem uso foram empregados para descarregar chuvas de bombas sobre pobres camponeses, devastando a pacífica planície de Jars, longe da destruição causada pelas mortíferas guerras de agressão empreendidas por Washington na Indochina.

Vejamos agora como essas revelações são transmutadas do jornal *The New York Times*: Fuller escreve: "Os alvos eram tropas norte-vietnamitas – especialmente ao longo da trilha Ho Chi Minh, uma grande parte da qual atravessava o Laos –, bem como os comunistas do Laos, aliados do Vietnã do Norte".[6] Comparemos esse trecho às palavras do vice-chefe de missão norte-americano e os angustiantes desenhos e testemunhos do livro de Fred Branfman.

Sim, é verdade que o repórter do *Times* tem uma fonte: a propaganda oficial dos EUA. Isso é suficiente para sobrepujar meros fatos sobre um dos maiores crimes da era pós-Segunda Guerra Mundial, como detalhado pela própria fonte que ele cita: as cruciais revelações de Fred Branfman.

Podemos estar certos de que essa colossal mentira a serviço do Estado não será alvo de um longo e detalhado desmascaramento e tampouco receberá, por parte da Imprensa Livre, acusações de vergonhosos delitos jornalísticos, tais como plágio e falta de ceticismo.

A mesma edição do *The New York Times* nos brinda com um artigo do inimitável Thomas Friedman, que repercute com toda a sinceridade as palavras do presidente Obama, as quais apresentam o que Friedman rotula como "a doutrina Obama" (todo presidente tem que ter uma doutrina). A profunda doutrina é "'engajamento' combinado com o cumprimento de necessidades estratégicas fundamentais".*[7]

O presidente ilustrou sua doutrina com um caso crucial: "Veja-se um país como Cuba. Para que testemos a possibilidade de que o engajamento leva a um resultado melhor para o povo cubano, não há muitos riscos para nós. É um país minúsculo. Não é um país que representa ameaça aos nossos mais básicos interesses de segurança, e por isso [não há razão para não] testarmos a proposta. E se no fim ficar claro que não leva a melhores resultados, podemos ajustar nossas políticas".[8]

Aqui, o Prêmio Nobel da Paz dá mais detalhes sobre as razões de levar a cabo o que o principal periódico intelectual da esquerda liberal, a revista *The New York Review of Books*, saúda como o "passo corajoso e verdadeiramente histórico" de restabelecer as relações diplomáticas com Cuba.[9] É uma iniciativa tomada a fim de "fortalecer de modo mais efetivo o povo cubano", explicou o herói, uma vez que os nossos esforços anteriores no sentido de levar aos cubanos a liberdade e a democracia haviam fracassado, sem conseguir atingir nossos nobres objetivos.[10]

---

* Em inglês, a doutrina Obama de política externa é sintetizada pelo termo *engagement*, de "engajamento" na acepção de "diálogo", "diplomacia" e "envolvimento" com outras nações em oposição a confronto. (N. T.)

Ao avançarmos mais a fundo na leitura, encontramos outras pérolas. Há, por exemplo, um artigo de opinião de primeira página assinado por Peter Baker sobre o acordo nuclear com o Irã, uma reflexão publicada alguns dias antes e que alerta sobre os crimes iranianos listados pelo sistema de propaganda de Washington. Sob análise, todos se mostram bastante reveladores, embora nenhum deles mais que o típico crime iraniano: "desestabilizar" a região por meio do apoio a "milícias xiitas que mataram soldados norte-americanos no Iraque".[11] Aqui, mais uma vez, aparece a situação padrão. Quando os EUA invadem o Iraque, praticamente destruindo-o e incitando conflitos sectários que destroçam o país e agora toda a região, isso conta como "estabilização" na retórica oficial e, portanto, na retórica da mídia. Quando o Irã apoia as milícias que resistem à agressão, isso recebe o nome de "desestabilização". E dificilmente seria possível pensar em um crime mais hediondo que matar soldados norte-americanos que atacam a casa de alguém.

Tudo isso, e muito, muito mais, faz todo o sentido se mostrarmos a devida obediência e aceitarmos de maneira acrítica a doutrina aprovada: os Estados Unidos são os donos do mundo, e o são por direito, por razões também explicadas lucidamente na revista *The New York Review of Books* em um artigo de março de 2015 de autoria de Jessica Matthews, ex-presidente do Fundo Carnegie para a Paz Internacional: "As contribuições norte-americanas para a segurança internacional, o crescimento econômico global, a liberdade e o bem-estar humano são tão evidentemente incomparáveis e tão claramente dirigidas ao benefício dos outros que os norte-americanos há muito se acostumaram a acreditar que os EUA são um tipo diferente de país. Enquanto outros se empenham por seus interesses nacionais, os EUA tentam promover princípios universais".[12]

A defesa dá por encerrada a apresentação de provas.

CAPÍTULO 21

"A ameaça iraniana": quem é o maior e mais grave perigo para a paz mundial?

Em todo o mundo há grande alívio e otimismo acerca do acordo nuclear firmado em Viena entre o Irã e as nações do grupo P5 + 1, os cinco membros com poder de veto no Conselho de Segurança da ONU mais a Alemanha. Aparentemente, a maior parte do planeta compartilha a avaliação da Associação de Controle de Armas dos EUA, segundo a qual "o Plano Abrangente de Ação Conjunta estabelece uma fórmula poderosa e efetiva para o bloqueio de todas as vias pelas quais o Irã poderia adquirir materiais para a confecção de armas nucleares, por um período superior a uma geração, e um sistema de verificação, que durará indefinidamente, capaz de detectar e impedir de imediato possíveis tentativas de o Irã adquirir armas nucleares por meios secretos".[1]

Há, porém, notáveis exceções ao entusiasmo geral: os Estados Unidos e os seus aliados regionais mais próximos, Israel e Arábia Saudita. Uma consequência disso é que as corporações norte-americanas, para seu grande desapontamento, estão impedidas de juntar-se a Teerã ao lado de suas *counterparts* europeias. Setores proeminentes do poder e da opinião norte-americanos partilham da posição dos dois aliados regionais, e por isso encontram-se em um estado de quase histeria com relação à "ameaça iraniana". Nos EUA, comentários sóbrios, praticamente de uma ponta à outra do espectro ideológico, declaram que o Irã é "a mais grave ameaça à paz mundial". Mesmo os que apoiam o acordo são cautelosos, dada a expcecional gravidade dessa ameaça. Afinal, como podemos confiar nos iranianos, com o seu terrível histórico de agressão, violência, revoltas e fraudes?

A oposição da classe política é tão forte que a opinião pública se dividiu e rapidamente passou do significativo apoio ao acordo para um equilibrado empate.[2] Os republicanos são, de maneira quase unânime, contrários ao acordo. Os candidatos da última eleição presidencial seguem essa linha de pensamento. O senador Ted Cruz, considerado um dos intelectuais em meio ao cenário abarrotado de candidatos presidenciais, alerta que o Irã talvez ainda seja capaz de fabricar armas nucleares e poderia usar uma delas para disparar um pulso eletromagnético que "derrubaria a rede elétrica de toda a Costa Leste" dos Estados Unidos, matando "dezenas de milhões de norte-americanos".[3] Dois outros candidatos, o ex-governador da Flórida, Jeb Bush, e o governador do Wisconsin, Scott Walker, travaram uma batalha sobre se deveriam bombardear o Irã imediatamente após serem eleitos ou depois da primeira reunião de gabinete.[4] O candidato com alguma experiência em política externa, Lindsey Graham, descreve o acordo como "uma sentença de morte para o Estado de Israel," o que será uma surpresa para os serviços de espionagem e analistas de estratégia israelenses – e que Graham sabe ser um completo absurdo, suscitando de imediato dúvidas sobre os seus reais motivos para ter dito isso.[5]

É importante ter em mente que os republicanos abandonaram há muito tempo o fingimento de funcionar como um partido parlamentar normal. Conforme observou o respeitado comentarista político conservador Norman Ornstein, do direitista Instituto Empresarial Norte-americano (American Enterprise Institute – AEI, na sigla em inglês), os republicanos tornaram-se uma "insurgência radical" que mal e mal procura participar da política normal no Congresso.[6] Desde os dias do presidente Ronald Reagan, a liderança do partido mergulhou tão fundo nos bolsos dos ricaços e do setor corporativo que só consegue atrair votos mobilizando partes da população que anteriormente não foram arregimentadas em forças políticas organizadas. Entre esse setores estão os cristãos evangélicos extremistas, que hoje devem constituir a maioria dos eleitores republicanos; remanescentes dos antigos estados escravagistas; nativistas que estão aterrorizados com o fato de que "eles" estão roubando de nós o nosso país, branco, cristão e anglo-saxão; e outros que transformam as primárias republicanas em espetáculos distantes das tendências dominantes das sociedades modernas – embora não do *mainstream* do país mais poderoso da história mundial.

O afastamento dos padrões globais, entretanto, vai muito além dos limites da insurgência radical republicana. De um lado ao outro do espectro existe um consenso com a "pragmática" conclusão do general Martin Dempsey, presidente da Junta de Chefes do Estado-Maior, de que o acordo de Viena não "impede os Estados Unidos de atacar instalações iranianas se as autoridades concluírem que o país está trapaceando o acordo", embora um ataque militar unilateral seja "bem menos provável" caso o Irã se porte bem.[7] O antigo negociador de Clinton e Obama para o Oriente Médio, Dennis Ross, recomenda que "o Irã não deve sentir dúvida de que, se o virmos dando passos na direção de uma arma, isso desencadearia o uso da força", mesmo após o fim do acordo, quando o Irã teoricamente estará livre para fazer o que quiser.[8] De fato, a existência de uma data de término do prazo para daqui a quinze anos é, Ross acrescenta, "o maior problema com o acordo". Ele sugere também que os Estados Unidos forneçam a Israel bombardeiros B-52 e bombas *antibunker* para se proteger antes que chegue tão terrível data.[9]

"A mais grave ameaça"

Oponentes ao acordo nuclear acusam-no de não ir suficientemente longe. Alguns dos que o apoiam concordam, alegando que "se o acordo de Viena quer significar alguma coisa, todo o Oriente Médio tem que se livrar das armas de destruição em massa". O autor dessas palavras, o ministro das Relações Exteriores iraniano Javad Zarif, acrescentou que "o Irã, em sua capacidade nacional e na condição de atual presidente do Movimento dos Países Não Alinhados [os governos de grande maioria da população mundial], está preparado para trabalhar com a comunidade internacional a fim de alcançar esses objetivos, sabendo muito bem que, ao longo do caminho, encontrará muitos obstáculos levantados pelos céticos da paz e da diplomacia". O Irã assinou "um histórico acordo nuclear", continua ele, e agora é a vez de Israel, o "renitente".[10]

Israel, claro, é uma das três potências nucleares, juntamente com a Índia e o Paquistão, cujos programas atômicos contaram com a cumplicidade dos Estados Unidos e que se recusam a assinar o NPT.

Zarif estava se referindo à regular conferência quinquenal de revisão do NPT, e que terminou em fracasso em abril quando os Estados Unidos (desta vez acompanhados por Canadá e Grã-Bretanha), novamente bloquearam os esforços no sentido da criação de uma zona livre de armas de destruição de massa no Oriente Médio. Esses esforços foram encabeçados pelo Egito e por outros Estados árabes ao longo de vinte anos. Jayantha Dhanapala e Sérgio Duarte, duas das figuras de proa na promoção desses esforços no NPT e junto a outras agências da ONU e nas Conferências Pugwash, observam que "a adoção bem-sucedida em 1995 da resolução sobre o estabelecimento de uma zona livre de armas de destruição em massa WMD no Oriente Médio foi o principal elemento de um pacote que permitiu a extensão indefinida do NPT".[11]

O NPT é o mais importante de todos os tratados de controle de armamentos. Se fosse adotado com ampla adesão, poderia terminar com o flagelo das armas nucleares. A implementação da resolução tem sido repetidamente bloqueada pelos Estados Unidos, pelo presidente Obama em 2010 e de novo em 2015. Dhanapala e Duarte comentam que o esforço foi mais uma vez obstruído "em nome de um Estado que não é signatário do NPT e que é tido como o único da região que possui armas nucleares" – uma elegante e atenuada referência a Israel. Esse fracasso, esperam eles, "não será o golpe de misericórdia nos dois longevos objetivos do NPT de acelerar o avanço do desarmamento nuclear e do estabelecimento de uma zona livre de armas de destruição em massa no Oriente Médio". O artigo de

Dhanapala e Duarte, publicado no boletim da Associação de Controle de Armas dos EUA, é intitulado "Há um futuro para o NPT?".

Uma zona livre de armas nucleares no Oriente Médio é uma maneira simples e direta de lidar com qualquer ameaça supostamente representada pelo Irã, mas há muito mais coisas em jogo na contínua sabotagem de Washington à iniciativa a fim de proteger seu cliente israelense. Não é o único caso em que as oportunidades para acabar com a alegada ameaça iraniana foram minadas por Washington, o que suscita questionamentos acerca do que está de fato em jogo.

Para ponderamos sobre essa questão, é instrutivo examinar tanto os pressupostos tácitos da situação como as perguntas que raramente são feitas. Consideremos alguns desses pressupostos, começando com o mais sério: que o Irã é a mais grave ameaça à paz mundial.

Nos Estados Unidos, é um clichê entre os funcionários graduados, oficiais de alta patente e comentaristas políticos afirmar que o Irã é o grande campeão nesse sinistro campeonato. Há também um outro mundo fora dos EUA, e embora os pontos de vista desse mundo não sejam informados na imprensa dominante daqui, talvez elas tenham algum interesse. De acordo com as mais importantes agências de pesquisa de opinião ocidentais (WIN/Gallup International), o prêmio de "mais grave ameaça" cabe aos EUA, que o mundo considera a mais séria ameaça à paz mundial por larga margem. No segundo lugar, bem abaixo, está o Paquistão, cuja posição é provavelmente inflacionada pelo voto indiano. O Irã fica abaixo desses dois, juntamente com China, Israel, Coreia do Norte e Afeganistão.[12]

"O maior apoiador mundial do terrorismo"

Ao voltarmos nossas atenções para a questão óbvia seguinte, qual é de fato a ameaça iraniana? Por que, por exemplo, Israel e a Arábia Saudita estão tremendo de medo por causa da ameaça do Irã? Seja lá qual for essa ameaça, ela nem de longe pode ser de natureza militar. Anos atrás, os serviços de inteligência dos EUA informaram ao Congresso que o Irã tem um orçamento militar baixíssimo se comparado aos padrões de gastos bélicos da região e que a doutrina estratégica iraniana é defensiva – isto é, preparada para a dissuasão, para deter ações hostis de outros países.[13] Ainda de acordo com essas informações de espionagem, não há qualquer evidência de que o Irã esteja no encalço de um programa de armamentos nucleares e que "o programa nuclear do Irã e a sua disposição de manter aberta a possibilidade de desenvolver armas nucleares é uma parte central da sua estratégia de deterrência".[14]

Em seu ranking de armamentos globais, o abalizado Instituto de Pesquisa da Paz Internacional de Estocolmo (Stockholm International Peace Research Institute – SIPRI, na sigla em inglês) coloca os Estados Unidos, como sempre, na dianteira das despesas militares. A China figura em segundo lugar, com cerca de um terço das despesas norte-americanas. Bastante abaixo aparecem a Rússia e a Arábia Saudita, cuja posição, no entanto, está bem acima de qualquer Estado da Europa Ocidental. O Irã mal é mencionado.[15] Os detalhes completos são fornecidos pelo relatório de abril do Centro de Estudos Estratégicos e Internacionais (Center of Strategic and International Studies – CSIS, na sigla em inglês), que declara ter encontrado "evidências conclusivas de que os Estados do golfo da Arábia têm [...] uma esmagadora vantagem [sobre] o Irã tanto em gastos militares quanto no acesso a armamentos modernos". O orçamento militar do Irã é uma fração das despesas bélicas da Arábia Saudita e muito inferior inclusive às despesas militares dos EAU. Somados, os Estados do Conselho de Cooperação do Golfo (Bahrein, Kuwait, Omã, Qatar, Arábia Saudita e EAU) ultrapassam o Irã por um fator próximo de oito, desequilíbrio que já vem há décadas.[16] O relatório do CSIS acrescenta que "os Estados do golfo da Arábia adquiriram e estão adquirindo algumas das mais avançadas e eficientes armas do mundo, [enquanto] o Irã tem sido forçado a viver no passado, muitas vezes fiando-se em sistemas implementados na época do xá". Em outras palavras, são praticamente obsoletos.[17] No que se refere a Israel, é claro, o desequilíbrio é ainda maior. Possuindo o mais avançado arsenal norte-americano e sendo uma virtual base militar *offshore* para a superpotência global, conta também com um imenso estoque de armas nucleares.

A bem da verdade, Israel enfrenta a "ameaça existencial" de pronunciamentos iranianos. São famosas as repetidas conclamações do supremo líder Khamenei e do ex-presidente Mahmoud Ahmadinejad ameaçando Israel de destruição. Porém, não o fizeram – se o tivessem feito, teria sido algo de pouca importância.[18] Eles previram que "pela graça de Deus, [o regime sionista] será varrido do mapa" (de acordo com outra tradução, Ahmadinejad disse que Israel "deve desvanecer das páginas do tempo", citando uma declaração do aiotalá Khomeini durante o período em que Israel e Irã eram aliados tácitos). Em outras palavras, eles têm a esperança de que um dia ocorra a mudança do regime. Mesmo isso está muito aquém das expectativas sobre os apelos diretos de Washington e Tel Aviv por uma mudança de regime no Irã, sem falar das ações executadas para que se efetue a mudança de regime. Elas, claro, remontam à efetiva "mudança de regime" de 1953, quando os Estados Unidos e a Inglaterra organizaram um golpe militar para derrubar o governo parlamentar do Irã e instalar a ditadura do xá, que acabaria acumulando um dos piores conjuntos de violações de direitos humanos no mundo. Esses crimes eram conhecidos dos leitores dos relatórios da Anistia Internacional e de outras organizações de direitos humanos, mas não dos leitores da imprensa dos EUA, que têm devotado bastante espaço a violações iranianas dos direitos humanos – mas somente a partir de 1979, quando o regime do xá foi derrubado. Esses instrutivos fatos estão documentados em um estudo de Mansour Farhang e William Dorman.[19]

Nada disso é um afastamento divergente da norma. Os Estados Unidos, como se sabe muito bem, são os detentores do título de campeão mundial de mudanças de regime, e Israel não fica muito atrás. A mais destrutiva das invasões israelenses ao Líbano, em 1982, visava explicitamente a uma mudança de regime, bem como pretendia assegurar o domínio de Israel nos territórios ocupados. Os pretextos alegados eram fracos e desmoronaram num piscar de olhos. Isso também não é incomum e em larga medida independe da natureza da sociedade – dos lamentos na Declaração de Independência sobre "os impiedosos índios selvagens" à defesa da Alemanha que Hitler propôs contra o "terror selvagem" dos poloneses.

Nenhum analista sério acredita que o Irã usaria, ou ameaçaria usar, uma arma nuclear caso tivesse alguma, e assim enfrentando a destruição instantânea. Há, porém, uma preocupação real de que uma arma nuclear possa cair em mãos jihadistas – não por causa do Irã, onde a ameaça é minúscula, mas por meio do Paquistão, aliado dos EUA. No boletim do Royal Institute of International Affairs (Real Instituto de Assuntos Internacionais, agora Chatham House), organização sediada em Londres, dois destacados cientistas nucleares paquistaneses, Pervez Hoodbhoy e Zia Mian, escrevem que os crescentes temores de que "militantes se apoderem de armas ou materiais nucleares e possam desencadear o terrorismo nuclear [levaram à] [...] criação de uma força especial de mais de 20 mil soldados dedicados a proteger instalações nucleares. Não existem motivos para supor, no entanto, que essa força seria imune aos problemas associados às unidades que guardam as instalações militares regulares", que sofrem ataques com "ajuda interna, de pessoas que têm informações confidenciais privilegiadas".[20] Em suma, o problema é real, mas deslocado para o Irã graças a fantasias engendradas por outras razões.

Outras preocupações sobre a ameaça iraniana incluem o papel do Irã como "o maior apoiador mundial do terrorismo", o que se refere principalmente ao seu apoio ao Hezbollah e ao Hamas.[21] Esses dois movimentos surgiram em resistência à violência e agressão israelenses respaldadas pelos EUA, que excedem qualquer coisa que é atribuída a essas organizações. Seja lá o que se pense sobre o Hezbollah e o Hamas ou outros beneficiários do apoio iraniano, o Irã não figura entre os maiores apoiadores do terrorismo mundial, nem mesmo no mundo islâmico. Entre os Estados islâmicos, a Arábia Saudita ocupa a dianteira, com ampla margem, no quesito de maior patrocinador do terror islâmico, não somente graças ao financiamento direto com o dinheiro de sauditas abastados e outros no golfo como, mais ainda, pelo fervor missionário com que os sauditas promulgam sua extremista versão wahhabi-salafista do islã por meio de escolas corânicas, mesquitas, clérigos e outros meios disponíveis para uma ditadura religiosa com a colossal riqueza do petróleo. O ISIS (Estado Islâmico do Iraque e do Levante ou Estado Islâmico do Iraque e da

Síria) é um rebento extremista do extremismo religioso saudita e sua insuflação das chamas jihadistas.

Mas quando fala de gerar terror islâmico, nada se compara à guerra contra o terror empreendida pelos EUA, que ajudou a disseminar a praga de uma pequena área tribal na zona fronteiriça entre Afeganistão-Paquistão para uma vasta região da África Ocidental ao Sudeste Asiático. Somente a invasão do Iraque intensificou por sete os ataques de terror no primeiro ano, muito além do que previam as agências de inteligência.[22] A guerra de *drones* contra sociedades tribais marginalizadas e oprimidas também suscita reivindicações de vingança, como indicam amplas evidências.

Os dois clientes iranianos, o Hezbollah e o Hamas, têm em comum o crime de ganhar o voto popular nas únicas eleições livres do mundo árabe. O Hezbollah é culpado do crime ainda mais hediondo de obrigar Israel a recuar de sua ocupação e se retirar do sul do Líbano – a zona de ocupação era uma violação de ordens do Conselho de Segurança que vinha havia décadas, um regime de terror ilegal pontuado por episódios extremos de violência, assassinato e destruição.

"Estímulo à instabilidade"

Outra preocupação, expressa na ONU pela embaixadora norte-americana Samantha Power, é a "instabilidade que o Irã alimenta para além de seu programa nuclear".[23] Os Estados Unidos continuarão a escrutinar essa má conduta, declarou ela. Ao fazê-lo, a embaixadora ecoou a garantia dada pelo secretário da Defesa Ashton Carter, quando estava na fronteira norte de Israel, de que "continuaremos a ajudar Israel a conter a maligna influência do Irã" ao dar apoio ao Hezbollah, e que os Estados Unidos se reservam o direito de usar a força militar contra o Irã quando julgarem apropriado.[24]

A forma como o Irã "estimula a instabilidade" pode ser vista de maneira especialmente dramática no Iraque, onde, entre outros crimes, os iranianos prestaram auxílio aos curdos que estavam se defendendo da invasão do ISIS, e onde está construindo uma central elétrica de 2,5 bilhões de dólares a fim de tentar restaurar a potência elétrica ao nível anterior à invasão dos EUA.[25] O discurso da embaixadora Power é padrão: quando os Estados Unidos invadem um país, resultando em centenas de milhares de mortos e em milhões de refugiados, juntamente com bárbaros atos de tortura e destruição (que os iraquianos compararam às invasões mongóis), fazendo do Iraque o país mais infeliz do mundo de acordo com pesquisas WIN/Gallup – nesse ínterim, detonou um conflito sectário que está despedaçando a região e lançou as bases para a monstruosidade que é o ISIS junto com o nosso aliado saudita –, isso é chamado de "estabilização."[26] As vergonhosas ações do Irã é que estão "alimentando a instabilidade". A farsa desse discurso padrão atinge níveis quase surreais, como quando o comentarista de esquerda James Chace, ex-editor da *Foreign Affairs*, explicou que os EUA procuraram "desestabilizar um governo marxista livremente eleito no Chile" porque "estávamos determinados a procurar a estabilidade" sob a ditadura de Pinochet.[27]

Outras pessoas estão indignadas com o fato de Washington negociar com um regime "desprezível" como o do Irã, com seu horrível histórico de violação aos direitos humanos, e fazem pressão para que busquemos "uma aliança entre Israel e os Estados sunitas, sob os auspícios dos EUA". É o que escreve Leon Wieseltier, editor-colaborador da respeitável revista esquerdista *The Atlantic*, que mal consegue disfarçar o seu visceral ódio por tudo que diz respeito ao Irã.[28] Com ar de seriedade, esse respeitado intelectual de esquerda recomenda que a Arábia Saudita, que faz o Irã parecer um virtual paraíso, e Israel, com os seus brutais crimes cometidos em Gaza e outros lugares, deveriam aliar-se a fim de dar uma lição no Irã e ensinar a esse país regras de bom comportamento. Talvez a recomendação não seja inteiramente insensata quando considerarmos os antecedentes de direitos humanos dos regimes que os Estados Unidos impuseram e apoiam em todo o mundo.

Embora o governo iraniano seja uma ameaça para o seu próprio povo, não quebra lamentavelmente recorde nenhum nesse quesito e não desce ao mesmo nível dos aliados favoritos dos EUA. Isso, entretanto, parece não ser o cerne das preocupações de Washington, nem de Tel Aviv ou Riad.

Talvez também seja útil lembrar – os iranianos se lembram – de que desde 1953 não se passou um único dia sem que os Estados Unidos tenham prejudicado os iranianos. Tão logo os iranianos derrubaram em 1979 o detestável regime do xá imposto pelos EUA, Washington começou a apoiar o ataque homicida de Saddam Hussein ao Irã. O presidente Reagan chegou ao ponto de negar o mais terrível crime cometido por Saddam, o ataque com armas químicas contra a população curda do Iraque, atribuindo a culpa ao Irã.[29] Quando Saddam foi julgado por seus crimes sob os auspícios dos EUA, esse crime horrendo (bem como outros, dos quais os Estados Unidos foram cúmplices) foi excluído das acusações, que se restringiram a um de seus menores crimes, o assassinato de 148 xiitas em 1982, e passou a constar somente como uma nota de rodapé em sua sinistra folha corrida.[30]

Terminada a Guerra Irã-Iraque, os Estados Unidos continuaram apoiando Saddam Hussein, o principal inimigo do Irã. O presidente George H. W. Bush chegou a convidar engenheiros nucleares iraquianos para passar uma temporada nos EUA a fim de receber treinamento avançado em produção de armamentos, uma ameaça bastante séria ao Irã.[31] As sanções contra o Irã foram intensificadas, incluindo contra as empresas estrangeiras que negociavam com os iranianos, e iniciadas ações para expulsar o Irã do sistema financeiro internacional.[32]

Em anos recentes, a hostilidade se ampliou até ganhar a forma de sabotagem, o assassinato de cientistas nucleares (crimes provavelmente cometidos por Israel) e a ciberguerra, proclamada com orgulho.[33] O Pentágono encara a ciberguerra como um ato de guerra que justifica uma resposta militar, como faz a OTAN, que afirmou em setembro de 2014 que os ciberataques podem desencadear mecanismos obrigatórios de defesa coletiva das potências da OTAN – quando nós somos o alvo, não os autores dos ciberataques.[34]

"O principal Estado bandido"

Nada mais justo que acrescentar que tem havido rompimentos desse padrão. O presidente George W. Bush forneceu significativos presentes ao Irã ao destruir os seus maiores inimigos, Saddam Hussein e o Talibã. Bush colocou inclusive o inimigo iraquiano do Irã sob sua influência após a derrota dos EUA, tão acachapante que levou Washington a abandonar os seus objetivos declarados de estabelecer bases militares permanentes ("acampamentos duradouros") e assegurar que as grandes corporações norte-americanas tivessem acesso privilegiado às vastas reservas de petróleo do Iraque.[35]

Os dirigentes iranianos pretendem desenvolver armas nucleares hoje? Podemos decidir por nós mesmos até que ponto são críveis seus desmentidos, mas está fora de questão que no passado tiveram tais intenções, até porque isso era abertamente declarado pelo mais alto nível de autoridade, que informou aos jornalistas estrangeiros que o Irã desenvolveria armas nucleares "seguramente, e mais cedo do que se pensa".[36] O pai do programa de energia nuclear do Irã e ex-diretor da Organização de Energia Atômica do Irã estava convencido de que o plano dos dirigentes do país "era construir uma bomba nuclear".[37] A CIA também informou que não tinha "dúvida nenhuma" de que o Irã desenvolveria armas nucleares se os países vizinhos fizessem isso (como o fizeram).[38]

Tudo isso se deu sob o xá, o supracitado "mais alto nível de autoridade" – durante o período em que os mais altos representantes do poder oficial norte-americano (Cheney, Rumsfeld, Kissinger e outros) estavam pressionando o xá para levar adiante os programas nucleares e as universidades para se ajustarem a esses esforços.[39] Como parte desse empenho, a minha própria universidade, o Instituto de Tecnologia de Massachusetts (Massachusetts Institute of Technology, MIT) fez um acordo com o xá para admitir estudantes iranianos no programa de engenharia nuclear em troca de bolsas oferecidas pelo soberano – algo que enfrentou fortíssimas objeções do corpo discente, mas contou com o apoio vigoroso do corpo docente, numa reunião de que os professores mais velhos lembram-se bem.[40]

Indagado mais tarde por que razão havia apoiado tais programas sob o xá, e mais recentemente se opunha a eles, Kissinger respondeu com honestidade, afirmando que à época o Irã era um aliado.[41]

Deixando de lado os absurdos, qual é a real ameaça do Irã que inspira tanto medo e tamanha fúria? Um lugar para o qual podemos nos voltar em busca de respostas são, de novo, os serviços de inteligência norte-americana. Basta nos lembrarmos da análise das agências de espionagem dos EUA de que o Irã não representa ameaça militar e humana, que as doutrinas estratégicas do país são defensivas e que seus programas nucleares (sem nenhum empenho na produção de bombas, até onde os serviços de inteligência puderam apurar) são "uma parte central de sua estratégia de deterrência".

Quem, então, estaria preocupado com uma deterrência iraniana? A resposta é óbvia: os Estados vilões que assolam a região e não querem tolerar qualquer impedimento ao seu recurso à agressão e à sua confiança na violência. Nesse aspecto, quem ocupa a dianteira são os Estados Unidos e Israel, com a Arábia Saudita esforçando-se ao máximo para se juntar ao grupo depois da invasão ao Bahrein (para apoiar o esmagamento de um movimento local por reformas) e seu assassino ataque ao Iêmen, acelerando uma catástrofe humanitária cada vez maior nesse país.

Para os Estados Unidos, essa caracterização é habitual. Quinze anos atrás, o destacado analista político Samuel Huntington alertou em um texto na *Foreign Affairs*, prestigiosa revista do *establishment*, que para a maior parte do mundo os Estados Unidos estavam "se tornando a superpotência vilã [...], a única e maior ameaça externa às suas sociedades".[42] Pouco depois, suas palavras foram ecoadas por Robert Jervis, presidente da Associação Norte-Americana de Ciência Política: "Aos olhos da maior parte do mundo, o principal Estado bandido hoje são os Estados Unidos".[43] Como vimos, a opinião global corrobora, por ampla margem, esse juízo.

Além disso, o manto é usado com orgulho. É esse o claro significado da insistência do governo e da classe política para que os Estados Unidos se reservem o direito de recorrer à força caso determinem, unilateralmente, que o Irã está violando qualquer compromisso. Essa política já existe há muito tempo para os democratas progressistas, e de forma alguma se restringe ao Irã. A doutrina Clinton, por exemplo, afirmava que os EUA têm o direito de "uso unilateral do poderio militar" até mesmo para assegurar "acesso irrestrito a mercados vitais, reservas energéticas e recursos estratégicos", sem falar nas supostas preocupações com "segurança" e ordem "humanitária".[44] A adoção de várias versões dessa doutrina já foi confirmada na prática, de tal modo que se torna desnecessária a sua discussão entre pessoas com vontade de olhar para os fatos da história presente.

Essas são algumas das questões imprescindíveis que deveriam ser o foco das atenções na análise do acordo nuclear de Viena.

CAPÍTULO 22

O relógio do juízo final

Em janeiro de 2015, a publicação *The bulletin of the atomic scientists* (Boletim de cientistas atômicos, em tradução livre) adiantou os ponteiros de seu famoso Relógio do Juízo Final para três minutos antes da meia-noite, um nível de ameaça que durante trinta anos jamais havia sido alcançado. A declaração do *Boletim* explicando esse adiantamento dos ponteiros para mais perto da catástrofe invocava as duas maiores ameaças à sobrevivência: armas nucleares e "mudança climática descontrolada". O anúncio condenava os líderes mundiais que fracassaram em agir com rapidez ou na escala necessária para proteger os cidadãos de uma potencial catástrofe", colocando em risco "todas as pessoas do planeta ao falhar na sua tarefa mais importante – assegurar e preservar a saúde e a vitalidade da civilização humana".[1]

Desde então, tem havido bons motivos para avaliar a possibilidade de deslocar os ponteiros para mais perto do apocalipse.

No final de 2015, líderes de todo o mundo reuniram-se em Paris para tratar do grave problema da "mudança climática descontrolada". Praticamente não se passa um único dia sem que surjam novas evidências do quanto a crise é severa. Podemos escolher uma delas quase que aleatoriamente: pouco antes da abertura da Conferência de Paris, o Laboratório de Propulsão a Jato da NASA divulgou um estudo que a um só tempo surpreendeu e alarmou cientistas que vinham estudando o gelo ártico. O estudo mostrou que uma enorme geleira da Groenlândia, a Zachariae Isstrøm, "se desprendeu e saiu de uma posição glaciologicamente estável" em 2012 e entrou numa fase de acelerado recuo", fato inesperado e de consequências ameaçadoras. A geleira "tem água suficiente para elevar o nível global do mar em mais de 46 centímetros se derreter completamente. E agora está em uma dieta radical, perdendo 5 bilhões de toneladas de massa por ano. Todo esse gelo está se desintegrando e escorrendo Atlântico Norte adentro".[2]

Mesmo assim era pequena a expectativa de que os líderes mundiais reunidos em Paris agiriam "com rapidez ou na escala necessária para proteger os cidadãos de uma potencial catástrofe". E ainda que por algum milagre o tivessem feito, suas ações teriam valor limitado, por razões que deveriam ser inquietantes.

Quando o pacto foi aprovado em Paris, o ministro das Relações Exteriores francês Laurent Fabius, o anfitrião da conferência, anunciou que o acordo é "legalmente vinculativo", uma obrigação entre as partes.[3] Essa talvez seja a esperança, mas há mais do que alguns poucos obstáculos que são merecedores de minuciosa atenção.

Em toda a ampla cobertura que a imprensa dedicou à conferência de Paris, talvez as frases mais importantes sejam as seguintes, enterradas já perto do final de uma longa análise publicada no jornal *The New York Times*: "Tradicionalmente, os negociadores buscaram forjar um tratado vinculativo que para ter força necessitava de ratificação por parte dos governos dos países participantes. Mas não há meios possíveis de obter isso, por causa dos Estados Unidos. Um tratado estaria morto ao chegar à Colina do Capitólio sem a maioria necessária de dois terços numa votação do Senado controlado pelos republicanos. Assim, os planos voluntários estão substituindo alvos obrigatórios e programados de cima para baixo". E planos voluntários são uma garantia de fracasso.[4]

"Por causa dos Estados Unidos." Mais precisamente, por causa do Partido Republicano, que a essa altura está se tornando um perigo concreto e real para a sobrevivência humana decente.

As conclusões são salientadas em outro artigo do *Times* sobre o acordo de Paris. No final de um longo artigo louvando a conquista, o texto aponta que o sistema criado na conferência "depende das ideias e dos pontos de vista dos futuros líderes do mundo que levarão a cabo essas políticas. Nos Estados Unidos, todos os candidatos republicanos concorrendo à presidência em 2016 questionaram ou negaram a ciência da mudança climática e expressaram sua oposição às políticas de mudança climática do sr. Obama. No Senado, Mitch McConnell, o líder republicano que liderou o ataque contra a agenda de mudança climática de Obama, afirmou: "Antes que os parceiros dele estourem o champanhe, devem lembrar-se de que este é um acordo irrealizável com base em um plano de energia doméstica que provavelmente é ilegal, metade dos Estados moveram ações judiciais para interromper, e o Congresso, em votação, já optou por rejeitar".[5]

Os partidos Republicano e Democrata deram uma guinada à direita durante o período neoliberal da geração passada. Os democratas do *mainstream* são agora o que costumávamos chamar de "republicanos moderados". Enquanto isso, o Partido Republicano desgarrou-se do espectro, tornando-se o que os respeitados analistas políticos conservadores Thomas Mann e Norman Ornstein chamam de uma "insurgência radical" que praticamente abandonou a política parlamentar normal. Com a guinada à direita, a dedicação do Partido Republicano à riqueza e ao privilégio tornou-se tão extremada que suas efetivas políticas não foram capazes de atrair eleitores, de modo que agora tem de buscar uma nova base popular, mobilizada em outros setores: cristãos evangélicos aguardando a Segunda Vinda de Jesus,[6] nativistas que temem que "eles" estejam roubando de nós o nosso país, racistas estagnados[7], pessoas com queixas reais que confundem suas causas[8] e outros que, como eles, são presas fáceis de demagogos que podem tornar-se uma insurgência radical.

Em anos recentes, o *establishment* republicano havia conseguido sufocar as vozes da base por ele mobilizada. Não mais, porém. No final de 2015, o *establishment* estava expressando considerável desalento e desespero diante de sua incapacidade de fazê-lo, à medida que a base republicana e suas escolhas saíam de controle.

Os políticos republicanos eleitos e os presidenciáveis da campanha de 2016 expressaram desprezo franco pelas deliberações de Paris, recusando-se inclusive a comparecer aos trabalhos. Os três candidatos que à época lideravam as pesquisas eleitorais – Donald Trump, Ted Cruz e Ben Carson – adotaram a posição da base amplamente evangélica: os seres humanos não exercem nenhum impacto sobre o aquecimento global, se é que está mesmo acontecendo um. Os outros candidatos rejeitaram ações governamentais para lidar com a questão. Imediatamente após o discurso de Obama em Paris, afiançando que os Estados Unidos ocupariam a vanguarda da busca por ações globais, o Congresso dominado pelos republicanos votou a favor do bloqueio das regras da recente Agência de Proteção Ambiental relativas à eliminação das emissões de carbono. Conforme noticiou a imprensa, foi uma "mensagem provocativa para mais de cem líderes [mundiais] de que o presidente norte-americano não tem o pleno apoio de seu governo no que diz respeito à política climática" – o que é um tanto eufemístico. Enquanto isso, Lamar Smith, o chefe republicano da Comissão de Ciência, Espaço e Tecnologia, levou adiante sua *jihad* contra cientistas do governo que ousaram informar os fatos.[9]

A mensagem é clara. Os cidadãos norte-americanos enfrentam uma enorme responsabilidade em âmbito doméstico.

De acordo com uma reportagem publicada em *The New York Times*, "dois terços dos norte-americanos são favoráveis a que os Estados Unidos integrem um acordo para refrear as emissões de gás no efeito estufa". E, por uma margem de cinco para três, os norte-americanos consideram o clima mais importante que a economia. Mas isso não importa. A opinião pública é menosprezada. Esse fato, mais uma vez, envia um vigoroso recado aos americanos. É sua tarefa curar o sistema político disfuncional, em que a opinião popular é um fator marginal. A disparidade entre opinião pública e política, neste caso, tem significativas implicações para o destino do mundo.

Não devemos, é claro, ter ilusões acerca de uma "era dourada" do passado. Não obstante, os acontecimentos e desdobramentos aqui mencionados constituem mudanças significativas. O enfraquecimento da democracia vigente é uma das contribuições do ataque neoliberal à população mundial na geração passada. E isso não está acontecendo apenas nos EUA; na Europa o impacto talvez seja ainda pior.[10]

Voltemos nossas atenções à outra (e tradicional) preocupação dos cientistas atômicos que ajustam o Relógio do Juízo Final: as armas nucleares. A atual ameaça de guerra nuclear justifica a decisão tomada em janeiro de 2015 de adiantar o relógio para a marca de dois minutos para a meia-noite. O que aconteceu desde então revela mais claramente a crescente ameaça, uma questão que desperta uma preocupação insuficiente, na minha opinião.

A última vez que o Relógio do Juízo Final marcou três minutos para a meia-noite foi em 1983, época dos exercícios da Operação Able Archer (Arqueiro Hábil) da administração Reagan; esses exercícios eram falsos ataques, que simulavam agressões à União Soviética a fim de testar os sistemas de defesa russos. Documentos de arquivo russos recentemente divulgados revelam que a URSS estava bastante preocupada com as operações e se preparando para responder, o que significaria, simplesmente, o fim.

Aprendemos mais sobre esses imprudentes e inconsequentes exercícios, e sobre o quanto o mundo esteve à beira do desastre, graças ao consultor militar e analista de inteligência Melvin Goodman, à época chefe de divisão da CIA e analista-sênior do Departamento de Assuntos Soviéticos. "Além do exercício de mobilização Arqueiro Hábil que alarmou o Kremlin", escreve Goodman, "a administração Reagan autorizou exercícios militares agressivos nas proximidades da fronteira russa, os quais, em alguns casos, violavam a soberania territorial soviética. As arriscadas medidas do Pentágono incluíam o envio de bombardeiros estratégicos norte-americanos ao Polo Norte para testar os radares soviéticos e exercícios navais em manobras de tempo de guerra ao largo da costa da URSS, em pontos onde belonaves norte-americanas jamais haviam entrado antes. Operações navais secretas adicionais simulavam ataques-surpresa a alvos soviéticos."[11]

Sabemos agora que o mundo foi salvo de uma provável destruição nuclear naqueles apavorantes dias graças à decisão de um oficial russo, Stanislav Petrov, de não transmitir aos seus superiores o informe dos sistemas automáticos de detecção de que a URSS estava sob ataque de mísseis. Nesse sentido, Petrov tem a companhia de um oficial da Marinha soviética, o segundo capitão de submarino Vasili Arkhipov, que, num momento perigoso da Crise dos Mísseis Cubanos de 1962, se recusou a autorizar o lançamento de torpedos carregados com ogivas nucleares, quando os submarinos estavam sob o ataque de destróieres norte-americanos que patrulhavam a área para fazer cumprir a quarentena imposta pelo governo dos EUA.

Outros exemplos recentemente revelados incrementam o já medonho histórico. O especialista em segurança nuclear Bruce Blair relata que "o mais perto que os Estados Unidos chegaram de uma inadvertida decisão de lançamento estratégico por determinação do presidente se deu em 1979, quando programadores do Comando de Defesa Aeroespacial da América do Norte (The North American Aerospace Defense Command – NORAD, na sigla em inglês) quase iniciaram a Terceira Guerra Mundial quando, acidentalmente, uma fita com um programa que simulava um ataque soviético foi carregada na efetiva rede de detecção precoce do NORAD. O consultor de segurança nacional Zbigniew Brzezinski recebeu dois telefonemas durante a noite e foi avisado de que os EUA estavam sob um ataque da União Soviética, que havia acabado de lançar uma investida de 2.200 mísseis; Brzezinski já estava pegando o telefone para persuadir o presidente Carter de que era necessário autorizar uma resposta irrestrita e com força total quando uma terceira ligação informou-o de que se tratava de um alarme falso.[12]

Esse exemplo recém-revelado traz à mente um incidente decisivo de 1995, quando a trajetória de um foguete estadunidense-norueguês carregando equipamento científico para estudar as auroras boreais assemelhou-se à rota de um míssil nuclear. Isso colocou as forças militares russas em alerta máximo e o procedimento padrão para um ataque nuclear, na época, foi tomado: a maleta de lançamento de mísseis nucleares para contra-ataque foi levada ao então presidente russo, Boris Ieltsin, que deveria – em apenas alguns instantes – tomar a decisão de lançar mísseis nucleares em direção aos Estados Unidos.[13]

Blair acrescenta outros exemplos de sua própria experiência. Em um dos casos, à época da Guerra de 1967 no Oriente Médio, "a tripulação de um porta-aviões nuclear recebeu ordens de lançar um ataque atômico em vez de uma ordem de realizar um exercício de treinamento nuclear". Alguns anos depois, no início da década de 1970, o Comando Aéreo Estratégico em Omaha "retransmitiu uma ordem para a realização de um exercício de lançamento [...] na forma de uma ordem de lançamento real e efetiva de mísseis nucleares". Em ambos os casos, a verificação de códigos havia falhado; a intervenção humana evitou o lançamento dos ataques. "Mas dá para entender o que quero dizer aqui", acrescenta Blair. "Não era assim tão raro que esse tipo de confusão acontecesse."

Blair fez esses comentários em reação a um relatório do aviador John Bordne, que apenas recentemente foi liberado pela Força Aérea dos EUA. Bordne estava servindo na base aérea militar norte-americana de Okinawa em 1962 à época da Crise dos Mísseis Cubanos, e também um momento de sérias tensões na Ásia. A escala de prontidão das Forças Armadas foi elevada para DEFCON 2, um nível abaixo de DEFCON 1, quando mísseis nucleares podem ser lançados imediatamente. No auge da crise, em 28 de outubro, uma equipe de mísseis recebeu autorização para lançar projéteis nucleares, um equívoco. Decidiram não fazer isso, evitando a guerra atômica e juntando-se a Petrov e Arkhipov no panteão dos homens que decidiram desobedecerem ao protocolo e, desse modo, salvaram o mundo.

Como Blair observou, esses incidentes não são incomuns. Um recente estudo descobriu que dezenas de alarmes falsos foram acionados anualmente no período analisado, de 1977 a 1983; o estudo concluiu que a variação é entre 43 e 255 por ano. O autor do estudo, Seth Baum, resume com palavras apropriadas: "A guerra nuclear é o cisne negro que jamais conseguimos ver, exceto naquele breve momento em que nos estiver matando. Nós procrastinamos a eliminação do risco por nossa própria conta e risco. Agora é hora de lidar com a ameaça, porque agora é que estamos vivos".[14]

Esses pareceres, como o extenso e abrangente estudo de Eric Schlosser, *Command and control* (Comando e controle, em tradução livre), atêm-se essencialmente aos sistemas dos EUA.[15] Os russos, por exemplo, são muito mais propensos a erros. Sem mencionar o extremo perigo representado pelo sistema de outros, notadamente o Paquistão.

Às vezes, a ameaça não é acidente, mas aventureirismo, como na Operação Arqueiro Hábil. O caso mais extremo é da Crise dos Mísseis Cubanos em 1962, quando a ameaça foi absolutamente real. A forma como se lidou com a crise é chocante; impressionante também é a forma como o episódio é interpretado, conforme vimos.

Com esse sombrio histórico em mente, é útil examinar os debates e o planejamento estratégico. Um caso deprimente é o estudo intitulado "Princípios fundamentais da deterrência no pós-Guerra Fria" do STRATCOM, produzido na era Clinton, durante o mandato em 1995. O referido estudo prega que os Estados Unidos devem manter o direito de lançar um primeiro ataque, mesmo contra Estados não nucleares. Além disso, explica que os armamentos nucleares estão constantemente sendo usados, no sentido de que "projetam uma sombra sobre qualquer crise ou conflito". E também insiste numa "persona nacional" de irracionalidade e revanchismo para intimidar o mundo.

A doutrina vigente é investigada num artigo de fundo da revista *International Security*, uma das publicações mais abalizadas no domínio da doutrina estratégica.[16] Os autores explicam que os Estados Unidos estão empenhados numa "primazia estratégica", isto é, o isolamento com relação a um ataque retaliatório. Essa é a lógica por trás da "nova tríade" de Obama (o fortalecimento de submarinos, de mísseis baseados em terra e da esquadra de bombardeiros), juntamente com mísseis de defesa para conter um ataque retaliativo. A preocupação suscitada pelos autores é de que a demanda norte-americana pela primazia estratégica talvez induza a China a reagir abandonando sua política de "não atacar primeiro" e expandindo sua deterrência limitada. Os autores julgam que isso não ocorrerá, mas o panorama permanece incerto. A doutrina amplifica os perigos numa região tensa e conflituosa.

O mesmo vale para a expansão da OTAN para o leste, em violação às promessas verbais feitas a Mikhail Gorbachev quando a URSS estava desmoronando e ele concordou em permitir que uma Alemanha unificada se tornasse membro da OTAN – uma extraordinária concessão, quando se pensa na história do século. A expansão para a Alemanha Oriental aconteceu de imediato. Nos anos seguintes, a OTAN expandiu para as fronteiras da Rússia; agora há substanciais ameaças até mesmo para a incorporação da Ucrânia, no coração geoestratégico da Rússia.[17] Pode-se imaginar como os Estados Unidos reagiriam caso o Pacto de Varsóvia ainda estivesse vivo, a maior parte da América Latina tivesse se juntado, e México e Canadá estivessem se candidatando à filiação.

Exceção feita a isso, a Rússia compreende tão bem quanto a China (e os estrategistas norte-americanos, nesse particular) que os sistemas de mísseis de defesa dos Estados Unidos junto às fronteiras da Rússia são, com efeito, uma arma de primeiro ataque que visam à primazia estratégica – imunidade da retaliação. Talvez sua missão seja completamente inviável, como alegam alguns especialistas. Mas os alvos jamais podem contar com isso. E as reações militantes são interpretadas pela OTAN como uma ameaça ao Ocidente.

Um renomado acadêmico britânico especialista em Ucrânia formula o que ele chama de "fatídico paraxodo geográfico": que a OTAN "existe para gerenciar os riscos criados por sua existência".[18]

Neste exato momento as ameaças são bastante reais. Felizmente, a derrubada de um avião de combate russo por um jato F-16 da força aérea da Turquia em novembro de 2015 não levou a um incidente internacional, mas poderia ter resultado em um, dadas as circunstâncias específicas. O avião estava operando em uma missão de bombardeio na Síria. De acordo com autoridades turcas, o avião russo invadiu o espaço aéreo do país por meros dezessete segundos por uma fímbria do território turco que se projeta Síria adentro, e estava rumando para a Síria, onde caiu. Abater o avião parece ter sido um ato irresponsável e provocativo, e com consequências. Em reação, a Rússia anunciou que seus bombardeiros serão agora acompanhados por caças de combate e que passará a empregar seus sofisticados sistemas de mísseis antiaéreos na Síria. A Rússia também ordenou que o cruzador de mísseis *Moskva*, com seu sistema de defesa aérea de longo alcance, se deslocasse para mais perto da costa, de modo que pudesse estar "pronto para destruir qualquer alvo aéreo apresentando um potencial perigo para nossas aeronaves", declarou o ministro da Defesa Sergei Shoigu. Tudo isso arma o terreno para confrontos que podem ser fatais.[19]

As tensões também são constantes nas fronteiras Rússia-OTAN, incluindo manobras militares de ambos os lados. Pouco depois que os ponteiros do Relógio do Juízo Final foram funestamente movidos para perto da meia-noite, a imprensa nacional noticiou que "veículos de combate norte-americanos desfilaram na quarta-feira por uma cidade estoniana que se projeta Rússia adentro, um ato simbólico que realçou os riscos e interesses para ambos os lados, em meio às piores tensões entre o Ocidente e a Rússia desde a Guerra Fria".[20] Pouco antes, um avião de combate russo escapou por pouco de colidir com um avião de carreira dinamarquês. Ambos os lados estão treinando mobilização rápida e transferência de tropas para a fronteira Rússia--OTAN, e ambos acreditam que uma guerra já não é impensável".[21]

Se é assim, ambos os lados estão além da insanidade, uma vez que uma guerra poderia muito bem destruir tudo. Há muitas décadas já se reconheceu que um primeiro ataque de uma superpotência poderia destruir o agressor, mesmo sem retaliação, por causa dos efeitos do inverno nuclear que se seguiria.

Mas este é o mundo de hoje. E não apenas de hoje – é o mundo em que temos vivido faz setenta anos. O raciocínio ao longo de todo esse período é extraordinário. Conforme vimos, a segurança da população jamais figura como a maior das preocupações dos formuladores de políticas. Isso tem prevalecido como verdade desde os primórdios da era nuclear, quando nos centros de formação de políticas não houve esforços – aparentemente nem sequer pensamentos expressos – no sentido de eliminar a única ameaça séria aos Estados Unidos, como poderia ter sido possível. E assim a situação permanece até o presente, em aspectos aqui brevemente esboçados.

Este é o mundo em que temos vivido e no qual vivemos hoje. As armas nucleares representam um constante perigo de destruição instantânea, mas pelo menos sabemos em princípio como amenizar a ameaça, até mesmo eliminá-la, uma obrigação levada a cabo (e ignorada) pelas potências nucleares que assinaram o NPT. A ameaça de aquecimento global não é instantânea, embora no longo prazo seja desastrosa e talvez se agrave repentinamente. Se temos ou não capacidade de lidar com essa questão ainda não está totalmente claro, mas não resta dúvida de que, quanto maior a demora, mais extrema a calamidade.

As perspectivas de sobrevivência decente no longo prazo não são altas, a menos que haja uma significativa mudança de rumo. Uma larga fatia da responsabilidade está em nossas mãos – as oportunidades também.

CAPÍTULO 23

Mestres da humanidade

Quando perguntamos "Quem comanda o mundo?", adotamos a convenção padrão que, nas questões mundiais, os atores são os Estados, principalmente as grandes potências, e avaliamos suas decisões e as relações entre eles. Isso não é errado. Mas seria bom termos em mente que esse nível de abstração pode ser extremamente enganoso.

Os Estados, é claro, têm estruturas internas complexas, e as escolhas e decisões das lideranças políticas são influenciadas pelas concentrações internas de poder, ao passo que a população em geral é quase sempre marginalizada. Isso é verdadeiro até mesmo quando se aplica às sociedades mais democráticas, e obviamente às outras. Não somos capazes de chegar a uma compreensão realista acerca de quem comanda o mundo enquanto ignorarmos "os mestres da humanidade", como Adam Smith os chamou: no tempo dele, os comerciantes e industriais da Inglaterra; na nossa época, conglomerados multinacionais, gigantescas instituições financeiras, impérios de varejo. Ainda seguindo Smith, é sensato prestar atenção à "vil máxima" à qual se dedicavam "os mestres da humanidade": "Tudo para nós e nada para os outros" – uma doutrina conhecida como amarga e incessante guerra de classes, quase sempre unilateral, em detrimento do povo do país de origem e do mundo.

Na ordem global contemporânea, as instituições dos mestres detêm um poder enorme, não apenas na arena internacional, mas também em seus próprios Estados de origem, em que se fiam para proteger o seu poder e para fornecer apoio econômico mediante uma grande variedade de meios. Quando consideramos o papel dos mestres da humanidade, nós nos voltamos para tal tipo de prioridade das políticas estatais do momento, caso do Acordo de Associação Transpacífico, um dos tratados que visam tutelar e ampliar os direitos dos investidores e que são equivocadamente rotulados, na propaganda e nos comentários, de "acordos de livre comércio". São ajustes negociados em segredo, sem contar as centenas de advogados de grandes corporações e lobistas que escrevem os detalhes cruciais. A intenção é que sejam adotados ao bom e velho estilo stalinista, com procedimentos "de via acelerada e do caminho mais curto", cujo intuito é bloquear a discussão e permitir apenas a escolha entre sim e não (consequentemente, sim). Os formuladores saem-se muito bem, o que não surpreende. As pessoas são incidentais, com as consequências que seriam de esperar.

A segunda superpotência

Os programas neoliberais da geração passada concentraram riqueza e poder em um número bem menor de mãos ao mesmo tempo em que arruinaram a democracia vigente, mas suscitaram oposição de maneira mais evidente na América Latina e também nos centros de poder global.[1] A UE, um dos avanços mais promissores do período pós-Segunda Guerra Mundial, ficou trôpega por causa do severo efeito das políticas de austeridade durante a recessão, condenadas até mesmo pelos economistas do Fundo Monetário Internacional (quando não criticados pelos próprios atores políticos do FMI). A democracia acabou sendo debilitada à medida que a tomada de decisão deslocou-se para a burocracia de Bruxelas, com os bancos do norte lançando sua sombra sobre os trabalhos e as ações da UE. Os grandes partidos tradicionais rapidamente perderam integrantes à esquerda e à direita. O diretor-executivo do grupo de pesquisa EuropaNova, baseado em

Paris, atribui o desencanto geral a "um clima de furiosa impotência à medida que o poder efetivo de moldar os eventos foi em larga medida deslocado das mãos dos líderes políticos nacionais [que, ao menos em princípio, estão sujeitos à política democrática] para o mercado, as instituições da União Europeia e as corporações", de acordo com a doutrina neoliberal.[2] Processos bastante similares estão em curso nos Estados Unidos, por razões um tanto semelhantes, uma questão de grande importância e preocupação não apenas para o país, mas, por causa do poder dos EUA, para o mundo.

A crescente oposição ao ataque neoliberal realça outro aspecto fundamental da convenção padrão: ela deixa de lado o público, que muitas vezes não consegue aceitar o papel aprovado de "espectadores" (em vez de "participantes") que lhe é atribuído na teoria democrática liberal.[3] Essa desobediência sempre preocupou as classes dominantes. Atendo-nos apenas à história norte-americana, George Washington considerava as pessoas comuns que formavam as milícias que ele comandaria como "um povo excessivamente sujo e sórdido [evidenciando] uma espécie incompreensível de estupidez nas classes mais baixas dessa gente".[4] Em *Violent politics* (Política violenta, em tradução livre), sua magistral análise de insurreições desde a "insurgência norte-americana" ao Afeganistão e Iraque contemporâneos, William Polk conclui que o general Washington "estava tão ansioso para escantear [os combatentes que ele desprezava] que chegou perto de perder a Revolução". De fato, ele "poderia ter realmente feito isso" não tivesse a França intervindo em larga escala e "salvado a Revolução", que até então havia sido vencida por guerrilheiros – que hoje chamaríamos de "terroristas" –, enquanto o Exército de estilo britânico de Washington "era derrotado repetidamente e quase perdeu a guerra".[5]

Uma característica comum das insurgências bem-sucedidas, segundo Polk, é que tão logo o apoio popular se dissolve após a vitória, a liderança reprime e esmaga as "pessoas sujas e sórdidas" que ganharam a guerra por meio de táticas de guerrilha e terror, receosas de que o populacho possa questionar os privilégios de classe. Ao longo dos anos, o desprezo das elites pelas "classes mais baixas dessa gente" tomou várias formas. Em tempos recentes, uma expressão desse desprezo é a reivindicação de passividade e obediência ("moderação na democracia") por parte de internacionalistas de esquerda reagindo aos perigosos efeitos democratizantes dos movimentos populares da década de 1960.

Por vezes os Estados optam efetivamente por seguir a opinião pública, o que desperta boa dose de fúria nos centros de poder. Um caso drástico e impactante se deu em 2003, quando a administração Bush convocou a Turquia para que se juntasse à invasão do Iraque orquestrada pelos EUA. A decisão foi repudiada por 95% da população turca e, para espanto e horror de Washington, o governo turco obedeceu ao ponto de vista da opinião pública. A Turquia foi implacavelmente condenada por esse afastamento do comportamento responsável. O vice-secretário de Defesa Paul Wolfowitz, que a imprensa rotulou de "idealista em chefe" da administração, repreendeu os militares turcos por permitir a conduta ilegal do governo e exigiu um pedido de desculpas. Impassíveis diante desses e inúmeros outros exemplos do nosso célebre "anseio pela democracia", os comentários respeitáveis continuaram louvando o presidente George W. Bush por sua dedicação à "promoção da democracia", ou, vez por outra, criticaram Bush por sua ingenuidade de pensar que uma potência externa seria capaz de impor a outros países seus anseios democráticos.

A população turca não estava sozinha. A oposição global à agressão perpetrada por Estados Unidos e Inglaterra foi esmagadora. O apoio aos planos de guerra de Washington mal chegava a 10% onde quer que fosse, de acordo com pesquisas de opinião internacionais. A oposição desencadeou enormes protestos no mundo inteiro, e também nos Estados Unidos, provavelmente a primeira vez na história em que a agressão imperial foi alvo de vigorosos protestos mesmo antes de ser iniciada. Na primeira página do jornal *The New York Times*, o jornalista Patrick Tyler escreveu que "talvez ainda haja duas superpotências no planeta: os Estados Unidos e a opinião pública mundial".[6]

A onda de protestos sem precedentes nos Estados Unidos foi o modo de a oposição se manifestar contra a agressão que começou décadas antes de os EUA serem condenados pelas guerras na Indochina, atingindo uma escala substancial e influente, ainda que por demais tardia. Em 1967, quando o movimento antibelicista estava se tornando uma força significativa, o historiador militar e especialista em Vietnã Bernard Fall alertou que "o Vietnã como uma entidade cultural e histórica [...] está ameaçado de extinção [...] [à medida que] o interior rural morre sob os ataques da maior máquina militar jamais irrompido em uma área desse tamanho".[7] Mas o movimento antiguerra tornou-se de fato uma força que não podia ser ignorada. Tampouco pôde ser ignorado quando Ronald Reagan assumiu a presidência determinado a desferir um ataque contra a América Central. Sua administração imitou de perto os passos que John F. Kennedy havia dado vinte anos antes ao lançar a guerra contra o Vietnã do Sul, mas teve que recuar por causa do vigoroso protesto público que esteve ausente no início dos anos 1960. O ataque foi terrível. As vítimas ainda hoje não se recuperaram. Mas o que aconteceu no Vietnã do Sul e mais tarde em toda a Indochina, onde "a segunda superpotência" impôs seus impedimentos somente muito mais tarde no conflito, foi incomparavelmente pior.

É costume afirmar que a enorme oposição pública à invasão do Iraque não surtiu efeito. A meu ver, isso parece incorreto. Mais uma vez, a invasão foi horrível o bastante, e seus resultados são grotescos. No entanto, as consequências poderiam ter sido muito piores. O vice-presidente Dick Cheney, o secretário de Defesa Donald Rumsfeld e o restante dos funcionários do alto escalão de Bush jamais poderiam ter contemplado o tipo de medidas que os presidentes Kennedy e Lyndon Johnson adotaram quarenta anos antes, em larga medida sem enfrentar protestos.

O poder ocidental sob pressão

Há muito mais coisas a dizer, é claro, acerca dos fatores contribuintes para a determinação das políticas de Estado que são deixados de lado quando adotamos a convenção padrão de que os Estados são os atores em assuntos internacionais. Porém, com advertências não triviais como essas, adotemos a convenção, pelo menos como uma primeira aproximação à realidade. A questão de quem comanda o mundo, portanto, conduz imediatamente a preocupações como a ascensão da China ao poder e o desafio que isso representa para os Estados Unidos e a "ordem mundial"; a nova guerra fria a ponto de estourar no Leste Europeu; a guerra global contra o terror; a hegemonia norte-americana e o declínio dos EUA, e uma gama de considerações semelhantes.

Os desafios enfrentados pelo poder ocidental no início de 2016 são resumidos na estrutura convencional por Gideon Rachman, colunista-chefe de relações internacionais do jornal londrino *Financial Times*.[8] Ele começa analisando o quadro ocidental da ordem mundial: "Desde o fim da Guerra Fria, o esmagador poder das Forças Armadas dos EUA tem sido o fato central da política internacional". Isso é crucial em três regiões: Ásia Oriental ou Leste Asiático, onde "a Marinha de guerra dos EUA acostumou-se a tratar o Pacífico como um 'lago norte-americano'"; a Europa, onde a OTAN – o que significa os Estados Unidos, que "respondem por impressionantes três quartos dos gastos militares da organização" – "garante a integridade territorial dos seus Estados-membros"; e o Oriente Médio, onde gigantescas bases navais e aéreas dos EUA "existem para tranquilizar os amigos e intimidar os rivais".

O problema da ordem mundial hoje, Rachman continua, é que "essas ordens de segurança estão sob questionamento e contestação em todas as três regiões" por causa da intervenção russa na Ucrânia e na Síria, e pelo fato de a China transformar seus mares contíguos de lago norte-americano em "águas claramente disputadas". A questão fundamental das relações internacionais, então, é se os Estados Unidos devem "aceitar que outras grandes potências tenham algum tipo de zona de influência em suas redondezas". Rachman julga que sim, por razões de "difusão do poder econômico em todo o mundo – combinado com o puro e simples bom senso".

Há, por certo, maneiras de olhar para o mundo a partir de diferentes pontos de vista. Mas mantenhamo-nos nessas três regiões, que são decisivamente as mais importantes.

Os desafios hoje: Ásia Oriental ou Leste Asiático

Começando com o "lago norte-americano", alguns podem erguer as sobrancelhas em sinal de surpresa ou desaprovação por causa do informe de meados de dezembro 2015 relatando que "um bombardeiro B-52 norte-americano, em missão de rotina sobre o mar do Sul da China, involuntariamente chegou a duas milhas náuticas de uma ilha artificial construída pela China, disseram autoridades do alto escalão da defesa, exacerbando uma questão causadora de extremas e acaloradas divergências entre Washington e Pequim".[9] Os que têm alguma familiaridade com o sombrio histórico dos setenta anos da era de armamentos nucleares sabem que esse tipo de incidente tem chegado perigosamente perto de deflagrar a derradeira guerra nuclear. Não é necessário ser um apoiador das provocativas e agressivas ações chinesas no mar da China Meridional para perceber que o incidente não envolveu um bombardeiro chinês com capacidade nuclear navegando nas águas do Caribe ou ao longo da costa da Califórnia, onde a China não tem nenhuma pretensão de estabelecer um "lago chinês". Felizmente para o mundo.

Os líderes chineses compreendem muito bem que as rotas comerciais marítimas do seu país estão cercadas de poderes hostis, do Japão ao estreito de Malaca e além, respaldados pelo avassalador poderio militar norte-americano. Dessa maneira, a China segue tentando incrementar sua expansão rumo ao oeste com maciços investimentos e cuidadosos movimentos para alcançar a integração. Em parte, esses desdobramentos estão dentro do escopo da Organização de Cooperação de Xangai (Shanghai Cooperation Organization – SCO, na sigla em inglês), que inclui os Estados da Ásia Central e a Rússia, e em breve a Índia e o Paquistão, com o Irã no papel de um dos observadores – status que foi negado aos Estados Unidos, e tem recebido insistentes solicitações para fechar todas as suas bases militares na região. A China está construindo uma versão modernizada da antiga Rota da Seda, com o intuito de integrar a região sob influência chinesa e também de chegar à Europa e às regiões produtoras de petróleo do Oriente Médio. Os chineses estão despejando enormes somas para criar um sistema energético e comercial asiático integrado, com oleodutos e extensas linhas ferroviárias de alta velocidade.

Um elemento do programa é uma rodovia que rasga altas montanhas e se estende até o novo porto – construído pelos chineses – em Gwadar, no Paquistão, que protegerá carregamentos de petróleo da potencial interferência dos EUA. O programa talvez possa, assim esperam a China e o Paquistão, estimular o desenvolvimento industrial no Paquistão, o que os Estados Unidos não empreenderam apesar do colossal auxílio militar, e também propiciar um incentivo para que o Paquistão reprima com severidade o terrorismo interno, uma questão séria para a China na porção oeste da província de Xinjiang. Gwadar será parte do "colar de pérolas" da China, um conjunto de bases sendo construídas no oceano Índico para propósitos comerciais, mas com potencial para uso militar, na expectativa de que a China possa um dia ter condições de projetar poder que chegue até o golfo Pérsico pela primeira vez na era moderna.[10]

Todos esses movimentos permanecem imunes ao esmagador poderio militar de Washington, para não falar da aniquilação pela guerra nuclear, o que destruiria os Estados Unidos também.

Em 2015, a China estabeleceu a infraestrutura do Banco Asiático de Investimento (Asian Infrastructure Investment Bank – AIIB, na sigla em inglês), do qual os próprios chineses são os principais acionistas. Cinquenta e seis nações participaram da abertura em Pequim, em junho, incluindo Austrália e Inglaterra, aliados dos EUA, e outros que aderiram numa afronta aos desejos de Washington. Os Estados Unidos e o Japão estavam ausentes. Alguns analistas acreditam que o novo banco possa vir a tornar-se um concorrente para as instituições de Bretton Woods (o FMI e o Banco Mundial), nas quais os Estados Unidos detêm o poder de veto. Há expectativas de que a SCO possa futuramente tornar-se uma contrapartida para a OTAN.[11]

Os desafios hoje: Leste Europeu

Ao voltarmos as nossas atenções para a segunda região, o Leste Europeu, vemos que há uma crise em plena fermentação na fronteira

OTAN-Rússia. Não é coisa pequena. Em seu esclarecedor e criterioso estudo acadêmico da região, *Frontline Ukraine: crisis in the borderlands* (Linha de frente da Ucrânia: crise nas fronteiras, em tradução livre), Richard Sakwa escreve – de modo altamente plausível – que a "guerra russo-georgiana de agosto de 2008 foi a primeira das 'guerras para deter a expansão da OTAN; a crise na Ucrânia de 2014 é a segunda. Não está claro se a humanidade sobreviveria a uma terceira".[12]

O Ocidente vê a ampliação da OTAN como algo benigno. Como era de esperar, a Rússia, juntamente com grande parte do Sul Global, tem uma opinião diferente, e algumas vozes ocidentais proeminentes também divergem. George Kennan alertou desde o início que a expansão da OTAN é um "trágico erro", parecer ecoado por tarimbados estadistas norte-americanos em uma carta aberta à Casa Branca que descrevia os esforços de crescimento da organização como um "erro político de proporções históricas".[13]

A atual crise tem suas origens em 1991, com o fim da Guerra Fria e o colapso da União Soviética. Havia, então, duas visões contrastantes acerca de um novo sistema de segurança e economia política na Eurásia. Nas palavras de Sakwa, uma visão era de uma "Europa Maior", com a União Europeia em seu cerne, mas cada vez mais coincidente com a segurança e a comunidade política euroatlânticas; do outro lado, [havia] a ideia de "Grande Europa", o conceito de uma Europa continental estendendo-se de Lisboa a Vladivostok, com vários centros, incluindo Bruxelas, Moscou e Ancara, mas com um propósito comum de superação das divisões que têm assolado o continente".

O líder soviético Mikhail Gorbachev foi o maior defensor da Grande Europa, um conceito que tinha raízes europeias no gaullismo e em outras iniciativas. No entanto, quando a Rússia desmoronou sob as devastadoras reformas de mercado da década de 1990, o ideal desapareceu, e só foi renovado à medida que a Rússia começou a se recuperar e buscar um lugar no cenário mundial sob Vladimir Putin, que, juntamente com seu colega Dmitri Medvédev,* tem repetida-

---

* Jurista, professor e político russo, atual primeiro-ministro do país; foi presidente da Rússia entre 2008 e 2012. (N. T.)

mente "falado em nome da unificação geopolítica de toda a 'Grande Europa', de Lisboa a Vladivostok, de modo a criar uma verdadeira 'parceria estratégica'".[14]

Essas iniciativas foram "recebidas com educado desprezo", Sakwa escreve, tidas como "pouco mais que um pretexto para o estabelecimento de uma 'Grande Rússia' de maneira furtiva" e um esforço para "criar um racha" entre a América do Norte e a Europa Ocidental. Essas preocupações remontam aos temores anteriores à Guerra Fria de que a Europa se tornasse uma "terceira força" independente tanto das grandes como das pequenas superpotências, movendo-se em direção a vínculos mais estreitos com essas últimas (como pode ser visto na *Ostpolitik* de Willy Brandt* e outras iniciativas).

A resposta ocidental ao colapso da Rússia foi triunfalista. O fato foi saudado como um sinal do "fim da história", a vitória derradeira da democracia capitalista ocidental, quase como se a Rússia estivesse sendo instruída a voltar ao seu status pré-Primeira Guerra Mundial de virtual colônia econômica do Ocidente. A expansão da OTAN começou de imediato, em violação às garantias verbais a Gorbachev de que as forças não se moveriam "um centímetro que fosse para o leste", depois de ele ter concordado que uma Alemanha unificada poderia tornar-se um membro da OTAN – à luz da história, uma concessão espantosa. Essa discussão manteve-se para a Alemanha Oriental. A possibilidade de a OTAN expandir-se *para além* da Alemanha não foi discutida com Gorbachev, mesmo que tenha sido considerada em âmbito privado.[15]

Logo, a OTAN começou de fato a ir além, diretamente rumo às fronteiras da Rússia. A missão geral da OTAN foi alterada para um mandato de proteção da "infraestrutura vital" do sistema energético global, rotas marítimas e oleodutos, o que deu dimensões globais à área de atuação da OTAN. Além disso, após uma crucial revisão ocidental da agora aclamada em prosa e verso doutrina de "responsabilidade

---

* *Ostpolitik* ("Política do Leste", em alemão) é o termo usado para descrever os esforços realizados por Willy Brandt, ministro dos Negócios Estrangeiros e chanceler da Alemanha para normalizar as relações com as nações do Leste da Europa, incluindo a RDA. (N. T.)

de proteger" – diferente da versão oficial da ONU –, a OTAN pode servir também como força de intervenção sob o comando dos EUA.[16]

De particular interesse para a Rússia são os planos de expandir a OTAN para a Ucrânia. Esses planos foram articulados de forma explícita na Cúpula da OTAN realizada em Bucareste em abril de 2008, quando a Geórgia e a Ucrânia receberam a promessa de uma eventual admissão na organização. A escolha das palavras era inequívoca e não deixava margem a dúvidas: "A OTAN saúda de bom grado as aspirações euroatlânticas da Ucrânia e da Geórgia de ingresso na entidade. Concordamos hoje que esses países serão membros da OTAN". Com a vitória de candidatos pró-Ocidente na "Revolução Laranja" na Ucrânia em 2004, o representante do Departamento de Estado dos EUA, Daniel Fried, correu para lá a fim de "enfatizar o apoio norte-americano às aspirações euroatlânticas e de ingresso da Ucrânia na OTAN", de acordo com o que revelou um relatório do *WikiLeaks*.[17]

As preocupações da Rússia são facilmente compreensíveis. Elas foram descritas em detalhes pelo acadêmico e estudioso de relações internacionais John Mearsheimer na mais prestigiosa das publicações norte-americanas do *establishment*, a revista *Foreign Affairs*. Mearsheimer escreve que "a raiz principal da atual crise [por causa da Ucrânia] é a expansão da OTAN e o empenho de Washington para tirar a Ucrânia da órbita de Moscou e integrá-la ao Ocidente", que Putin via como uma "ameaça direta aos interesses centrais da Rússia".

"Quem pode culpá-lo?", pergunta Mearsheimer, apontando que "Washington pode até não gostar da posição de Moscou, mas deveria compreender a lógica por trás dela". Isso não deve ser muito difícil. Afinal, como todos sabem, "os Estados Unidos não toleram que grandes potências distantes posicionem forças militares em qualquer lugar do hemisfério Ocidental, muito menos em suas fronteiras". A bem da verdade, a posição dos EUA é muito mais forte. Os norte-americanos não toleram o que é oficialmente chamado "desafio bem-sucedido" à doutrina Monroe de 1823, que declarou (mas não conseguiu implementar) o controle estadunidense do hemisfério. E um país pequeno que leve a cabo essa afronta bem-sucedida pode acabar sendo submetido aos "terrores da terra" e um esmagador embargo – o que aconteceu com Cuba. Não precisamos nos perguntar como os Estados Unidos teriam reagido caso os países da América Latina tivessem se juntado ao Pacto de Varsóvia, com planos de adesão do México e do Canadá. A mais ínfima sugestão de quaisquer tentativas de passos nessa direção teria sido "liquidada com extremo preconceito", para adotar o jargão da CIA.[18]

Como no caso da China, não é preciso ser favorável aos movimentos de Putin ou defender seus motivos para assimilar a lógica por trás deles, tampouco para apreender a importância dessa lógica em vez de emitir imprecações contra ela. Como no caso da China, há muita coisa em jogo, chegando ao ponto de ser – literalmente – questões de sobrevivência.

Os desafios hoje: o mundo islâmico

Voltemos as atenções para a terceira região de preocupações de maior envergadura, o (em larga medida) mundo islâmico, também cenário da Guerra Global Contra o Terror (Global War on Terror – GWOT, na sigla em inglês), que George W. Bush declarou em 2001, após o ataque terrorista de 11 de Setembro. Para ser mais exato, declarou *novamente*. A Guerra Global contra o Terror foi originalmente declarada pelo governo Reagan logo ao chegar à Casa Branca, com a retórica febril acerca de uma "praga disseminada por depravados adversários da própria civilização" (na definição de Reagan) e uma "volta à barbárie na era moderna" (palavras de George Shultz, secretário de Estado de Reagan). A Guerra Global Contra o Terror original foi discretamente retirada da história. Logo transformou-se em uma assassina e destrutiva guerra terrorista que assolou a América Central, o sul da África e o Oriente Médio, com nefastas repercussões que chegam até o presente, inclusive levando os Estados Unidos a ser condenados pela Corte Mundial (o que Washington desprezou). Em todo caso, não é a história certa para a *história*, por isso foi varrida do mapa.

O sucesso da versão Bush-Obama da Guerra Global Contra o Terror pode ser avaliada numa inspeção direta. Quando a guerra foi declarada, os alvos terroristas foram confinados a um pequeno rincão do Afeganistão tribal. Contaram com proteção dos afegãos, que em sua maioria não gostavam deles ou os desprezavam, sob o código tribal de hospitalidade – algo que desnorteou os norte-americanos quando os camponeses pobres se recusaram "a entregar Osama bin Laden pela astronômica quantia – para eles, é claro – de 25 milhões de dólares".[19]

Há boas razões para acreditar que uma ação policial bem orquestrada, ou mesmo negociações diplomáticas sérias com o Talibã, poderiam ter colocado os suspeitos dos crimes de 11 de Setembro em mãos norte-americanas para julgamento e condenação. Mas essas opções foram descartadas da mesa de negociações. Em vez disso, a escolha, fruto de reflexão, foi a violência em larga escala – não com o objetivo de derrubar o Talibã (isso veio mais tarde), mas de deixar claro o desprezo dos Estados Unidos pelas ofertas preliminares do Talibã de possível extradição de Bin Laden. Até que ponto essas ofertas eram sérias não sabemos, uma vez que a possibilidade de investigá-las jamais foi cogitada. Ou talvez os EUA estivessem apenas determinados a "tentar mostrar sua força, marcar uma vitória e apavorar o mundo inteiro. Eles não se preocupam com o sofrimento dos afegãos ou quantas pessoas vamos perder".

Essa foi a avaliação do respeitadíssimo líder anti-Talibã Abdul Haq, um dos muitos oposicionistas que condenaram a campanha de bombardeio iniciada pelos EUA em outubro de 2001 como "um grande retrocesso" aos seus esforços no sentido de derrubar o Talibã a partir de dentro, objetivo que ele considerava possível e ao seu alcance. A opinião de Abdul Haq é corroborada por Richard A. Clarke, presidente do Grupo de Segurança Contraterrorismo da Casa Branca no governo do presidente George W. Bush, quando foram feitos os planos para atacar o Afeganistão. De acordo com a descrição de Clarke, na reunião em que, informado de que o ataque violaria o direito internacional, o presidente berrou na estreita sala de conferências: "Eu não dou a mínima para o que dizem os advogados internacionais, nós vamos chutar alguns traseiros". O ataque também foi ferozmente rejeitado pelas mais importantes organizações de ajuda humanitária atuando no Afeganistão, as quais alertaram que milhões de pessoas estavam à beira da inanição e as consequências poderiam ser horrendas.[20]

As consequências para os pobres afegãos, anos depois, mal precisam de comentário.

O alvo seguinte dos golpes da marreta anglo-americana foi o Iraque. A invasão comandada pelos EUA e pelo Reino Unido, sem pretexto plausível, é o maior crime do século XXI. A invasão resultou na morte de centenas de milhares de pessoas em um país onde a sociedade civil já havia sido devastada por sanções americanas e britânicas consideradas "genocidas" pelos dois renomados diplomatas internacionais que as administraram, e que por essa razão renunciaram em protesto.[21] A invasão também gerou milhões de refugiados, destruiu quase que totalmente o país e promoveu um conflito sectário que agora está despedaçando o Iraque e toda a região. É um fato surpreendente sobre a nossa cultura intelectual e moral que nos círculos informados e esclarecidos a invasão possa ser chamada, eufemisticamente, de "a libertação do Iraque".[22]

Pesquisas do Pentágono e do Ministério da Defesa britânico revelaram que apenas 3% dos iraquianos consideram legítimo o papel de segurança dos Estados Unidos em sua vizinhança, menos de 1% acreditava que as forças da "coalização" (EUA-Reino Unido) eram boas para a sua segurança, 80% opunham-se à presença das forças de coalizão no país, e a maioria apoiava ataques contra as tropas da coalizão. O Afeganistão foi destruído além da possibilidade de uma pesquisa de sondagem digna de confiança, mas há indícios de que algo semelhante pode ser igualmente verdadeiro lá. No Iraque, os Estados Unidos sofreram uma severa derrota, abandonando seus objetivos de guerra oficiais e deixando o país sob a influência do único vencedor, o Irã.[23]

A marreta também foi brandida e massacres ocorreram em outros lugares, em especial na Líbia, onde as três potências imperiais tradicionais (Inglaterra, França e Estados Unidos) asseguraram a aprovação da Resolução 1973 do Conselho de Segurança e a violaram, tornando-se a força aérea dos rebeldes. O efeito foi minar a possibilidade de um acordo pacífico e negociado; elevar o número de baixas (por, pelo menos, um fator de dez, de acordo com o cientista político Alan Kuperman); deixar a Líbia em ruínas, nas mãos de milícias em guerra; e, mais recentemente, propiciar ao Estado Islâmico uma base que o grupo pode usar para propagar o terror além. As propostas diplomáticas bastante sensatas apresentadas pela União Africana, aceitas em princípio pelo líbio Muammar Kadhafi, foram ignoradas pelo triunvirato imperial, conforme os comentários do especialista em África Alex de Waal. Um enorme fluxo de armas e jihadistas espalhou terror e violência da África Ocidental (agora o campeão mundial de assassinatos terroristas) ao Levante* –, abrindo um funil para a fuga de refugiados da África para a Europa.[24]

Mais um triunfo da "intervenção humanitária", que, conforme revela o longo e medonho registro histórico, nada tem de incomum ou extraordinário, remontando às origens modernas desse tipo de ação, quatro séculos atrás.

Os custos da violência

Em suma, a marreta da GWOT espalhou o terror jihadista de um minúsculo canto do Afeganistão para a maior parte do mundo, da África através do Levante e sul da Ásia para o sudeste asiático. A campanha antiterror incitou ataques na Europa e nos Estados Unidos. A invasão do Iraque contribuiu de maneira substancial para esse processo, como as agências de inteligência haviam previsto. Os especialistas em terrorismo Peter Bergen e Paul Cruickshank estimam que a Guerra do Iraque "gerou um atordoante aumento de sete vezes na taxa anual de ataques jihadistas fatais, equivalendo a centenas de ataques terroristas adicionais e milhares de vidas civis perdidas; mesmo excluindo-se o terrorismo no Iraque e no Afeganistão, os ataques fatais no restante do mundo aumentaram em mais de um terço". Outros exercícios foram igualmente produtivos.[25]

---

* O conjunto dos países do Mediterrâneo oriental e Ásia Menor (Síria, Jordânia, Israel, Palestina, Líbano, Chipre, Turquia e Egito). (N. T.)

Um grupo de importantíssimas organizações de direitos humanos – Médicos pela Responsabilidade Social (Physicians for Social Responsibility, EUA), Médicos pela Sobrevivência Global (Physicians for Global Survival, Canadá) e Médicos Internacionais para a Prevenção da Guerra Nuclear (International Physicians for the Prevention of Nuclear War, Alemanha) – realizaram um estudo que procurou "fornecer um cálculo o mais realista possível da contagem total de corpos nas três principais zonas de guerra [Iraque, Afeganistão e Paquistão] durante doze anos de 'guerra ao terrorismo'", incluindo uma abrangente análise dos "principais estudos e dados publicados sobre o número de vítimas nesses países", juntamente com informações adicionais sobre as ações militares. De acordo com a "estimativa conservadora" do estudo, essas guerras mataram cerca de 1,3 milhão de pessoas, número total que "poderia ser superior a 2 milhões".[26] Uma busca em bancos de dados feita pelo pesquisador independente David Peterson dias após a publicação do relatório não encontrou nenhuma menção ao referido estudo. Quem se importa?

Em termos mais gerais, estudos realizados pelo Instituto de Pesquisa Sobre a Paz Internacional de Oslo mostram que dois terços das mortes em conflitos na região foram produzidos em disputas internas, em que forasteiros impuseram suas soluções. Nesses conflitos, 98% das vítimas fatais foram produzidas somente depois que forasteiros entraram com seu poderio militar na disputa doméstica. Na Síria, o número de mortes em conflitos diretos mais que triplicou depois que o Ocidente lançou ataques aéreos contra o Estado Islâmico e após a CIA iniciar sua interferência militar indireta na guerra[27] – interferência que atraiu os russos à medida que avançados mísseis antitanques norte-americanos foram dizimando as forças de seu aliado Bashar al-Assad. As primeiras indicações são de que o bombardeio russo está tendo as habituais consequências.

As evidências analisadas pelo cientista político Timo Kivimäki indicam que as "guerras de proteção [travadas por 'coalizões de voluntários'] tornaram-se a principal fonte de violência no mundo, contribuindo com mais de 50% do total de vítimas fatais de conflitos". Além disso, em muitos desses casos, incluindo a Síria, conforme

Kivimäki analisa, houve oportunidades para acordos diplomáticos que acabaram sendo ignoradas. Como já discutido em outro lugar, isso também tem sido verdade em outras situações horríveis, incluindo os Balcãs no início da década de 1990, a primeira Guerra do Golfo e, é claro, as guerras da Indochina, o pior crime desde a Segunda Guerra Mundial. No caso do Iraque, a questão nem sequer vem à baila. Certamente há algumas lições aqui.

As consequências gerais de recorrer ao uso da marreta contra sociedades vulneráveis não são nenhuma surpresa. O meticuloso estudo de William Polk sobre as insurgências, o já citado *Violent politics*, deveria ser uma leitura essencial para todos os que querem entender os conflitos de hoje, e para os estrategistas de políticas, supondo que eles se preocupam com consequências humanas e não meramente com poder e dominação. Polk revela um padrão que tem sido reproduzido repetidas vezes. Os invasores – talvez alardeando os mais benevolentes motivos – são malquistos pela população, que os detesta e lhes desobedece, a princípio de pequenas formas, o que suscita uma resposta vigorosa e violenta, e aumenta a oposição, as hostilidades e o apoio à resistência. O ciclo de violência se intensifica até que os invasores se retiram – ou alcança seus propósitos por meio de algo que pode se aproximar do genocídio.

A campanha mundial de assassinatos por meio de *drones* empreendida por Obama, uma extraordinária inovação no terrorismo global, exibe os mesmos padrões. A julgar pela maioria dos relatos, a campanha está gerando terroristas mais rapidamente do que vem matando os suspeitos de um dia agirem com a intenção de prejudicar os Estados Unidos – a impressionante contribuição de um advogado constitucional por ocasião do aniversário de oitocentos anos da Magna Carta, que estabeleceu as bases para o princípio da presunção de inocência, que é o fundamento da lei civilizada.

Outra característica típica de intervenções desse tipo é a convicção de que a insurgência será esmagada por meio da eliminação de seus líderes. Porém, quando esse esforço é bem-sucedido, o líder que sai de cena é substituído por alguém mais jovem, mais determinado, mais brutal e mais eficiente. Polk cita muitos exemplos. Em seu importante estudo *Kill chain* (Mortes em cadeia, em tradução livre), o historiador militar Andrew Cockburn analisou campanhas norte-americanas para matar "chefões" das drogas, e no decorrer de um longo período de tempo depois do terrorismo, e constatou os mesmos resultados. Pode-se esperar, com razoável dose de confiança, que o padrão será mantido. Não restam dúvidas de que neste exato momento os estrategistas norte-americanos estão buscando maneiras de assassinar o "califa do Estado Islâmico" Abu Bakr al-Baghdadi, ferrenho rival do líder da Al-Qaeda Ayman al-Zawahiri. O provável resultado dessa façanha é prognosticado pelo destacado estudioso acadêmico do terrorismo Bruce Hoffman, membro-sênior do Centro de Combate ao Terrorismo da Academia Militar do EUA. Ele prevê que "a morte de Al-Baghdadi pavimentaria o caminho para uma aproximação [com a Al-Qaeda], produzindo uma inaudita combinação de forças de uma aliança terrorista sem precedentes em alcance, tamanho, ambição e recursos".[28]

Polk cita um tratado sobre conflitos armados de autoria de Henry Jomini, influenciado pela derrota de Napoleão nas mãos de guerrilheiros espanhóis e que se tornou um manual para gerações de cadetes da Academia Militar de West Point. Jomini observou que essas intervenções de grandes potências resultam em "guerras de opinião" e quase sempre "guerras nacionais", se não já de início, logo em seguida, no decurso da luta, segundo a dinâmica que Polk descreve. Jomini conclui que "os comandantes de exércitos regulares são imprudentes de se envolver em tais guerras, porque vão perdê-las", e ao fim até mesmo os aparentes sucessos serão efêmeros.[29]

Cuidadosos estudos sobre a Al-Qaeda e o ISIS têm mostrado que os Estados Unidos e seus aliados estão seguindo sua estratégia com alguma precisão. Seu objetivo é "arrastar o Ocidente o mais profunda e ativamente possível lamaçal adentro" e "envolver e enfraquecer os Estados Unidos e o Ocidente numa série de prolongados empreendimentos no exterior" em que minarão suas próprias sociedades, desperdiçarão seus recursos e aumentarão o nível de violência, desencadeando as dinâmicas que Polk analisa.

Scott Atran, um dos mais perspicazes pesquisadores sobre os movimentos jihadistas, calcula que "os ataques de 11 de Setembro custaram entre 400 e 500 mil dólares para ser executados, ao passo que a resposta militar e de segurança dos EUA e seus aliados é da ordem de 10 milhões de vezes essa cifra. Numa base que leva em conta a relação custo/benefício, esse violento movimento tem sido um estrondoso sucesso, muito além do que Bin Laden imaginava, e o êxito está aumentando cada vez mais. Aqui reside a medida completa da guerra assimétrica em estilo jiu-jítsu. Afinal, quem poderia afirmar que estamos em situação melhor que antes, ou quem há de alegar que o perigo global está em declínio?". E se continuarmos a empunhar a marreta, seguindo o roteiro jihadista, o provável efeito é o jihadismo ainda mais violento, com apelo amplo. O registro histórico, Atran aconselha, "deve inspirar uma mudança drástica em nossas contraestratégias".[30]

A Al-Qaeda e o ISIS contam com auxílio de norte-americanos que seguem as suas diretivas: por exemplo, o senador Ted Cruz, um dos mais fortes candidatos republicanos à presidência do país. Ou, na outra extremidade do espectro ideológico dominante, Thomas Friedman, o destacado colunista de Oriente Médio e relações internacionais do jornal *The New York Times*, que em 2003, no programa de entrevistas *Charlie Rose*, ofereceu conselhos a Washington sobre como combater no Iraque: "Havia o que eu chamaria de 'a bolha de terrorismo' [...] e o que precisávamos fazer era ir para aquela parte do mundo e estourar essa bolha. Precisávamos ir lá, e, há, pegar uma vara bem comprida, bem no coração daquele mundo, e estourar essa bolha. E só havia uma maneira de fazer isso [...] O que eles precisavam era um punhado de meninos e meninas norte-americanos indo de casa em casa de Basra a Bagdá e dizendo 'que parte desta frase você não entende? Você acha que nós não nos importamos com a nossa sociedade livre, você acha que nós vamos simplesmente deixar pra lá essa bolha de fantasia? Bem, toma esta'. Essa guerra, Charlie, era sobre isso".[31]

Isso vai dar uma lição nesses muçulmanos cabeças de lenço.

Ansiosa espera

Atran e outros observadores atentos concordam com as prescrições. Devemos começar reconhecendo o que pesquisas cuidadosas têm demonstrado de maneira bastante convincente: pessoas que são atraídas para a *jihad* "estão ansiando por algo em sua história, em suas tradições, com seus heróis em suas condutas e moral; e o Estado Islâmico, por mais brutal e repugnante que pareça para nós e até mesmo para a maior parte do mundo árabe-islâmico, está falando diretamente sobre isso [...] O que inspira os agressores mais letais hoje não é tanto o Alcorão, mas uma causa empolgante e um chamado à ação que promete glória e admiração aos olhos dos amigos". Na verdade, poucos jihadistas têm algum conhecimento teórico sobre os textos corânicos ou teologia islâmica, se é que têm algum".[32]

A melhor estratégia, Polk aconselha, seria "um multinacional programa orientado para o bem-estar e a parte psicológica satisfatória [...] que tornasse menos virulento o ódio ao ISIS. Os elementos foram identificados para nós: necessidades comunais, compensação por violações anteriores, e apelos em nome de um novo começo".[33] Ele acrescenta: "Um cuidadoso pedido de desculpas por transgressões passadas custaria pouco e significaria muito". Esse projeto poderia ser realizado em campos de refugiados ou "casebres e deprimentes conjuntos habitacionais dos *banlieues* de Paris", onde, Atran escreve, sua equipe de pesquisa "encontrou ampla tolerância ou apoio aos valores do ISIS". E muitas coisas mais poderiam ser feitas pela dedicação à diplomacia e às negociações em vez do recurso, fruto de reflexão, à violência.

Não menos relevante seria uma resposta honrosa à "crise de refugiados", evento que demorou um bocado de tempo para vir à tona, mas que irrompeu com tremenda repercussão na Europa em 2015. Isso significaria, no mínimo, um drástico aumento na ajuda humanitária para os campos no Líbano, na Jordânia e na Turquia, onde desgraçados refugiados sírios mal conseguem sobreviver. Mas os problemas vão muito além e fornecem uma imagem dos autodenominados "Estados iluminados" que está longe de ser atraente e deveria ser um incentivo para a ação.

Há países que geram refugiados por causa da violência em larga escala, como os Estados Unidos, seguidos pela Inglaterra e a França. Há países que aceitam receber um grande contingente de refugiados, incluindo aqueles que fogem da violência ocidental, caso do Líbano (o campeão, *per capita*), a Jordânia e a Síria antes de implodir, entre outros na região. E, parcialmente sobrepostos, há países que tanto geram refugiados e se recusam a acolhê-los, não só os do Oriente Médio, mas também do "quintal" dos Estados Unidos ao sul da fronteira. Uma imagem estranha, dolorosa de contemplar.

Um retrato honesto localizaria a geração de refugiados em algum lugar anterior no passado histórico. O jornalista Robert Fisk, veterano correspondente no Oriente Médio, relata que um dos primeiros vídeos produzidos pelo ISIS "mostrava uma escavadeira pondo abaixo um baluarte de areia que até então tinha demarcado a fronteira entre Iraque e Síria. Enquanto a máquina destruía a barricada de terra, a câmera, com um movimento para obter efeito panorâmico, mostrava um cartaz escrito à mão caído na areia. "Fim do Sykes-Picot", lia-se.

Para as pessoas da região, o acordo Sykes-Picot é o próprio símbolo do cinismo e da brutalidade do imperialismo ocidental. Ao conspirarem em segredo durante a Primeira Guerra Mundial, os diplomatas Mark Sykes, britânico, e François Georges-Picot, francês, retalharam e partilharam entre si vastas áreas da região, fragmentando-as em Estados artificiais para satisfazer a seus próprios objetivos imperiais, com absoluto desprezo pelos interesses dos povos que lá vivem e em violação às promessas feitas em tempo de guerra para induzir os árabes a se juntarem ao esforço de guerra Aliado. O acordo espelhava as práticas dos Estados europeus que devastaram a África de maneira similar. O acordo secreto "transformou o que tinham sido províncias relativamente calmas do Império Otomano em alguns dos Estados menos estáveis e internacionalmente mais explosivos do mundo".[34]

Desde então, repetidas intervenções ocidentais no Oriente Médio e na África exacerbaram tensões, conflitos e distúrbios que despedaçaram as sociedades. O resultado final é uma "crise de refugiados" que o Ocidente inocente mal consegue suportar. A Alemanha emergiu como a consciência da Europa, a princípio (mas não por muito tempo) aceitando acolher quase 1 milhão de refugiados – em um dos países mais ricos do mundo, com uma população de 80 milhões de habitantes. Em contraste, o Líbano, um país pobre, absorveu por volta de 1,5 milhão de refugiados sírios, que agora compõem um quarto de sua população, além de meio milhão de refugiados palestinos – registrados na UNRWA, agência das Nações Unidas que dá assistência a refugiados da Palestina –, em sua maioria vítimas das políticas israelenses.

A Europa também está gemendo sob o fardo dos refugiados dos países que os europeus devastaram na África – não sem a ajuda dos EUA, como os congoleses e os angolanos, entre outros, podem atestar. A Europa agora está tentando subornar a Turquia (com mais de 2 milhões de refugiados sírios) para distanciar das fronteiras europeias aqueles que fogem dos horrores da Síria, assim como Obama vem pressionando o México para manter as fronteiras norte-americanas livres dos desgraçados que buscam escapar das consequências da Guerra Global Contra o Terror de Reagan juntamente com as pessoas que procuram escapar dos desastres mais recentes, incluindo um golpe militar em Honduras que Obama praticamente sozinho legitimo e criou uma das piores câmaras de terror na região.[35]

As palavras mal dão conta de traduzir a resposta dos EUA à crise dos refugiados da Síria, pelo menos as palavras em que eu consigo pensar.

Quando retornamos à pergunta inicial, "Quem comanda o mundo?", talvez queiramos formular outra pergunta: "Quais princípios e valores regem o mundo?". Essa pergunta deveria ser a mais importante nas mentes dos cidadãos dos Estados ricos e poderosos, que desfrutam um extraordinário legado de liberdade, privilégio e oportunidade – graças às lutas daqueles que vieram antes deles – e agora se veem diante de escolhas fatídicas a respeito de como responder a desafios de grande importância humana.

Posfácio

A questão de quem comanda o mundo tornou-se ainda mais importante em 8 de novembro de 2016, dia que – talvez no fim isso fique claro – pode vir a se converter numa das datas mais importantes da história humana, a depender de como reagirmos. Não se trata de exagero algum. A notícia mais importante desse dia passou praticamente despercebida no mundo inteiro, fato que não é de pouca monta e que, por si só, é bastante significativo.

Em 8 de novembro, a Organização Meteorológica Mundial (OMM) apresentou um relatório na COP-22 de 2016, a reunião anual da Conferência das Nações Unidas Sobre Mudanças Climáticas realizada no Marrocos. A OMM declarou que os últimos cinco anos foram os mais quentes jamais registrados. O documento da OMM relatou elevação dos níveis dos mares, que em breve aumentarão ainda mais em consequência do rápido e inesperado derretimento das calotas polares. A área coberta por gelo marinho ártico nos últimos cinco anos está 28% abaixo da média das três décadas anteriores, o que reduz diretamente a reflexão de raios solares pelo gelo polar, dessa forma acelerando o processo de aquecimento global. Ainda mais alarmante é a inesperada e rápida desestabilização das enormes geleiras da Antártida Ocidental, o que poderia elevar em vários metros os níveis dos mares, além de levar à desintegração do gelo em toda a Antártida Ocidental. Entre outras análises catastróficas e previsões sombrias, a OMM relatou que as temperaturas já estão se aproximando perigosamente dos níveis máximos estabelecidos pelos acordos de Paris na COP-21 apenas um ano antes.*

Outro evento que ocorreu nesse mesmo dia recebeu muito mais atenção, mas a principal razão de sua importância passou em brancas nuvens. Em 8 de novembro de 2016, o país mais poderoso do mundo realizou eleições. O resultado do pleito colocou o controle total do governo – a presidência, o Congresso, a Suprema Corte – nas mãos do Partido Republicano, a mais perigosa organização da história mundial.

Exceto pela última frase, essa descrição é incontestável. A última frase pode parecer grotesca, até mesmo desmedida e ultrajante. Mas será? Os fatos sugerem o contrário. O Partido Republicano dedica-se, a passos largos e na maior velocidade possível, a destruir a vida humana organizada. Não existe precedente histórico para tal postura.

No que tange à mudança climática, praticamente todos os candidatos nas primárias republicanas negaram que o que está ocorrendo esteja de fato ocorrendo. As únicas exceções são os supostamente moderados sensatos, como Jeb Bush – que disse que tudo é incerto, mas não temos que fazer coisa alguma porque estamos produzindo mais gás natural graças ao *fracking*.** Ou John Kasich, que concordou que o aquecimento global está em curso, mas acrescentou que, com relação ao uso de carvão, o mais poluente dos combustíveis fósseis, "vamos queimar [carvão] em Ohio e não vamos pedir desculpas por isso".*** Nesse ínterim, Donald Trump exigiu o rápido aumento do uso de combustíveis fósseis e falou em nome da anulação das regulações; reivindicou a negativa de ajuda aos países em desenvolvimento que

---

* "Past five years hottest on record, says UN weather agency", Centro de Notícias da ONU, 8 de novembro de 2016, http://www.un.org/apps/news/story.asp?NewsID=55503.

** Fraturamento hidráulico, tecnologia usada para extrair petróleo e gás natural e que consiste na perfuração de um poço onde são injetados produtos químicos no solo. (N. T.)

*** Ben Geman, "Ohio gov. kasich concerned by climate change, but won't 'apologize' for coal" [John Kasich, governador de Ohio, está preocupado com a mudança climática, mas não vai se desculpar por uso de carvão], *The Hill*, 2 de maio de 2012, http://thehill.com/policy/energy-environment/225073-kasich-touts-climate-belief-but-wont-apologize-for-coal.

estão buscando avançar no uso de energia sustentável; e, de modo geral, impôs uma corrida em disparada, o mais rápido possível, na direção do penhasco.*

Os efeitos do negacionismo Republicano já eram sentidos mesmo antes da eleição de Trump. Havia esperanças, por exemplo, de que o acordo de Paris da COP-21 poderia resultar em um tratado verificável, mas todas as ideias dessa natureza foram abandonadas porque o Congresso Republicano não aceitou assumir nenhum tipo de compromisso vinculativo. Em vez disso, o que veio à tona foi um acordo voluntário, evidentemente muito mais fraco.

Os efeitos do aquecimento global talvez se tornem, dentro em breve, ainda mais óbvios e patentes do que já são. Somente em Bangladesh, a previsão é de que, nos próximos anos, dezenas de milhões de pessoas fujam das planícies baixas por causa da elevação do nível do mar e do clima mais severo, criando uma crise migratória que relegará a atual à pálida insignificância. Com considerável justiça, o mais importante cientista climático de Bangladesh afirma que "esses migrantes deveriam ter o direito de se mudar para os países que emitem todos os gases do efeito estufa. Milhões de pessoas deveriam ser autorizadas a migrar para os Estados Unidos".** E deveriam, também, ter o direito de se deslocar para os outros países abastados que aumentaram sua riqueza ocasionando uma radical transformação humana do meio ambiente. As catastróficas consequências dessa transformação serão sentidas não apenas em Bangladesh, mas em todo o sul da Ásia, à medida que as temperaturas se elevam inexoravelmente ao passo que as geleiras do Himalaia derretem, ameaçando todo o abastecimento de água da região. Na Índia, já há relatos de 300 milhões de pessoas desprovidas de água potável.***

---

* Coral Davenport, "Donald Trump could put climate change on course for 'danger zone'", *The New York Times*, 10 de novembro de 2016.

** Rahman citado em Gardiner Harris, "Facing rising seas, Bangladesh confronts the consequences of climate change", *The New York Times*, 28 de março de 2014.

*** A ONG WaterAid divulgou um relatório em março de 2016 para o Dia Mundial da Água. Ver Bihuti Agarwal, "Indians have the worst access to safe drinking water in the world" [Indianos têm o pior acesso a água potável segura no mundo], *The Wall Street Journal*, 22 de março de 2016.

É difícil encontrar palavras para expressar o fato de que os humanos estão enfrentando a questão mais importante de sua história – se é que a vida humana organizada sobreviverá minimamente da forma como a conhecemos –, e a resposta da humanidade a ela é acelerar ainda mais sua corrida rumo ao desastre. A mesma constatação vale para a outra ameaça de grandes proporções à sobrevivência humana, o perigo de destruição nuclear, que vem pairando sobre nossas cabeças há setenta anos e que agora está recrudescendo.

De modo análogo, é igualmente difícil encontrar palavras que deem conta de captar o fato absolutamente espantoso de que, durante a colossal cobertura do cômico espetáculo eleitoral, a iminente catástrofe climática e o perigo nuclear receberam pouco mais que menções *en passant*. Pelo menos eu não sei o que dizer, faltam-me palavras adequadas.

Embora Hillary Clinton tenha recebido uma clara pluralidade de votos – o resultado eleitoral tendo sido enviesado por peculiaridades do sistema político estadunidense –, é importante reconhecer o veemente e fervoroso apoio que Trump recebeu dos raivosos e descontentes, notadamente eleitores brancos sem educação universitária, a classe operária e a classe média baixa. Houve inúmeros fatores, mas um deles é que esses grupos são vítimas das políticas neoliberais da geração passada, as diretrizes políticas descritas em detalhes por Alan Greenspan, presidente do Federal Reserve – FED, o banco central dos Estados Unidos –, em depoimento ao Congresso (Greenspan era reverenciado por seus admiradores como "Santo Alan" até que a milagrosa economia dos EUA que ele supervisionava teve um colapso em 2007-2008, ameaçando derrubar a reboque toda a economia mundial). Conforme Greenspan explicou durante seus dias de glória, o sucesso de suas políticas de gestão econômica baseava-se em larga medida na "maior insegurança para o trabalhador". Trabalhadores intimidados não exigiriam aumento de salários nem benefícios, mas aceitariam de bom grado padrões de vida mais baixos em troca da mera possibilidade da manutenção do emprego. De acordo com critérios neoliberais, isso contribuía para um "desempenho econômico favorável [...] e bastante saudável e benéfico".*

De alguma forma, os trabalhadores que foram cobaias desse experimento de teoria econômica não estão felizes com os resultados. Não estão enlevados, por exemplo, com o fato de que, em 2007, no pico do milagre neoliberal antes do desastre financeiro, os salários reais – corrigidos pela inflação – dos trabalhadores comuns eram mais baixos que a remuneração em 1979, quando o experimento estava apenas em seu estágio incipiente.** Os salários reais dos trabalhadores do sexo masculino estão nos níveis da década de 1960, ao passo que lucros espetaculares foram para os bolsos dos pouquíssimos que ocupam o topo da cadeia – nem mesmo o 1%, mas uma fração do 1%.*** Isso não é resultado de mérito nem de realização ou tampouco de forças do mercado, mas fundamentalmente de decisões políticas deliberadas.

Um exame detido do salário mínimo nos Estados Unidos ilustra o que vem acontecendo. Ao longo dos períodos de alto crescimento nas décadas de 1950 e 1960, o salário mínimo – que estabelece piso ou base para outros salários – seguiu o rastro da produtividade. Isso chegou ao fim com o início da doutrina neoliberal. Desde então, o salário mínimo real, já corrigido pela inflação, diminuiu. Tivessem as tendências anteriores continuado e, a essa altura, estaria provavelmente perto de 20 dólares por hora. Hoje, ao contrário, considera-se uma revolução política propor um aumento para 15 dólares.****

---

* Alan Greenspan, "The Revolution in Information Technology", comentários durante a Conferência sobre a Nova Economia do Boston College, Boston, Massachusetts, 6 de março de 2000, https://www.federalreserve.gov/boarddocs/speeches/2000/20000306.htm; e Alan Greenspan, "Performance of the u.s. Economy", depoimento à Comissão Mista de Economia, Congresso dos Estados Unidos, Washington, D.C., 20 de março de 1997, https://www.federalreserve.gov/boarddocs/testimony/1997/199703202.htm.
** Lawrence Mishel, Elise Gould, e Josh Bivens, "Wage Stagnation in Nine Charts", Instituto de Política Econômica, 6 de janeiro de 2015, http://www.epi.org/publication/charting-wage-stagnation/.
*** Lawrence Mishel e Colin Gordon, "Real Hourly Wage Growth: The Last Generation", Instituto de Política Econômica, 10 de outubro de 2012, http://www.epi.org/blog/real-hourly-wage-growth-last-generation/.
**** John Schmitt, "The Minimum Wage is Too Damn Low" [O salário mínimo muito baixo], relatório do Centro para Pesquisas Econômicas e Políticas, março de 2012, http://cepr.net/documents/publications/min-wage1-2012-03.pdf.

Para os trabalhadores, há uma enorme diferença entre o trabalho estável numa fábrica, com salários e benefícios negociados por sindicatos e garantidos por contrato, como ocorria em anos anteriores, e um emprego temporário com pouca segurança em alguma atividade na área de serviços. Além da perda de salários, de benefícios e de segurança, há perda de dignidade, de esperança acerca do futuro, da sensação de que este é um mundo ao qual a pessoa pertence e no qual exerce um papel relevante, que vale a pena.

A raiva é compreensível. Pesquisas de boca de urna revelaram que o intenso apoio dado a Trump foi inspirado pela crença de que ele representava a mudança, ao passo que Hillary Clinton era vista como a candidata que perpetuaria o desolador *status quo*. Muitos apoiadores de Trump haviam votado em Barack Obama em 2008, acreditando em sua mensagem de "esperança e mudança". Desiludidos pelo fracasso das promessas, agora dão atenção à retórica de Trump sobre como ele vai "fazer os EUA serem grandes de novo". Entretanto, os partidários de Trump se enganam ao acreditar que ele cumprirá suas promessas grandiloquentes e remediará a calamitosa situação dos que nele creem: uma mera olhadela para as propostas fiscais e escolhas pessoais de Trump demonstra que esse resultado é improvável. Mas é compreensível que as consequências de planos que são anunciados de forma vaga e indireta nem sempre sejam claras para pessoas que vivem numa sociedade atomizada, em isolamento umas das outras, desprovidas de sindicatos e de outras associações capazes de propiciar meios de educar e organizar. Essa é uma diferença crucial entre os desesperados trabalhadores de hoje e as atitudes geralmente esperançosas de muitos trabalhadores da década de 1930, que foram submetidos a coerção e coação muito mais vigorosas durante a Grande Depressão.

O Partido Democrata abandonou qualquer preocupação real com os trabalhadores na década de 1970; os democratas foram arregimentados nas fileiras dos ferozes inimigos de classe dos trabalhadores, e pelo menos fingem falar sua língua – Ronald Reagan com seu estilo folclórico, contando piadinhas enquanto mascava balas de goma; George W. Bush com sua imagem cuidadosamente cultivada de sujeito comum que qualquer pessoa poderia encontrar em um bar, exibindo seu gosto por cortar lenha em seu rancho sob calor de 38 graus. E agora há Trump, que dá voz a pessoas que perderam o emprego e também o senso de autoestima, e que criticam duramente um governo que, a seu ver – não sem boa dose de razão –, aniquilou suas vidas.

Uma das grandes realizações do sistema doutrinário norte-americano tem sido desviar a raiva em relação ao setor corporativo para o governo, que implementa os programas que o setor corporativo elabora. É o governo, por exemplo, que leva a culpa pelos altamente protecionistas acordos internacionais de direitos corporativos/de investimento, que a mídia e os analistas e comentaristas políticos e econômicos costumam invariavelmente descrever como "acordos de livre comércio", o que é um equívoco. Ao contrário do setor corporativo, o governo está, até certo ponto, sob a influência e o controle populares, de modo que é bastante vantajoso para o mundo empresarial fomentar o ódio e o desprezo aos burocratas governamentais intelectualoides que roubam o dinheiro dos cidadãos na forma de impostos. Isso ajuda a extirpar da mente das pessoas a ideia subversiva de que o governo pode se tornar um instrumento de efetivação da vontade popular, um governo constituído do, pelo e para o povo.

Claro que outros fatores também contribuíram para o sucesso de Trump. Estudos mostram que as doutrinas de supremacia branca têm tido uma influência extraordinariamente poderosa na cultura dos Estados Unidos – ainda mais forte do que na África do Sul, por exemplo. E não é segredo algum que a população branca está em declínio nos EUA. Projeções dão conta de que daqui a uma ou duas décadas os brancos serão a minoria da força de trabalho, e, não muito depois, a minoria da população. Muitos consideram que a cultura conservadora tradicional também está sob ataque, acossada por "políticas de identidade" – tidas como a província das elites que nutrem apenas desprezo pelos norte-americanos patriotas, que trabalham com afinco, frequentam a igreja e mantêm os valores familiares, e cujo país está desaparecendo diante de seus olhos.

A cultura conservadora tradicional, com suas nuances profundamente religiosas, mantém uma forte influência sobre boa parte da sociedade. Vale a pena lembrar que antes da Segunda Guerra Mundial os Estados Unidos, embora fossem havia muito o país mais rico do planeta, não desempenhavam o papel de protagonista nas questões relevantes do mundo, e em termos culturais eram um atrasado rincão. Alguém que quisesse estudar física teria de ir para a Alemanha; um aspirante a escritor ou artista teria de viajar a Paris. Isso mudou drasticamente com a Segunda Guerra, por razões óbvias – mas somente para parte da população norte-americana. O grosso do país permaneceu tradicionalista em aspectos culturais, e assim continua até hoje. Para mencionar apenas um exemplo (uma ilustração bastante lamentável), uma das dificuldades em despertar a preocupação da opinião pública estadunidense acerca do aquecimento global é que 40% da população do país acredita que Jesus Cristo voltará à Terra em 2050 e, portanto, não enxergam como um problema as severas ameaças do desastre do clima em décadas futuras. Porcentagem semelhante está convencida de que o mundo foi criado há apenas uns poucos milhares de anos.*

Se a ciência entra em conflito com a Bíblia, azar para a ciência. Por exemplo, a escolha de Trump para o cargo de secretária da Educação, a bilionária Betsy DeVos, é membro de uma denominação protestante que defende que "todas as teorias científicas estão sujeitas às Escrituras" e que "a humanidade foi criada à imagem e semelhança de Deus; toda teorização que minimiza esse fato e todas as teorias da evolução que negam a atividade criativa de Deus são rejeitadas".** Seria difícil encontrar um análogo a esse fenômeno em outras sociedades.

De modo geral e considerando tudo, Trump não representa um movimento inteiramente novo na política norte-americana. Ambos

---

* "Jesus Christ's Return to Earth", Centro de Pesquisas Pew, 14 de julho de 2010; Frank Newport, "In u.s., 46% Hold Creationist View of Human Origins", Gallup, 1º de junho de 2012.
** Lawrence M. Krauss, "Donald Trump's War on Science", *The New Yorker*, 13 de dezembro de 2016.

os partidos políticos, o Republicano e o Democrata, deram uma guinada à direita durante o período neoliberal. Os novos democratas de hoje são basicamente o que se costumava chamar de "republicanos moderados". A "revolução política" que Bernie Sanders, com razão, exigiu não teria deixado Dwight Eisenhower muito surpreso. A mudança de direção dos republicanos de hoje à direita foi tão drástica em sua dedicação ao setor rico e corporativo que, em face de seus atuais programas, não podem esperar obter votos. Em vez disso, voltaram suas atenções para a mobilização de setores da população que sempre estiveram lá, porém não como força política organizada: evangélicos, nativistas, racistas e vítimas decorrentes da globalização concebida para colocar trabalhadores ao redor do mundo em competição uns contra os outros e ao mesmo tempo proteger os privilegiados.

As consequências foram evidentes nas recentes primárias republicanas. Nos ciclos eleitorais anteriores, cada candidato que emergiu da base – Michele Bachmann, Herman Cain, Rick Santorum e assim por diante – era tão extremado que o *establishment* Republicano teve de lançar mão de seus amplos recursos para subjugá-los. A diferença em 2016 é que o *establishment* fracassou, para seu constrangimento.

Há evidentes semelhanças entre a eleição de Trump e o referendo Brexit,* bem como com a ascensão geral dos partidos ultranacionalistas de extrema direita na Europa. Seus líderes – Nigel Farage, Marine Le Pen, Viktor Orbán e outros afins – foram rápidos em parabenizar Trump pela vitória, percebendo-o como um de sua laia. E essa marcha dos acontecimentos é bastante assustadora. Uma olhada para as pesquisas eleitorais e de opinião pública na Áustria e na Alemanha não pode deixar de provocar apreensão em qualquer um que esteja familiarizado com a década de 1930, e especialmente nos que testemunharam aquele período, como eu quando criança. Ainda me lembro de ouvir os discursos de Hitler sem compreender suas palavras,

---

* *Brexit* é a abreviação das palavras em inglês *Britain* (Grã-Bretanha) e *exit* (saída); designa a saída do Reino Unido da UE, decidida pela consulta popular realizada em 23 de junho de 2016, quando a maioria dos cidadãos do Reino Unido votou por abandonar a UE. O Brexit recebeu 51,9% dos votos, enquanto 48,1% votaram pela permanência no bloco. (N. T.)

porém considerando amedrontadores o tom e a reação das plateias. O primeiro artigo que me lembro de ter escrito foi em fevereiro de 1939, após a queda de Barcelona, sobre a aparentemente inexorável propagação da praga fascista. E, por uma estranha coincidência, foi em Barcelona que minha esposa e eu assistimos aos resultados da eleição presidencial de 2016 nos Estados Unidos.

Durante muitos anos venho escrevendo e falando sobre o perigo da possibilidade do surgimento de um ideólogo carismático nos Estados Unidos: alguém capaz de tirar vantagem do medo e da raiva que há muito tempo fervem em grande parte da sociedade, afastando esses sentimentos dos malfeitores e direcionando-os contra alvos vulneráveis. Isso poderia levar ao que o sociólogo Bertram Gross, em um perspicaz estudo escrito várias décadas atrás, chamou de "fascismo amigável".* Mas isso requer um ideólogo honesto, uma espécie de Hitler, não alguém cuja única ideologia detectável é o narcisismo. O perigo, no entanto, é real e concreto faz muito tempo.

De que forma Trump lidará com o que ele fez desabrochar – não criou, mas suscitou –, não sabemos dizer. Talvez sua característica mais marcante seja a imprevisibilidade. Muita coisa, naturalmente, depende de suas nomeações e círculos de consultores e conselheiros, e as indicações nesse sentido não são nada atraentes, para usar termos brandos. E podemos ter certeza de que a Suprema Corte estará nas mãos de reacionários por muitos anos, com consequências previsíveis.

No que diz respeito à política externa, uma perspectiva esperançosa, dada a admiração de Trump por Vladimir Putin, é a de que talvez haja uma diminuição das perigosíssimas e crescentes tensões entre Rússia e EUA. Também é possível que a Europa se distancie da América de Trump (conforme já foi sugerido pela chanceler Angela Merkel e outros líderes europeus), e, pós-Brexit, também da voz britânica de poder norte-americano.

Isso pode levar ao empenho europeu no sentido de desarmar as tensões com a Rússia, e talvez até mesmo a uma esforçada tentativa

---

* Bertram Gross, *Friendly Fascism: The New Face of Power in America* (New York: M. Evans, 1980).

de avançar na direção de algo semelhante à visão de Mikhail Gorbachev de um sistema de segurança eurasiático integrado e sem alianças militares – uma ideia rejeitada pelos Estados Unidos em favor da expansão da OTAN, mas recentemente reavivada por Putin – se a sério ou não, não sabemos.

A política externa dos EUA sob a nova administração Trump será mais militarista que em relação ao governo de George W. Bush ou até mesmo sob Obama, ou menos militarista? Não creio que seja possível responder com certeza. Mais uma vez, Trump é simplesmente imprevisível demais. Há muitas questões em aberto.

Mas o que podemos dizer é que muita coisa vai depender das reações daqueles que estão aterrorizados com o que agora vem tomando forma em Washington, apavorados pelas performances de Trump e as visões que ele projetou, tais como são, e pelo elenco de personagens que ele reuniu. A mobilização popular e o ativismo, devidamente organizados e conduzidos, podem fazer enorme diferença. E, conforme já apontado anteriormente, há muita coisa em jogo, e os riscos são imensos.

Notas

Introdução

1. James Morgan, correspondente de economia da BBC, *Financial Times* (Londres), 25-26 de abril de 1992.
2. Martin Gilens e Benjamin Page, "Testing Theories of American Politics: Elites, Interest Groups, and Average Citizens", *Perspectives on Politics* 12, nº 3 (setembro de 2014), http://www.princeton.edu/~mgilens/Gilens%20home page%20materials/Gilens%20and%20Page/Gilens%20and%20Page%202014-Testing%20Theories%203-7-14.pdf; Martin Gilens, *Affluence and Influence: Economic Inequality and Political Power in America* (Princeton: Princeton University Press, 2010); Larry Bartels, *Unequal Democracy: The Political Economy of the New Gilded Age* (Princeton, Princeton University Press, 2008); Thomas Ferguson, *Golden Rule: The Investment Theory of Party Competition and the Logic of Money-Driven Political Systems* (Chicago: University of Chicago Press, 1995).
3. Burnham, *in* Thomas Ferguson e Joel Rogers, eds., Hidden Election (Nova York: Random House, 1981). Burnham e Ferguson, "Americans Are Sick to Death of Both Parties: Why Our Politics Is in Worse Shape Than We Thought", 17 de dezembro de 2014, http://www.alternet.org/americans-are-sick-death-both-parties-why-our-politics-worse-shape-we-thought?paging=off&current_page=1#bookmark.

4. Ken Caldeira, "Stop Emissions", MIT *Technology Review* 119, nº 1 (janeiro/fevereiro 2016); "Current Pace of Environmental Change Is Unprecedented in Earth's History", comunicado à imprensa, Universidade de Bristol, 4 de janeiro de 2016, publicado *online* no mesmo dia em *Nature Geoscience*, http://www.bristol.ac.uk/news/2016/january/pace-environment-change.html.
5. Julian Borger, "Nuclear Weapons Risk Greater Than in Cold War, Says Ex-Pentagon Chief", *The Guardian* (Londres), 7 de janeiro de 2016, http://www.theguardian.com/world/2016/jan/07/nuclear-weapons-risk-greater-than-in-cold-war-says-ex-pentagon-chief; William Broad e David Sanger, "As U.S. Modernizes Nuclear Weapons, 'Smaller' Leaves Some Uneasy", *The New York Times*, 12 de janeiro de 2016, http://www.nytimes.com/2016/01/12/science/as-us-modernizes-nuclear-weapons-smaller-leaves-some-uneasy.html?_r=0.

1. A RESPONSABILIDADE DOS INTELECTUAIS, *REDUX*

1. Steven Lukes, *Emile Durkheim: His Life and Work* (Palo Alto: Stanford University Press, 1973), 335.
2. "Manifesto dos 93 Intelectuais Alemães ao Mundo Civilizado", 1914, Arquivo de Documentos da Primeira Guerra Mundial, http://www.gwpda.org/1914/93intell.html.
3. "Who Willed American Participation", *New Republic*, 14 de abril de 1917, 308-10.
4. John Dewey, *The Middle Works of John Dewey, volume 11, 1899-1924: Journal Articles, Essays, and Miscellany Published in the 1918-1919 Period*, ed. Jo Ann Boydston (Carbondale: Southern Illinois University Press, 1982), 81-82.
5. John Dewey, "Our Un-Free Press", in *The Later Works of John Dewey, volume 11, 1925-1953: Essays, Reviews, Trotsky Inquiry, Miscellany, and Liberalism and Social Action*, ed. Jo Ann Boydston (Carbondale: Southern Illinois University Press, 1987), 270.
6. Randolph Bourne, "Twilight of Idols", *Seven Arts*, outubro de 1917, 688-702.
7. Michael Crozier, Samuel P. Huntington e Joji Watanuke, *The Crisis of Democracy: Report on the Governability of Democracies to the Trilateral Commission* (Nova York: New York University Press, 1975), http://www.trilateral.org/download/doc/crisis_of_democracy.pdf.

8. Adam Smith, *The Wealth of Nations* (Nova York: Bantam Classics, 2003), 96.
9. Gordon S. Wood, *The Creation of the American Republic, 1776-1787* (Nova York: W. W. Norton, 1969), 513-14. Lance Banning, in *The Sacred Fire of Liberty: James Madison and the Founding of the Federal Republic* (Ithaca: Cornell University Press, 1995), afirma com veemência a dedicação de Madison ao governo popular, mas está de acordo com a avaliação de Wood do desígnio constitucional (245).
10. James Madison a Thomas Jefferson, 9 de dezembro de 1787, http://founders.archives.gov/documents/Madison/01-10-02-0197. Ver também Ralph Louis Ketcham, *James Madison: A Biography* (Charlottesville: University of Virginia Press, 1990), 236, 247, 298.
11. Edward Thorndike, "How May We Improve the Selection, Training, and Life Work of Leaders?", *Teachers College Record*, abril de 1939, 593-605.
12. "Terrorist Group Profiles", Departamento de Estado, janeiro de 1989. Ver também Robert Pear, "US Report Stirs Furor in South Africa", *The New York Times*, 14 de janeiro de 1989.
13. Força-Tarefa Interagências das Nações Unidas, Programa de Recuperação da África/Comissão Econômica da ONU para a África, *South African Destabilization: The Economic Cost of Frontline Resistance to Apartheid*, 1989, 13.
14. Noam Chomsky, "The Evil Scourge of Terrorism" (discurso à Sociedade Internacional Erich Fromm, Stuttgart, Alemanha, 23 de março de 2010).
15. Comentários feitos sobre Reagan por Martin Anderson e Annelise Anderson do Hoover Institution na Universidade Stanford, citados por Paul Boyer, "Burnishing Reagan's Disarmament Credentials", *Army Control Today*, setembro de 2009.
16. John Coatsworth, "The Cold War in Central America, 1975-1991" in *The Cambridge History of the Cold War: volume 3: Endings*, Melvyn P. Leffler e Odd Arne Westad, eds., (Cambridge: Cambridge University Press, 2010).
17. Noam Chomsky, *Hopes and Prospects* (Chicago: Haymarket Books, 2010), 272.
18. Papéis de John F. Kennedy, Papéis Presidenciais, Arquivos de Segurança Nacional, Reuniões e Memorandos, Memorando de Ação para a Segurança Nacional [NSAM]: NSAM 134, Relatório sobre a Situação da Segurança Interna na América do Sul, JFKNSF-335-013, Biblioteca e Museu Presidencial John F. Kennedy, Boston, Massachusetts.

19. Lars Schoultz, *Human Rights and United States Policy Toward Latin America* (Princeton: Princeton University Press, 1981); Charles Maechling Jr., "The Murderous Mind of the Latin American Military", *Los Angeles Times*, 18 de março de 1982.
20. Como se vê em Adam Isacson and Joy Olson, *Just the Facts* (Washington, DC: Grupo de Trabalho para a América Latina e Centro para Política Internacional, 1999), ix.
21. Noam Chomsky, "Humanitarian Imperialism: The New Doctrine of Imperial Right" (Imperialismo humanitário: a nova doutrina do direito imperial, em tradução livre), *Monthly Review*, 1º de setembro de 2008.
22. Noam Chomsky, *Rogue States* (Chicago: Haymarket Books, 2015), 88.
23. Noam Chomsky, *Deterring Democracy* (Nova York: Hill e Wang, 1991), 131.
24. Chomsky, *Hopes and Prospects* (Chicago: Haymarket Books, 2010), 261.
25. Daniel Wilkinson, "Death and Drugs in Colombia", *The New York Review of Books*, 23 de junho de 2011.
26. Anthony Lewis, "Abroad at Home", *The New York Times*, 2 de março de 1990.
27. Mary McGrory, "Havel's Gentle Rebuke", *Washington Post*, 25 de fevereiro de 1990.
28. Mark Mazzetti, Helene Cooper e Peter Baker, "Behind the Hunt for Bin Laden", *The New York Times*, 2 de maio de 2011.
29. Eric Alterman, "Bin Gotten", *Nation*, 4 de maio de 2011.
30. Elaine Scarry, "Rules of Engagement", *Boston Review*, 8 de novembro de 2006.
31. Russell Baker, "A Heroic Historian on Heroes", *The New York Review of Books*, 11 de junho de 2009.
32. Mark Mazower, "Short Cuts", *The London Review of Books*, 8 de abril de 2010.
33. Eric S. Margolis, "Osama's Ghost", *American Conservative*, 20 de maio de 2011.
34. Daniel Trotta, "Cost of War at Least $3.7 Trillion and Counting", Reuters, 29 de junho de 2011.
35. Michael Scheuer, *Imperial Hubris: Why the West Is Losing the War on Terror* (Washington: Potomac Books, 2004).
36. Acusação dos dreyfusianos citada em Geoffrey Hawthorn, *Enlightenment and Despair: A History of Social Theory* (Cambridge: Cambridge University Press, 1976), 117.

2. Terroristas procurados no mundo inteiro

1. Nada Bakri e Graham Bowley, "Top Hezbollah Commander Killed in Syria", *The New York Times*, 13 de fevereiro de 2008.
2. Associated Press, "Intelligence Chief: Hezbollah Leader May Have Been Killed by Insiders or Syria", 17 de fevereiro de 2008.
3. Cynthia O'Murchu e Farrid Shamsuddin, "Seven Days", *Financial Times* (Londres), 16 de fevereiro de 2008.
4. Ferry Biedermann, "A Militant Wanted the World Over", *Financial Times* (Londres), 14 de fevereiro de 2008.
5. Uma análise feita por Jeff Nygaard encontrou uma referência à pesquisa do Gallup, uma breve notícia no *Omaha World-Herald* que "deturpava completamente os achados". *Nygaard Notes Independent Weekly News and Analysis*, 16 de novembro de 2001, republicado em *Counterpoise* 5, nº 3/4 (2002).
6. Biedermann, "A Militant Wanted the World Over".
7. Noam Chomsky, *Middle East Illusions* (Londres: Rowman & Littlefield, 2004), 235.
8. Amnon Kapeliouk, *Yediot Ahronot*, 15 de novembro de 1985.
9. Bernard Gwertzman, "U.S. Defends Action in U.N. on Raid", *The New York Times*, 7 de outubro de 1985.
10. *Anuário das Nações Unidas*, vol. 39, 1985, 291.
11. Bernard Weinraub, "Israeli Extends 'Hand of Peace' to Jordanians", *The New York Times*, 18 de outubro de 1985.
12. Ver Noam Chomsky, *Necessary Illusions* (Toronto: House of Anansi, 1995), capítulo 5.
13. Ver, por exemplo, Aviv Lavie, "Inside Israel's Secret Prison", *Ha'aretz*, 23 de agosto de 2003.
14. Yoav Biran, ministro plenipotenciário, Embaixada de Israel, carta, *Manchester Guardian Weekly*, 25 de julho de 1982; Gad Becker, Yediot Ahronot, 13 de abril de 1983; Reuters, "Shamir Promises to Crush Rioters", *The New York Times*, 1º de abril de 1988.
15. Yoram Peri, *Davar*, 10 de dezembro de 1982.
16. Justin Huggler e Phil Reeves, "Once Upon a Time in Jenin", *The Independent* (Londres), 25 de abril de 2002.
17. Amira Hass, *Ha'aretz*, 19 de abril de 2002, republicado em Hass, *Reporting from Ramallah: An Israeli Journalist in an Occupied Land* (Los Angeles: Semiotext(e), distribuído pela MIT Press, 2003).

18. Biedermann, "A Militant Wanted the World Over", *Financial Times* (Londres), 14 de fevereiro de 2008.
19. Bob Woodward e Charles Babcock, "Anti-Terrorist Unit Blamed in Beirut Bombing", *Washington Post*, 12 de maio de 1985.
20. Nora Boustany, "Beirut Bomb's Legacy Suspicion and Tears", *Washington Post*, 6 de março de 1988.
21. Ethan Bronner, "Israel Lets Reporters See Devastated Gaza Site and Image of a Confident Military", *The New York Times*, 16 de janeiro de 2009.
22. Julie Flint, "Israeli Soldiers in New Terror Raid on Shi'ite Village", *The Guardian* (Londres), 6 de março de 1985.
23. Adam Goldman e Ellen Nakashima, "CIA and Mossad Killed Senior Hezbollah Figure in Car Bomb", *Washington Post*, 30 de janeiro de 2008.
24. "Three Decades of Terror", *Financial Times*, 2 de julho de 2007.
25. Gerges, Fawaz, A. *Journey of the Jihadist: Inside Muslim Militancy* (Nova York: Mariner Books, 2007).
26. "Text of Reagan's Letter to Congress on Marines in Lebanon", *The New York Times*, 30 de setembro de 1982. Ver também Micah Zenko, "When Reagan Cut and Run", *Foreign Policy*, 7 de fevereiro de 2014.
27. Jimmy Carter, *Palestine: Peace Not Apartheid* (Nova York: Simon & Schuster, 2006).
28. Tobias Buck, "Israel Denies Killing Hizbollah Commander", *Financial Times* (Londres), 13 de fevereiro de 2008.
29. Noam Chomsky, *Fateful Triangle: The United States, Israel, and the Palestinians* (Chicago: Haymarket Books, 2015), 591.
30. Ibid.
31. Ibid., 589.
32. Henry Kamm, "Ruins of War Litter Hills and Valleys of Lebanon", *The New York Times*, 20 de junho de 1982.
33. Chomsky, *Fateful Triangle: The United States, Israel and the Palestinians* (Chicago: Haymarket Books, 2015), 590.
34. Ibid.
35. Isabel Kershner, "Israel Reduces Electricity Flow to Gaza", *The New York Times*, 9 de fevereiro de 2008.
36. James Astill, "Strike One", *The Guardian* (Londres), 2 de outubro de 2001.

3. Os memorandos da tortura e a amnésia histórica

1. Investigação sobre os detidos sob custódia dos EUA, Relatório da Comissão sobre as Forças Armadas, Senado dos EUA, 20 de novembro de 2008, http://documents.nytimes.com/report-by-the-senate-armed-services-committee-on-detainee-treatment#p=72. Jona- than Landay, "Abusive Tactics Used to Seek Iraq–al Qaida Link", McClatchyDC, 21 de abril de 2009.
2. Paul Krugman, "Reclaiming America's Soul", *The New York Times*, 23 de abril de 2009.
3. Hans Morgenthau, *The Purpose of American Politics* (Nova York: Knopf, 1964).
4. Ibid.
5. Roger Cohen, "America Unmasked", *The New York Times*, 24 de abril de 2009.
6. Ver Richard Drinnon, *Facing West: The Metaphysics of Indian-Hating and Empire-Building* (Norman: University of Oklahoma Press, 1997). Knox citado por Reginald Horsman in *Expansion and American Indian Policy 1783-1812* (Norman: University of Oklahoma Press, 1992), 64.
7. Krugman, "Reclaiming America's Soul".
8. Ver a discussão in Horsman, *Expansion and American Indian Policy 1783-1812*; William Earl Weeks, *John Quincy Adams and American Global Empire* (Lexington: University Press of Kentucky, 1992).
9. Sobre o histórico das justificativas providencialistas para os crimes mais chocantes e seu papel mais geral para forjar "a ideia norte-americana", ver Nicholas Guyatt, *Providence and the Invention of the United States, 1607-1876* (Cambridge: Cambridge University Press, 2007).
10. Citado por Lars Schoultz em *That Infernal Little Cuban Republic: The United States and the Cuban Revolution* (Chapel Hill: University of North Carolina Press, 2009), 4.
11. Arthur M. Schlesinger Jr., *Robert Kennedy and His Times* (Boston: Mariner Books, 2002), 480.
12. Plataformas do Partido Republicano: "Republican Party Platform of 1900", 19 de junho de 1900. Disponibilizado *online* por Gerhard Peters e John T. Woolley, *The American Presidency Project*, http://www.presidency.ucsb.edu/ws/?pid=29630.
13. Alfred McCoy, *Policing America's Empire: The United States, the Philippines, and the Rise of the Surveillance State*. (Madison: University of Wisconsin Press, 2009).

14. Jennifer Harbury, *Truth, Torture, and the American Way: The History and Consequences of U.S. Involvement in Torture* (Boston: Beacon Press, 2005).
15. Alfred McCoy, *A Question of Torture: CIA Interrogation, from the Cold War to the War on Terror* (Nova York: Metropolitan Books, 2006). Ver também McCoy, "The U.S. Has a History of Using Torture", rede History News, 6 de dezembro de 2006.
16. Noam Chomsky, *Hopes and Prospects* (Chicago: Haymarket Books, 2010), 261.
17. Allan Nairn, "The Torture Ban That Doesn't Ban Torture: Obama's Rules Keep It Intact, and Could Even Accord with an Increase in US-Sponsored Torture Worldwide", www.allannairn.org, 24 de janeiro de 2009.
18. Noam Chomsky, *Hopes and Prospects* (Chicago: Haymarket Books, 2010), 261.
19. Lars Schoultz, "U.S. Foreign Policy and Human Rights Violations in Latin America: A Comparative Analysis of Foreign Aid Distributions", *Comparative Politics* 13, nº 2 (janeiro de 1981): 149-70; Herman *in* Noam Chomsky e Edward S. Herman, *The Washington Connection and Third World Fascism: The Political Economy of Human Rights: volume I* (Boston: South End Press, 1999); Noam Chomsky e Edward S. Herman, *After the Cataclysm: Postwar Indochina and the Reconstruction of Imperial Ideology: The Political Economy of Human Rights - volume II* (Chicago: Haymarket Books, 2014); Edward S. Herman, *The Real Terror Network: Terrorism in Fact and Propaganda* (Boston: South End Press, 1982).
20. McCoy, "The U.S. Has a History of Using Torture"; Danford Levinson, "Torture in Iraq and the Rule of Law in America", *Daedalus* 133, nº 3 (verão de 2004).
21. Linda Greenhouse, "Justices, 5-4, Back Detainee Appeals for Guantánamo", *The New York Times*, 13 de junho de 2008.
22. Glenn Greenwald, "Obama and *Habeas Corpus* – Then and Now", *Salon*, 11 de abril de 2009.
23. Ibid.
24. Daphne Eviatar, "Obama Justice Department Urges Dismissal of Another Torture Case", *Washington Independent*, 12 de março de 2009.
25. William Glaberson, "U.S. May Revive Guantánamo Military Courts", *The New York Times*, 1º de maio de 2009.
26. Michael Kinsley, "Down the Memory Hole with the Contras", *The Wall Street Journal*, 26 de março de 1987.

27. Patrick Cockburn, "Torture? It Probably Killed More Americans than 9/11", *The Independent* (Londres), 6 de abril de 2009.
28. Rajiv Chandrasekaran, "From Captive to Suicide Bomber", *Washington Post*, 22 de fevereiro de 2009.
29. Noam Chomsky, *Hopes and Prospects* (Chicago: Haymarket Books, 2010), 266.
30. Ibid., 267.
31. Ibid., 268.

4. A MÃO INVISÍVEL DO PODER

1. Tareq y. Ismael e Glenn E. Perry, *The International Relations of the Contemporary Middle East: Subordination and Beyond* (Londres: Routledge, 2014), 73; Noam Chomsky, *Hegemony or Survival: America's Quest for Global Dominance* (Nova York: Metropolitan Books, 2003), 150 (edição brasileira: *O império americano: hegemonia ou sobrevivência*, Campus/Elsevier, 2004); Daniel Yergin, *The Prize: The Epic Quest for Oil, Money and Power* (Nova York: Free Press, 1991).
2. Noam Chomsky, *Hopes and Prospects* (Chicago: Haymarket Books, 2010), 55.
3. Laurence H. Shoup e William Minter, *Imperial Brain Trust: The Council on Foreign Relations and United States Foreign Policy* (Nova York: Monthly Review Press, 1977), 130.
4. Noam Chomsky, *Hopes and Prospects* (Chicago: Haymarket Books, 2010), 238.
5. Gerard Van Bilzen, *The Development of Aid* (Newcastle upon Tyne: Cambridge Scholars Publishing, 2015), 497.
6. Casa Branca, "Declaração de princípios para um relacionamento de longo prazo de cooperação e amizade entre a República do Iraque e os Estados Unidos da América", comunicado à imprensa, 26 de novembro de 2007, http://georgewbush-whitehouse.archives.gov/news/releases/2007/11/20071126-11.html.
7. Charlie Savage, "Bush Declares Exceptions to Sections of Two Bills He Signed into Law", *The New York Times*, 15 de outubro de 2008.
8. Marina Ottoway e David Ottoway, "Of Revolutions, Regime Change, and State Collapse in the Arab World", Carnegie Endowment for International Peace, 28 de fevereiro de 2011, http://carnegie

endowment.org/2011/02/28/of-revolutions-regime-change-and-state-collapse-in-arab-world.

9. Centro de Pesquisas Pew, "Egyptians Embrace Revolt Leaders, Religious Party and Military, As Well", 25 de abril de 2011, http://pewglobal.org/files/2011/04/Pew-Global-Attitudes-Egypt-Report-FINAL-April-25-2011.pdf.

10. Marwan Muasher, "Tunisia's Crisis and the Arab World", Carnegie Endowment for International Peace, 24 de janeiro de 2011, http://carnegieendowment.org/2011/01/24/tunisia-s-crisis-and-arab-world.

11. Thom Shanker, "U.S. Fails to Explain Policies to Muslim World, Panel Says", *The New York Times*, 24 de novembro de 2004.

12. Afaf Lutfi Al-Sayyid Marsot, *Egypt in the Reign of Muhammad Ali* (Cambridge: Cambridge University Press, 1984). Para um debate mais amplo sobre o Egito pós-Segunda Guerra Mundial, ver Noam Chomsky, *World Orders Old and New* (Nova York: Columbia University Press, 1994), capítulo 2. (edição brasileira: *Novas e Velhas Ordens Mundiais*, Scitta, São Paulo, 1996).

13. Adam Smith, *The Wealth of Nations* (Nova York: Bantam Classics, 2003), 309.

14. Noam Chomsky, *Year 501: The Conquest Continues* (Chicago: Haymarket Books, 2014), 150.

15. Noam Chomsky, *Hopes and Prospects* (Chicago: Haymarket Books, 2010), 80.

16. David Ricardo, *The Works of David Ricardo: With a Notice of the Life and Writings of the Author by J. R. McCulloch*, (Londres: John Murray, 1846), 77.

17. Tony Magliano, "The Courageous Witness of Blessed Oscar Romero", *National Catholic Reporter*, 11 de maio de 2015.

18. Martin van Creveld, "Sharon on the Warpath: Is Israel Planning to Attack Iran?", *The New York Times*, 21 de agosto de 2004.

19. Clayton Jones, "China Is a Barometer on Whether Israel Will Attack Nuclear Plants in Iran", *Christian Science Monitor*, 6 de agosto de 2010.

20. Kim Ghattas, "US Gets Serious on Iran Sanctions", BBC News, 3 de agosto de 2010.

21. Thom Shanker, "Pentagon Cites Concerns in China Military Growth", *The New York Times*, 16 de agosto de 2010.

22. Joshua Kurlantzick, "The Belligerents", *The New Republic*, 17 de fevereiro de 2011.

23. Stephen Braun e Jack Gillum, "2012 Presidential Election Cost Hits $2 Billion Mark", Associated Press, 6 de dezembro de 2012; Amie Parnes e Kevin Cirilli, "The $5 Billion Presidential Campaign?", *The Hill*, 21 de janeiro de 2015.
24. Editors, "The Secret Behind Big Bank Profits", Bloomberg News, 21 de fevereiro de 2013.
25. Christine Harper and Michael J. Moore, "Goldman Sachs CEO Blankfein is Awarded $12.6 Million in Stock", *Bloomberg Business*, 29 de janeiro de 2011.
26. Eszter Zalan, "Hungary's Orban Wins Another Term, Jobbik Support Jumps", EU *Observer*, 7 de abril de 2014.
27. Ver Wikipedia, "Austrian Legislative Election, 2008", https://en.wikipedia.org/wiki/Austrian_legislative_election,_2008#Results.
28. Donny Gluckstein, *Nazis, Capitalism, and the Working Class* (Chicago: Haymarket Books, 1999), 37.
29. Matthew Weaver, "Angela Merkel: German Multiculturalism Has 'Utterly Failed'", *The Guardian* (Londres), 17 de outubro de 2010.
30. Darren Samuelsohn, "John Shimkus Cites Genesis on Climate Change", *Politico*, 10 de dezembro de 2010.
31. Joseph Stiglitz, "Some Lessons from the East Asian Miracle", *World Bank Research Observer*, agosto de 1996, https://feb.kuleuven.be/public/ndaag37/1996_Some_Lessons_from_the_East_Asian_Miracle.pdf.

5. Declínio norte-americano: causas e consequências

1. Giacomo Chiozza, análise crítica de *America's Global Advantage: US Hegemony and International Cooperation*, de Carla Norrlof, *Political Science Quarterly* (verão de 2011): 336-37.
2. Geoffrey Warner, "The Cold War in Retrospect", *International Affairs* 87, nº 1 (janeiro de 2011): 173-84.
3. Noam Chomsky, *On Power and Ideology* (Chicago: Haymarket Books, 2015), 15.
4. "The Chinese Revolution of 1949", Departamento de Estado dos EUA, Gabinete do Historiador, https://history.state.gov/milestones/1945-1952/chinese-rev.
5. Robert Kagan, "Not Fade Away", *The New Republic*, 2 de fevereiro de 2012.
6. Noam Chomsky, *Powers and Prospects: Reflections on Human Nature and the Social Order* (Chicago: Haymarket Books, 2015), 185.

7. Para este e outros pronunciamentos, ver Noam Chomsky, *New Military Humanism: Lessons from Kosovo* (Monroe: Common Courage, 2002) e Noam Chomsky, *A New Generation Draws the Line: Kosovo, East Timor, and the Responsibility to Protect Today, Updated and Expanded Edition* (Boulder: Paradigm, 2011).
8. Noam Chomsky, *Hopes and Prospects* (Chicago: Haymarket Books, 2010), 277.
9. Samuel P. Huntington, "The Lonely Superpower", *Foreign Affairs* 78, nº 2 (março/abril de 1999); Robert Jervis, "Weapons Without Purpose? Nuclear Strategy in the Post-Cold War Era", análise crítica de *The Price of Dominance: The New Weapons of Mass Destruction and Their Challenge to American Leadership*, de Jan Lodal, *Foreign Affairs* 80, nº 4 (julho/agosto de 2001).
10. Jeremy White, "Obama Approval Rating in Arab World Now Worse Than Bush", *International Business Times*, 13 de julho de 2011.
11. Boletim do Departamento de Estado, 8 de dezembro de 1969, 506-07, citado em David F. Schmitz, *The United States and Right-Wing Dictatorships, 1965-1989* (Cambridge: Cambridge University Press, 2006), 89.
12. Bill Keller, "The Return of America's Missionary Impulse", *The New York Times Magazine*, 17 de abril de 2011.
13. Yochi Dreazen, Aamer Madhani e Marc Ambinder, "The Goal Was Never to Capture Bin Laden", *The Atlantic*, 4 de maio de 2011.
14. Nick Turse, "Iraq, Afghanistan, and Other Special Ops 'Successes'", *TomDispatch*, 25 de outubro de 2015, http://www.tomdispatch.com/blog/176060/.
15. Ver também Nick Turse, *The Changing Face of Empire: Special Ops, Drones, Spies, Proxy Fighters, Secret Bases, and Cyberwarfare* (Chicago: Haymarket Books/ Dispatch Books, 2012) e Nick Turse, *Tomorrow's Battlefield: U.S. Proxy Wars and Secret Ops in Africa* (Chicago: Haymarket Books/Dispatch Books, 2015).
16. Robert Westbrook, *John Dewey and American Democracy* (Ithaca: Cornell University Press, 1991), 440.
17. Jennifer Epstein, "Poll: Tax Hike Before Medicare Cuts", *Politico*, 20 de abril de 2011.
18. Jon Cohen, "Poll Shows Americans Oppose Entitlement Cuts to Deal with Debt Problem", *Washington Post*, 20 de abril de 2011.
19. University of Maryland–College Park, "Public's Budget Priorities Differ Dramatically from House and Obama", comunicado à imprensa,

Newswise.com, 2 de março de 2011, http://www.newswise.com/articles/publics-budget-priorities-differ-dramatically-from-house-and-obama.
20. Catherine Lutz, Neta Crawford e Andrea Mazzarino, "Costs of War", Instituto Watson para Assuntos Internacionais e Públicos da Universidade Brown, http://watson.brown.edu/costsofwar/.
21. Martin Wolf, "From Italy to the US, Utopia vs. Reality", *Financial Times* (Londres), 12 de julho de 2011.
22. Lawrence Summers, "Relief at an Agreement Will Give Way to Alarm", *Financial Times* (Londres), 2 de agosto de 2011.
23. "Health Care Budget Deficit Calculator", *Centro para Pesquisa Econômica e Política*, http://www.cepr.net/calculators/hc/hc-calculator.html.
24. Matthew L. Wald and John M. Broder, "Utility Shelves Ambitious Plan to Limit Carbon", *The New York Times*, 13 de julho de 2011.
25. Thomas Ferguson, "Best Buy Targets Are Stopping a Debt Deal", *Financial Times* (Londres), 26 de julho de 2011.
26. Robert Pear, "New Jockeying in Congress for Next Phase in Budget Fight", *The New York Times*, 3 de agosto de 2011.
27. Stephanie Clifford, "Even Marked Up, Luxury Goods Fly Off Shelves", *The New York Times*, 3 de agosto de 2011.
28. Louis Uchitelle, "Job Insecurity of Workers is a Big Factor in Fed Policy", *The New York Times*, 27 de fevereiro de 1997.
29. Ajay Kapur, "Plutonomy: Buying Luxury, Explaining Global Imbalances", 16 de outubro de 2005, disponível em http://delong.typepad.com/plutonomy-1.pdf.
30. Noam Chomsky, *Making the Future: Occupations, Interventions, Empire and Resistance* (São Francisco: City Lights, 2012), 289.

6. É O FIM DOS ESTADOS UNIDOS?

1. Elizabeth Becker, "Kissinger Tapes Describe Crises, War and Stark Photos of Abuse", *The New York Times*, 27 de maio de 2004.
2. John F. Kennedy, "The President and the Press" (discurso proferido diante da Sociedade Norte-Americana de Editores de Jornais, Hotel Waldorf-Astoria, Cidade de Nova York, 27 de abril de 1961) http://www.jThlibrary.org/Research/Research-Aids/JFK-Speeches/American--Newspaper-Publishers-Association_19610427.aspx.

3. John F. Kennedy citado em Thomas G. Paterson, "Fixation with Cuba: The Bay of Pigs, Missile Crisis, and Covert War Against Castro", in *Kennedy's Quest for Victory: American Foreign Policy, 1961-1963*, ed. Thomas G. Paterson (Oxford: Oxford University Press, 1989), 136.
4. Edward S. Herman e Noam Chomsky, *Manufacturing Consent: The Political Economy of the Mass Media* (Nova York: Pantheon, 1988), 183.
5. Jimmy Carter: "The President's News Conference", 24 de março de 1977. Disponibilizado *online* por Gerhard Peters e John T. Woolley, The American Presidency Project, http:// www.presidency.ucsb.edu/ws/?pid=7229.
6. Suzanne Goldenberg, "Bush Commits Troops to Iraq for the Long Term", *The Guardian* (Londres), 26 de novembro de 2007. Ver também Guy Raz, "Long-Term Pact with Iraq Raises Questions", *Morning Edition*, National Public Radio, 24 de janeiro de 2008. Para uma análise mais aprofundada, ver Noam Chomsky, *Making the Future: Occupations, Interventions, Empire and Resistance* (São Francisco: City Lights Books, 2012), 64-66; Charlie Savage, "Bush Asserts Authority to Bypass Defense Act", *Boston Globe*, 30 de janeiro de 2008.
7. Joseph M. Parent e Paul K. MacDonald, "The Wisdom of Retrenchment", *Foreign Affairs* 90, nº 6 (novembro/dezembro de 2011).
8. Yosef Kuperwasser e Shalom Lipner, "The Problem Is Palestinian Rejectionism", *Foreign Affairs* 90, nº 6 (novembro/dezembro de 2011).
9. Ronald R. Krebs, "Israel's Bunker Mentality", *Foreign Affairs* 90, nº 6 (novembro/dezembro de 2011).
10. Matthew Kroenig, "Time to Attack Iran", *Foreign Affairs* 90, nº 1 (janeiro/fevereiro de 2012).
11. Xizhe Peng, "China's Demographic History and Future Challenges", *Science* 333, nº 6042, 29 de julho de 2011, 581-87.
12. Daniel Yergin, "US Energy Is Changing the World Again", *Financial Times* (Londres), 16 de novembro de 2012.
13. Fiona Harvey, "World Headed for Irreversible Climate Change in Five Years, IEA Warns", *The Guardian* (Londres), 9 de novembro de 2011.
14. "'Monster' Greenhouse Gas Levels Seen", Associated Press, 3 de novembro de 2011.
15. Noam Chomsky, *Powers and Prospects* (Chicago: Haymarket Books, 2015), 220.
16. John W. Dower, "The Superdomino In and Out of the Pentagon Papers", in *The Pentagon Papers: The Senator Gravel Edition*, volume 5,

eds. Noam Chomsky e Howard Zinn (Boston: Beacon Press, 1972), 101-42.
17. Seymour Topping, "Slaughter of Reds Gives Indonesia a Grim Legacy", *The New York Times*, 24 de agosto de 1966.
18. James Reston, "A Gleam of Light in Asia", *The New York Times*, 19 de junho de 1966.
19. David Sanger, "Why Suharto Is In and Castro Is Out", *The New York Times*, 31 de outubro de 1995.
20. Noam Chomsky, *Hegemony or Survival* (Nova York: Henry Holt, 2003), 150.
21. Alan J. Kuperman, "Obama's Libya Debacle", *Foreign Affairs* 94, nº 2 (março/abril de 2015).
22. Barbara Ferguson, "Israel Defies US on Illegal Settlements", *Arab News*, 6 de setembro de 2006.
23. Herb Keinon, "EU Condemns Building in Har Homa, Neveh Ya'akov, Pisgat Ze'ev", *Jerusalem Post*, 6 de fevereiro de 2014.
24. "U.S. Daily Warns of Threat of 'Nasserite Virus' to Moroccan, Algerian Jews", Agência Telegráfica Judaica, 21 de fevereiro de 1961, http://www.jta.org/1961/02/21/archive/u-s-daily-warns-of-threat-of-nasserite-virus-to-moroccan-algerian-jews.
25. Debbie Buchwald, "Israel's High-Tech Boom", *in Focus Quarterly* II, nº 2 (verão de 2008).
26. Noam Chomsky, *Making the Future: Occupations, Interventions, Empire and Resistance* (São Francisco: City Lights, 2012), 251.
27. Peter Beaumont, "Israel Outraged as EU Poll Names It a Threat to Peace", *The Guardian* (Londres), 19 de novembro de 2003. A pesquisa, conduzida por Taylor Nelson Sofres/EOS Gallup Europe, foi realizada entre 8 e 16 de outubro de 2003.
28. Pesquisa de Opinião Pública junto ao Povo Árabe 2010, Zogby International/Brookings Institution, 2010, http://www.brookings.edu/~/media/research/files/reports/2010/8/05-arab-opinion-poll-telhami/0805_arabic_opinion_poll_telhami.pdf.
29. Ibid. Em resposta à pergunta indireta "Diga o nome de dois países que a seu ver são a maior ameaça", Israel foi citado por 88% dos entrevistados, os Estados Unidos, por 77%, ao passo que o Irã recebeu menção de 9% entre pessoas de 36 anos ou mais e 11% entre as pessoas de 36 anos ou menos.
30. Scott Clement, "Iranian Threat: Public Prefers Sanctions over Bombs", *Washington Post*, 14 de março de 2012; Steven Kull *et al.*, "Public

Opinion in Iran and America on Key International Issues, 24 de janeiro de 2007: A WorldPublicOpinion.org Poll", http://www.worldpublicopinion.org/pipa/pdf/jan07/Iran_Jan07_rpt.pdf.
31. Departamento de Defesa, "Unclassified Report on Military Power of Iran, April 2010", http://www.politico.com/static/PPM145_link_042010.html.
32. Gavan McCormack, "'All Japan' versus 'All Okinawa'–Abe Shinzo's Military- Firstism", *Asia-Pacific Journal* 13, edição 10, nº 4 (15 de março de 2015).
33. Paul Godwin, "Asia's Dangerous Security Dilemma", *Current History* 109, nº 728 (setembro de 2010): 264-66.

7. A Magna Carta, o destino dela e o nosso

1. William Blackstone, *The Great Charter and the Charter of the Forest* (Oxford, 1759), guardado na Biblioteca Britânica.
2. Winston S. Churchill, *A History of the English Speaking Peoples*, volume 2: The New World (Londres: Bloomsbury, 2015).
3. James Kendall Hosmer, *The Life of Young Sir Henry Vane, Governor of Massachusetts Bay, and Leader of the Long Parliament: With a Consideration of the English Commonwealth as a Forecast of America* (Boston: Houghton Mifflin, 1888), guardado na Biblioteca da Universidade Cornell, 462.
4. *The Famous Old Charter of Rhode Island, Granted by King Charles II, in 1663* (Providence: I. H. Cady, 1842). Ver também Wikipedia, "Rhode Island Royal Charter", https://en.wikipedia.org/wiki/Rhode_Island_Royal_Charter.
5. Peter Linebaugh, *The Magna Carta Manifesto: Liberties and Commons for All* (Berkeley: University of California Press, 2009).
6. Dudley Jones e Tony Watkins, eds., *A Necessary Fantasy? The Heroic Figure in Children's Popular Culture* (Nova York: Taylor and Francis, 2000).
7. Emily Achtenberg, "From Water Wars to Water Scarcity: Bolivia's Cautionary Tale", *Relatório NACLA sobre as Américas*, 6 de junho de 2013, https://nacla.org/blog/2013/6/5/water-wars-water-scarcity-bolivia%E2%80%99s-cautionary-tale.
8. Randal C. Archibold, "El Salvador: Canadian Lawsuit over Mine Allowed to Proceed", *The New York Times*, 5 de junho de 2012.

9. Erin Banco, "Is Your Cell Phone Fueling Civil War in Congo?", *The Atlantic*, 11 de julho de 2011.
10. Garrett Hardin, "The Tragedy of the Commons", *Science* 162, nº 3859, 13 de dezembro de 1968, 1243-48.
11. Ver Paul Corcoran, "John Locke on the Possession of Land: Native Title vs. the 'Principle' of Vacuum domicilium". Artigo apresentado na Conferência Anual da Associação Australiana de Estudos Políticos, setembro de 2007, https://digital.library.adelaide.edu.au/dspace/bitstream/2440/44958/1/hdl_44958.pdf.
12. Norman Ware, *The Industrial Worker 1840-1860: The Reaction of American Industrial Society to the Advance of the Industrial Revolution* (Chicago: Ivan Dee, 1990). Esta é uma reimpressão da primeira edição de 1924.
13. Michael J. Sandel, *Democracy's Discontent: America in Search of a Public Philosophy* (Cambridge: Belknap Press, 1996).
14. Thorstein Veblen, *The Theory of the Leisure Class: An Economic Study of Institutions* (Londres: Macmillan, 1899).
15. Clinton Rossiter e James Lare, eds., *The Essential Lippmann: A Political Philosophy for Liberal Democracy* (Cambridge: Harvard University Press, 1982), 91-92; Edward Bernays, Propaganda (Brooklyn: Ig Publishing, 2005).
16. Scott Bowman, *The Modern Corporation and American Political Thought: Law, Power, and Ideology* (University Park: Penn State University Press, 1996), 133.
17. Desmond King, "America's Hidden Government: The Costs of a Submerged State", análise crítica de *The Submerged State: How Invisible Government Policies Undermine American Democracy*, de Suzanne Mettler, in *Foreign Affairs* 91, nº 3 (maio/junho de 2012).
18. Robert W. McChesney, "Public Scholarship and the Communications Policy Agenda", in *...And Communications for All: A Policy Agenda for a New Administration*, ed. Amit M. Schejter (Nova York: Lexington Books, 2009), 50.
19. Ralph Waldo Emerson, *The Prose Works of Ralph Waldo Emerson: In Two Volumes* (Boston: Fields, Osgood, and Company, 1870).
20. Michael Crozier, Samuel P. Huntington e Joji Watanuke, *The Crisis of Democracy: Report on the Governability of Democracies to the Trilateral Commission* (Nova York: New York University Press, 1975), http://www.trilateral.org/down load/doc/crisis_of_democracy.pdf.

21. Margaret E. McGuinness, "Peace v. Justice: The Universal Declaration of Human Rights and the Modern Origins of the Debate", *Diplomatic History* 35, nº 5 (novembro de 2011), 749.
22. William Blackstone, *Commentaries on the Laws of England*, vol. 1 (University of Chicago Press, 1979).
23. *Somerset v. Stewart*, 1772, English Court of King's Bench, http://www.commonlii.org/int/cases/EngR/1772/57.pdf.
24. Samuel Johnson, *Taxation No Tyranny; An Answer to the Resolutions and Address of the American Congress* (Londres, 1775).
25. Douglas Blackmon, *Slavery by Another Name: The Re-Enslavement of Black Americans from the Civil War to World War II* (Nova York: Anchor Books, 2009).
26. Ian Cobain, "Revealed: How Blair Colluded with Gaddafi Regime in Secret", *The Guardian* (Londres), 23 de janeiro de 2015; Benjamin Wieser, "Appeals Court Rejects Suit by Canadian Man over Detention and Torture Claim", *The New York Times*, 3 de novembro de 2009.
27. Departamento de Justiça, "Lawfulness of a Lethal Operation Directed Against a US Citizen Who Is a Senior Operational Leader of Al-Qa'ida or an Associated Force", documento sem data divulgado pela NBC, 4 de fevereiro de 2013.
28. Anthony Shadid e David D. Kirkpatrick, "As the West Celebrates a Cleric's Death, the Mideast Shrugs", *The New York Times*, 1º de outubro de 2011.
29. Jo Becker e Scott Shane, "Secret 'Kill List' Proves a Test of Obama's Principles and Will", *The New York Times*, 29 de maio de 2012.
30. *Convention (IV) Relative to the Protection of Civilian Persons in Time of War*, Artigo 3, Genebra, 12 de agosto de 1949, https://www.icrc.org/applic/ihl/ihl.nsf/Article.xsp?action=openDocument&documentId=A4E145A2A7A68875C125 63CD0051B9AE.
31. Matthew Yglesias, "International Law Is Made by Powerful States", *Think-Progress*, 13 de maio de 2011.
32. Holder V. Humanitarian Law Project, 561 U.S. 1 (2010), http://www.supreme court.gov/opinions/09pdf/08-1498.pdf.
33. Paul Beckett, "Shutdown of Al Barakaat Severs Lifeline for Many Somalia Residents", *The Wall Street Journal*, 4 de dezembro de 2001.
34. Ibrahim Warde, *The Price of Fear: The Truth Behind the Financial War on Terror* (Berkeley: University of California Press, 2007), 101-02.
35. Ibid., 102.

36. Nnimmo Bassey, *To Cook a Continent: Destructive Extraction and Climate Crisis in Africa* (Oxford: Pambazuka Press, 2012), 25.
37. Melvyn P. Leffler, *A Preponderance of Power: National Security, the Truman Administration, and the Cold War* (Palo Alto Stanford University Press, 1993), 144.
38. John M. Broder, "Bashing E.P.A. Is New Theme in G.O.P. Race", *The New York Times*, 17 de agosto de 2011.
39. "57% Favor Use of 'Fracking' to Find More US Oil and Gas", *Rasmussen Reports*, 26 de março de 2012, http://www.rasmussenreports.com/public_content/business/gas_oil/march_2012/57_favor_use_of_fracking_to_find_more_u_s_oil_and_gas; "Who's Holding Us Back: How Carbon-Intensive Industry Is Preventing Effective Climate Change Legislation", report by Greenpeace, novembro de 2011, http://www.greenpeace.org/international/Global/international/publications/climate/2011/391%20-%20WhosHoldingUsBack.pdf.
40. "Remarks by the President in State of the Union Address", Secretaria de Imprensa da Casa Branca, 24 de janeiro de 2012, https://www.whitehouse.gov/the-press-office/2012/01/24/remarks-president-state-union-address.
41. Guy Chazan, "US on Path to Energy Self-Sufficiency", *The Financial Times* (Londres), 18 de janeiro 2012.
42. Os textos completos do Acordo dos Povos e da Declaração Universal dos Direitos da Mãe Terra podem ser encontrados em https://pwccc.wordpress.com/programa/.

8. A SEMANA EM QUE O MUNDO PAROU

1. Sheldon Stern, *The Week the World Stood Still: Inside the Secret Cuban Missile Crisis* (Palo Alto: Stanford University Press, 2005), 5.
2. Noam Chomsky, *Hegemony or Survival* (Nova York: Henry Holt, 2003), 74.
3. Michael Dobbs, *One Minute to Midnight: Kennedy, Khrushchev, and Castro on the Brink of Nuclear War* (Nova York: Vintage, 2008), 251.
4. Ibid., 310.
5. Ibid., 311.
6. Ibid., xiii.
7. Chauncey G. Parker III, "Missile Crisis: Cooked Up for Camelot?", *Orlando Sentinel*, 18 de outubro de 1992; Robert McNamara, entrevista

a Richard Roth, CNN, transmitida em 28 de novembro de 2003. Transcrição publicada por CNN.com, http:// www.cnn.com/TRANSCRIPTs/0311/28/i_dl.00.html.
8. "The Submarines of October", in *National Security Archive Electronic Briefing Book nº 75*, William Burr e Thomas S. Blanton, eds., 21 de outubro de 2002, http:// nsarchive.gwu.edu/NSAEBB/NSAEBB75/.
9. Edward Wilson, "Thank You Vasili Arkhipov, the Man Who Stopped Nuclear War", *The Guardian* (Londres), 27 de outubro de 2012.
10. Graham Allison, "The Cuban Missile Crisis at 50: Lessons for U.S. Foreign Policy Today", *Foreign Affairs* 91, nº 4, (julho/agosto de 2012).
11. Don Clawson, *Is That Something the Crew Should Know?: Irreverent Anecdotes of an Air Force Pilot* (Twickenham: Athena Press, 2003), 80-81.
12. Secretaria da História da Força Aérea, História Oral Entrevista do General David A. Burchinal, USAF, por coronel John B. Schmidt e tenente-coronel Jack Straser, 11 de abril de 1975, Iris nº 01011174, *in* Coleção USAF Collection, AFHRA.
13. Stern, *The Week the World Stood Still*, 146.
14. Ibid., 147.
15. Ibid., 148.
16. Ibid., 149.
17. Ibid., 154.
18. Súmula da Sétima Reunião da Comissão Executiva do Conselho de Segurança Nacional, 27 de outubro de 1962, Biblioteca e Museu Presidencial John F. Kennedy, Boston, Massachusetts, http://microsites.jfklibrary.org/cmc/oct27/doc1.html.
19. Jorge I. Domínguez, "The @#$%& Missile Crisis (Or, What Was 'Cuban' About U.S. Decisions During the Cuban Missile Crisis", *Diplomatic History* 24, nº 5 (primavera de 2000): 305-15.
20. Ernest R. May e Philip D. Zelikow, *The Kennedy Tapes: Inside the White House During the Cuban Missile Crisis, concise edition* (Nova York: W. W. Norton, 2002), 47.
21. Jon Mitchell, "Okinawa's First Nuclear Missile Men Break Silence", *Japan Times*, 8 de julho de 2012.
22. Dobbs, *One Minute to Midnight*, 309.
23. Sheldon M. Stern, *Averting "The Final Failure": John F. Kennedy and the Secret Cuban Missile Crisis Meetings* (Palo Alto: Stanford University Press, 2003), 273.

24. Piero Gleijeses, *Conflicting Missions: Havana, Washington, and Africa, 1959-1976* (Chapel Hill: University of North Carolina Press, 2003), 26.
25. Ervand Abrahamian, *The Coup: 1953, the CIA, and the Roots of Modern U.S.- Iranian Relations* (Nova York: New Press, 2013).
26. "Most Americans Willing to Re-Establish Ties with Cuba", Pesquisa de opinião pública Angus Reid, fevereiro de 2012, https://www.american.edu/clals/upload/2012-02-06_Polling-on-Cuba_USA-1.pdf.
27. Dobbs, *One Minute to Midnight*, 337.
28. Ibid., 333.
29. Stern, *Averting "The Final Failure"*.
30. Ibid., 406.
31. Raymond L. Garthoff, "Documenting the Cuban Missile Crisis", *Diplomatic History* 24, nº 2 (primavera de 2000): 297-303.
32. Papéis de John F. Kennedy, Papéis Presidenciais, Arquivos de Segurança Nacional, Reuniões e Memorandos, Memorando de Ação para a Segurança Nacional [NSAM]: NSAM 181, Reação a ser tomada em resposta a uma nova atividade do Bloco em Cuba (B), setembro de 1962, JFKNSF-338-009, Biblioteca e Museu Presidencial John F. Kennedy, Boston, Massachusetts.
33. Garthoff, "Documenting the Cuban Missile Crisis".
34. Keith Bolender, *Voices From the Other Side: An Oral History of Terrorism Against Cuba* (Londres: Pluto Press, 2010).
35. Montague Kern, análise crítica de *Selling Fear: Counterterrorism, the Media, and Public Opinion* por Brigitte L. Nacos, Yaeli Bloch-Elkon e Robert Y. Shapiro, *Political Science Quarterly* 127, nº 3 (outono de 2012): 489-92.
36. Stern, *The Week the World Stood Still*, 2.
37. Dobbs, *One Minute to Midnight*, 344.
38. Gleijeses, *Conflicting Missions*, 16.
39. Arthur M. Schlesinger Jr., *Robert Kennedy and His Times* (Boston: Mariner Books, 2002), 480; Noam Chomsky, *Hegemony or Survival: America's Quest for Global Dominance* (Nova York: Henry Holt, 2003), p. 83.
40. Chomsky, *Hegemony or Survival*, 78–83.
41. Stern, *The Week the World Stood Still*, 2.
42. Desmond Ball, *Politics and Force Levels: The Strategic Missile Program of the Kennedy Administration* (Berkeley: University of California Press, 1980), 97.
43. Garthoff, "Documenting the Cuban Missile Crisis".

44. Dobbs, *One Minute to Midnight*, 342.
45. Allison, "The Cuban Missile Crisis at 50".
46. Sean M. Lynn-Jones, Steven E. Miller e Stephen Van Evera, *Nuclear Diplomacy and Crisis Management: An International Security Reader* (Cambridge: The MIT Press 1990), 304.
47. William Burr, ed., "The October War and U.S. Policy", Arquivo de Segurança Nacional, publicado em 7 de outubro de 2003, http://nsarchive.gwu.edu/NSAEBB/NSAEBB98/.
48. A expressão "primeiro ataque supersúbito" foi cunhada por McGeorge Bundy e citada *in* John Newhouse, *War and Peace in the Nuclear Age* (Nova York: Knopf, 1989), 328.
49. Noam Chomsky, *Failed States: The Abuse of Power and the Assault on Democracy* (Nova York: Henry Holt, 2006), 3 (edição brasileira: *Estados fracassados: o abuso do poder e o ataque à democracia*, Bertrand Brasil, 2009).

9. Os acordos de paz de Oslo: seu contexto, suas consequências

1. Ver por exemplo David M. Shribman, "At White House, Symbols of a Day of Awe", *Boston Globe*, 29 de setembro 1995; Maureen Dowd, "Mideast Accord: The Scene; President's Tie Tells It All: Trumpets for a Day of Glory", *The New York Times*, 14 de setembro de 1993 ("os cínicos ficaram deslumbrados").
2. George H. W. Bush, entrevista ao NBC Nightly News, 2 de fevereiro de 1991.
3. Vice-observador Permanente da Organização para a Libertação da Palestina junto ao secretário-geral das Nações Unidas, 16 de novembro de 1988, http://domino.un.org/UNISPAL.NSF/0/6EB54A389E2DA6C685256 0DE0070E392.
4. R. C. Longworth, "Shultz Helps Arafat Get Right Words", *Chicago Tribune*, 15 de dezembro de 1988.
5. George P. Shultz, *Turmoil and Triumph: My Years as Secretary of State* (Nova York: Scribner, 1993), 1043.
6. "Iniciativa de Paz em Israel", arquivo da Embaixada dos EUA em Israel, 14 de maio de 1989.
7. Elaine Sciolino, "Mideast Accord: The Ceremony; Old Enemies Arafat and Rabin to Meet", *The New York Times*, 12 de setembro de 1993.

8. Anthony Lewis, "Abroad at Home; A Chance to Live", *The New York Times*, 13 de setembro de 1993.
9. Edward W. Said, "Intifada and Independence", *in Intifada: The Palestinian Uprising Against Israeli Occupation*, eds. Zachary Lockman e Joel Beinin (Boston: South End Press, 1989), 5-22.
10. Dan Fisher, "Israeli Settlers Kill Arab Girl, 17, at Gaza Protest", *Los Angeles Times*, 11 de novembro de 1987.
11. Avi Raz, *The Bride and the Dowry: Israel, Jordan, and the Palestinians in the Aftermath of the June 1967 War* (New Haven: Yale University Press, 2012).
12. Noam Chomsky, *Fateful Triangle: The United States, Israel, and the Palestinians* (Chicago: Haymarket Books, 2015), 542–87.
13. Resolução do Conselho de Segurança da ONU 446, 22 de março de 1979, http://domino.un.org/UNISPAL.NSF/0/ba123cded3ea84a5852560 e50077c2dc.
14. "Legal Consequences of the Construction of a Wall in the Occupied Palestinian Territory", Corte Internacional de Justiça, 30 de janeiro de 2004, http://www.icj-cij.org/docket/files/131/1591.pdf; Gershom Gorenberg, *The Accidental Empire: Israel and the Birth of the Settlements, 1967-1977* (Nova York: Times Books, 2006).
15. Danny Rubinstein, *Ha'aretz*, 23 de outubro de 1991. Sobre as fontes aqui e abaixo, quando não citadas, ver Noam Chomsky, *World Orders Old and New* (Nova York: Columbia University Press, 1994).
16. Chomsky, *Fateful Triangle*, 612.
17. Chomsky, *World Orders Old and New*, 261-64.
18. Dean Andromidas, "Israeli 'Peace Now' Reveals Settlements Grew Since Oslo", *eir International 27*, nº 49 (15 de dezembro de 2000); Chomsky, *World Orders Old and New*, 282.
19. Chomsky, *World Orders Old and New*, 282.
20. *The Other Front*, outubro de 1995; *News from Within*, novembro de 1995. Ver também Noam Chomsky, *World Orders Old and New* e *Powers and Prospects* (Chicago: Haymarket Books, 2015).
21. A menos que citado de outra forma, o material precedente é citado de Lamis Andoni, "Arafat and the PLO in Crisis", *Middle East International* 457 (28 de agosto de 1993) e Lamis Andoni, "Arafat Signs Pact Despite Misgivings All Around Him", *Christian Science Monitor*, 5 de maio de 1994.
22. Noam Chomsky, *World Orders Old and New* (Chicago: Haymarket Books, 2015), 269.

23. Youssef M. Ibrahim, "Mideast Accord: Jericho; Where P.L.O. Is to Rule, It Is Nowhere to Be Seen", *The New York Times*, 6 de maio de 1994.
24. Chomsky, *World Orders Old and New* (Chicago: Haymarket Books, 2015), 269.
25. Para uma análise detalhada das posições de Ross, ver Norman Finkelstein, *Dennis Ross and the Peace Process: Subordinating Palestinian Rights to Israeli "Needs"* (Washington, DC: Instituto de Estudos Palestinos, 2007).
26. Resolução do Conselho de Segurança da ONU 242, 22 de novembro de 1967, http://domino.un.org/unispal.nsf/0/7D35E1F729DF49 1C85256EE700686136; Resolução do Conselho de Segurança da ONU 338, 22 de outubro de 1973, https://unispal.un.org/DPA/DPR/ unispal.nsf/181c4bf00c44e5fd85256cef0073c426/7fb7c26fcbe80a-31852560c50065f878?OpenDocument.
27. Acordo Provisório Israel-Palestina sobre a Cisjordânia e a Faixa de Gaza, Artigo XI, 28 de setembro de 1995, http://www.unsco.org/Documents/ Key/Israeli-Palestinian%20Interim%20Agreement%20on%20the%20 West%20Bank%20 and%20the%20Gaza%20Strip.pdf.
28. Chomsky, *World Orders Old and New* (Chicago: Haymarket Books, 2015), 248.
29. Acordo Provisório Israel-Palestina sobre a Cisjordânia e a Faixa de Gaza, Artigo XI, 28 de setembro de 1995.
30. Chomsky, *World Orders Old and New* (Chicago: Haymarket Books, 2015), 278.
31. Hilde Henriksen Waage, "Postscript to Oslo: The Mystery of Norway's Missing Files", *Journal of Palestine Studies* 38 (outono de 2008).
32. Ver, por exemplo, Edward Said, "Arafat's Deal", *Nation*, 20 de setembro de 1993, e "The Israel-Arafat Agreement", revista *Z*, outubro de 1993.
33. Waage, "Postscript to Oslo".

10. À BEIRA DA DESTRUIÇÃO

1. Pronunciamento de Hugo Chávez na 61ª Assembleia Geral das Nações Unidas, 20 de setembro de 2006, http://www.un.org/webcast/ga/61/ pdfs/venezuela-e.pdf.
2. Arquivo de Segurança Nacional, "Kissinger Gave Green Light for Israeli Offensive Violating 1973 Cease-Fire", comunicado à imprensa, 7 de outubro de 2003, http://nsarchive.gwu.edu/nsaebb/ nsaebb98/ press.htm.

3. Nate Jones, "The Able Archer 83 Sourcebook", Arquivo de Segurança Nacional, 7 de novembro de 2013, http://nsarchive.gwu.edu/nukevault/ablearcher/.
4. Jillian Kestler-D'Amours, "Opportunity Missed for Nuclear-Free Middle East", *Inter Press Service*, 2 de dezembro de 2012.
5. Sobre o bombardeio de diques como crime de guerra, ver por exemplo Gabriel Kolko, "Report on the Destruction of Dikes: Holland, 1944--45 and Korea, 1953", *in Against the Crime of Silence: Proceedings of the Russell International War Crimes Tribunal*, Estocolmo e Copenhague, 1967, ed. John Duffett (Nova York: O'Hare Books, 1968), 224-26; ver também Jon Halliday e Bruce Cumings, *Korea: The Unknown War* (Nova York: Viking, 1988), 195-96; Noam Chomsky, *Towards a New Cold War: Essays on the Current Crisis and How We Got There* (Nova York: Pantheon, 1982), 121-22 (edição brasileira: *Rumo a uma Nova Guerra Fria – Política Externa dos EUA, do Vietnã a Reagan*, São Paulo: Record, 2007).
6. Oded Granot, "Background on North Korea-Iran Missile Deal", *Ma'ariv*, 14 de abril de 1995.
7. Fred Kaplan, "Rolling Blunder: How the Bush Administration Let North Korea Get Nukes", *Washington Monthly*, maio de 2004.
8. Shreeya Sinha e Susan C. Beachy, "Timeline on North Korea's Nuclear Program", *The New York Times*, 19 de novembro de 2014; Leon Sigal, "The Lessons of North Korea's Test", *Current History* 105, nº 694 (novembro de 2006).
9. Bill Gertz, "U.S. B-52 Bombers Simulated Raids over North Korea During Military Exercises", *Washington Times*, 19 de março de 2013.

11. ISRAEL-PALESTINA: AS OPÇÕES CONCRETAS

1. Yuval Diskin, "Israel Nears Point of No Return on Two-State Solution", *Jerusalem Post*, 13 de julho de 2013.
2. Clive Jones and Beverly Milton-Edwards, "Missing the 'Devils' We Knew? Israel and Political Islam Amid the Arab Awakening", *International Affairs* 89, nº 2 (março de 2013): 399-415.
3. Yonatan Mendel, "New Jerusalem", *New Left Review* 81 (maio/junho de 2013).
4. Amos Harel, "West Bank Fence Not Done and Never Will Be, It Seems", *Ha'aretz*, 14 de julho de 2009.

5. Ver Escritório das Nações Unidas para a Coordenação de Assuntos Humanitários, "How Dispossession Happens: The Humanitarian Impact of the Takeover of Palestinian Water Springs by Israeli Settlers", março de 2012; Escritório das Nações Unidas para a Coordenação de Assuntos Humanitários, "10 Years Since the International Court of Justice Advisory Opinion", 9 de julho de 2014; Escritório das Nações Unidas para a Coordenação de Assuntos Humanitários, "Case Study: The Impact of Israeli Settler Violence on Palestinian Olive Harvest", outubro de 2013; Escritório das Nações Unidas para a Coordenação de Assuntos Humanitários, *Humanitarian Monitor Monthly Report*, dezembro de 2012.
6. Escritório das Nações Unidas para a Coordenação de Assuntos Humanitários, "The Humanitarian Impact of the Barrier", julho de 2013.
7. "A Dry Bone of Contention", *The Economist*, 25 de novembro de 2010.
8. David Bar-Illan, "Palestinian Self-Rule, Israeli Security", *Palestine-Israel Journal* 3, nº 3-4 (1996).
9. "Obama Calls Israeli Settlement Building in East Jerusalem 'Dangerous'", *Fox News*, 18 de novembro de 2009.
10. "United States Vetoes Security Council Resolution on Israeli Settlement", Agência de notícias da onu, 18 de fevereiro de 2011, http://www.un.org/apps/news/story.asp?NewsID=37572#.VoLKpxUrKhc.
11. Registros Oficiais do Conselho de Segurança das Nações Unidas, notas da 1879ª Reunião, 26 de janeiro de 1976.
12. Noam Chomsky, *Hegemony or Survival: America's Quest for Global Dominance* (Nova York: Henry Holt, 2003), 168.
13. Marwan Bishara, "Gauging Arab Public Opinion", *Al Jazeera*, 8 de março de 2012.
14. Joyce Battle, "Shaking Hands with Saddam Hussein, The us Tilts Toward Iraq 1980-1984", Livro de informações e instruções do Arquivo de Segurança Nacional nº 82, 25 de fevereiro de 2003, http://nsarchive.gwu.edu/nsaebb/nsaebb82/.
15. Gary Milhollin, "Building Saddam Hussein's Bomb", *The New York Times Magazine*, 8 de março de 1992, 30.
16. Resolução do Conselho de Segurança da onu 687, http://www.un.org/Depts/unmovic/documents/687.pdf.

12. "Nada para os outros": luta de classes nos Estados Unidos

1. Norman Ware, *The Industrial Worker 1840-1860* (Chicago: Ivan Dee, 1990).
2. David Montgomery, *The Fall of the House of Labor: The Workplace, the State, and American Labor Activism, 1865-1925* (Cambridge: Cambridge University Press, 1989).
3. Charles Lindholm e John A. Hall, "Is the United States Falling Apart?" *Daedalus* 26, nº 2 (primavera de 1997), 183-209.
4. Montgomery, *The Fall of the House of Labor*.
5. Alex Carey, *Taking the Risk out of Democracy: Corporate Propaganda Versus Freedom and Liberty* (Champaign: University of Illinois Press, 1997), 26.
6. Adam Smith, *The Wealth of Nations* (Nova York: Bantam Classics, 2003).
7. Kate Bronfenbrenner, "We'll Close! Plant Closings, Plant-Closing Threats, Union Organizing and NAFTA", *Multinational Monitor* 18, nº 3 (março de 1997): 8-14.
8. Richard B. Freeman, "Do Workers Still Want Unions? More than Ever", *Economic Policy Institute*, 22 de fevereiro de 2007, http://www.sharedprosperity.org/bp182.html; Pesquisa Gallup, "In U.S. Majority Approves of Unions, but Say They'll Weaken", 30 de agosto de 2013, http://www.gallup.com/poll/164186/majority-approves-unions-say--weaken.aspx.
9. Richard Fry e and Rakesh Kochhar, "America's Wealth Gap Between Middle-Income and Upper-Income Families Is Widest on Record", Centro de Pesquisas Pew, 17 de dezembro de 2014, http://www.pewresearch.org/fact-tank/2014/12/17/wealth-gap-upper-middle-income/.
10. "Income and Poverty in the United States: 2013, Current Population Report", Publicação do Escritório de Censo, setembro de 2014.
11. John Bellamy Foster e Robert W. McChesney, *The Endless Crisis: How Monopoly-Finance Capital Produces Stagnation and Upheaval from the USA to China* (Nova York: *Monthly Review Press*, 2012), 21.
12. A menos que citado de outra forma, o material precedente está em Ware, *The Industrial Worker 1840-1860*.
13. Abraham Lincoln, "First Annual Message", 3 de dezembro de 1861. Disponibilizado *online* por Gerhard Peters e John T. Woolley, The

American Presidency Project, http://www.presidency.ucsb.edu/ws/?pid=29502.
14. John Stuart Mill, *Principles of Political Economy with Some of Their Applications to Social Philosophy*, 3ª ed. (Londres: John w. Parker, 1852).
15. G. D. H. Cole, *Guild Socialism: A Plan for Economic Democracy* (Nova York: Frederick A. Stokes Company, 1921).
16. Lawrence Goodwyn, *The Populist Moment: A Short History of the Agrarian Revolt in America* (Nova York: Oxford University Press, 1978).
17. Ware, *The Industrial Worker 1840-1860*.

13. Segurança para quem? Como Washington protege a si mesmo e ao setor corporativo

1. Don Shannon, "U.N. Assembly Condemns U.S. Invasion", *Los Angeles Times*, 30 de dezembro de 1989.
2. "National Security Strategy of the United States", Casa Branca, março de 1990, https://bush41library.tamu.edu/files/select-documents/national_security_strategy_90.pdf.
3. Ibid.
4. Ver Noam Chomsky, *Hopes and Prospects* (Chicago: Haymarket Books, 2010), capítulo 12.
5. Ibid.
6. "U.S. Economic and Industrial Proposals Made at Inter-American Conference", *The New York Times*, 26 de fevereiro de 1945.
7. David Green, *The Containment of Latin America: A History of the Myths and Realities of the Good Neighbor Policy* (Nova York: Quadrangle Books, 1971), 175.
8. Ibid., vii.
9. "United States Objectives and Courses of Action with Respect to Latin America", *Foreign Relations of the United States, 1952-1954, vol. iv*, Documento 3, 18 de março de 1953.
10. Luis Paiz a Noam Chomsky, 13 de junho de 2014, de posse do autor.
11. Dwight Eisenhower, conforme citado por Richard Immerman em "Confession of an Eisenhower Revisionist: An Agonizing Reappraisal", *Diplomatic History* 14, nº 3 (verão de 1990); John Foster Dulles em telefonema a Alan Dulles, "Minutes of Telephone Conversations of John Foster Dulles and Christian Herter", 19 de junho de 1958, Biblioteca Presidencial Dwight D. Eisenhower.

12. Noam Chomsky, *Rogue States* (Chicago: Haymarket Books, 2015), 114.
13. Piero Gleijeses, *Conflicting Missions: Havana, Washington, and Africa, 1959-1976* (Chapel Hill: University of North Carolina Press, 2003), 22.
14. Noam Chomsky, *Hegemony or Survival: America's Quest for Global Dominance*. (Nova York: Henry Holt, 2003), 90.
15. Ibid.
16. Walter LaFeber, *The New Empire: An Interpretation of American Expansion, 1860-1898* (Ithaca: Cornell University Press, 1963), 4.
17. Ernest R. May e Philip D. Zelikow, eds., *The Kennedy Tapes: Inside the White House During the Cuban Missile Crisis* (Cambridge: Harvard University Press, 1997), xi.
18. Chomsky, *Hopes and Prospects*, 116.
19. Somini Sengupta, "U.N. Will Weigh Asking Court to Investigate War Crimes in Syria", *The New York Times*, 22 de maio de 2014.
20. H. R. 4775, 2002 Supplemental Appropriations Act for Further Recovery from and Response to Terrorist Attacks on the United States, 107º Congresso (2001-02), https://www.congress.gov/bill/107th-congress/house-bill/4775.
21. Samuel P. Huntington, *American Politics: The Promise of Disharmony* (Cambridge: Harvard University Press, 1981), 75.
22. Stanley Hoffmann, Samuel P. Huntington, Ernest R. May, Richard N. Neustadt e Thomas C. Schelling, "Vietnam Reappraised", *International Security* 6, nº 1 (verão de 1981): 3-26.
23. Justin Elliott e Theodoric Meyer, "Claim on 'Attacks Thwarted' by NSA Spreads Despite Lack of Evidence", *ProPublica*, 23 de outubro de 2013, http://www.propublica.org/article/claim-on-attacks-thwarted-by-nsa-spreads-despite-lack-of-evidence.
24. James Ball, "US and UK Struck Secret Deal to Allow NSA to 'Unmask' Britons' Personal Data", *The Guardian* (Londres), 20 de novembro de 2013.
25. Pesquisa Gallup, "Americans Show Low Levels of Concern on Global Warming", 4 de abril de 2014, http://www.gallup.com/poll/168236/americans-show-low-levels-concern-global-warming.aspx.
26. Robert S. Eshelman, "The Danger of Fair and Balanced", *Columbia Journalism Review*, 1º de maio de 2014.

14. Atrocidade

1. Katie Zezima, "Obama: Plane Crash in Ukraine an 'Outrage of Unspeakable Proportions'", *Washington Post*, 18 de julho de 2014.
2. "Explanation of Vote by Ambassador Samantha Power, US Permanent Representative to the United Nations, After a Vote on Security Council Resolution 2166 on the Downing of Malaysian Airlines Flight 17 in Ukraine", Missão dos Estados Unidos nas Nações Unidas, 21 de julho de 2014, http://usun.state.gov/remarks/6109.
3. Timothy Garton Ash, "Putin's Deadly Doctrine", *Opinion*, *The New York Times*, 18 de julho de 2014.
4. William Taylor, entrevista a Anderson Cooper, CNN, 18 de julho de 2014, transcrição publicada em http://www.cnn.com/TRANSCRIPTS/1407/18/acd.01.html.
5. United Press International, "Vincennes Too Aggressive in Downing Jet, Officer Writes", *Los Angeles Times*, 2 de setembro de 1989.
6. David Evans, "Vincennes Medals Cheapen Awards for Heroism", *Daily Press*, 15 de abril de 1990.
7. Ronald Reagan, "Statement on the Destruction of an Iranian Jetliner by the United States Navy over the Persian Gulf", 3 de julho de 1988. Disponibilizado *online* por Gerhard Peters e John T. Woolley, The American Presidency Project, http://www.presidency.ucsb.edu/ws/?pid=36080.
8. Michael Kinsley, "Rally Round the Flag, Boys", *Time*, 12 de setembro de 1988.
9. Philip Shenon, "Iran's Chief Links Aid to Better Ties", *The New York Times*, 6 de julho de 1990.
10. Dominic Lawson, "Conspiracy Theories and the Useful Idiots Who Are Happy to Believe Putin's Lies", *Daily Mail* (Londres), 20 de julho de 2014.
11. Dilip Hiro, *The Longest War: The Iran-Iraq Military Conflict* (Nova York: Psychology Press, 1989).
12. John Crewdson, "New Revelations in Attack on American Spy Ship", *Chicago Tribune*, 2 de outubro de 2007.
13. Miron Rezun, *Saddam Hussein's Gulf Wars: Ambivalent Stakes in the Middle East* (Westport: Praeger, 1992), 58f.
14. Michael Omer-Man, "This Week in History: IAF Shoots Down Libyan Flight 114", *Jerusalem Post*, 25 de fevereiro de 2011.

15. Edward W. Said e Christopher Hitchens, *Blaming the Victims: Spurious Scholarship and the Palestinian Question* (Nova York: Verso, 2001), 133.
16. Somini Sengupta, "Why the u.n. Can't Solve the World's Problems", *The New York Times*, 26 de julho de 2014.
17. Ibid.
18. Laura Barron-Lopez, "Obama Pushes for 'Immediate' Cease-Fire Between Israel, Hamas", *The Hill*, 27 de julho de 2014.
19. "Uma resolução expressando a opinião do Senado a respeito do apoio dos Estados Unidos ao Estado de Israel em sua defesa contra ataques não provocados de foguetes da organização terrorista Hamas", Resolução do Senado 498, 113º Congress (2013-14), https://www.congress.gov/bill/113th-congress/senate-resolution/498.
20. Pesquisa Gallup, "Congress Approval Sits at 14% Two Months Before Elections", 8 de setembro de 2014, http://www.gallup.com/poll/175676/congress-approval-sits-two-months-elections.aspx.
21. Mouin Rabbani, "Institutionalised Disregard for Palestinian Life", blog LRB, 9 de julho de 2014.
22. Mads Gilbert, "Brief Report to UNRWA: The Gaza Health Sector as of June 2014", University Hospital of North Norway, 3 de julho de 2014.
23. Ibid.
24. Roma Rajpal Weiss, "Interview with Raji Sourani", *Qantara*, 16 de julho de 2014.
25. Ari Shavit, "The Big Freeze", *Ha'aretz*, 7 de outubro de 2004.
26. Conal Urquhart, "Gaza on Brink of Implosion as Aid Cut-Off Starts to Bite", *The Guardian* (Londres), 15 de abril de 2006.
27. Jimmy Carter, *Palestine: Peace Not Apartheid* (Nova York: Simon & Schuster, 2006).
28. Cópia arquivada do website do Knesset, "Likud-Platform", http://web.archive.org/web/20070930181442/http://www.knesset.gov.il/elections/knesset15/elikud_m.htm.
29. "Israel: Gaza Beach Investigation Ignores Evidence", relatório da Human Rights Watch, 19 de junho de 2006, https://www.hrw.org/news/2006/06/19/israel-gaza-beach-investigation-ignores-evidence.
30. Nathan Thrall, "Hamas's Chances", *The London Review of Books* 36, nº 16 (21 de agosto de 2014): 10-12.
31. Jodi Rudoren e Said Ghazali, "A Trail of Clues Leading to Victims and Heart- break", *The New York Times*, 1º de julho de 2014.
32. Ibid.

33. "Live Updates: July 7, 2014: Rockets Bombard South, Hamas Claims Responsibility", *Ha'aretz*, 8 de julho de 2014.
34. Ibid.
35. Jason Burke, "Gaza 'Faces Precipice' as Death Toll Passes 1,400", *The Guardian* (Londres), 31 de julho de 2014.
36. "Live Updates: Operation Protective Edge, Day 21", *Ha'aretz*, 29 de julho de 2014.
37. Jodi Rudoren e Anne Barnard, "Israeli Military Invades Gaza, with Sights Set on Hamas Operations", *The New York Times*, 17 de julho de 2014.
38. "UNRWA Strongly Condemns Israeli Shelling of Its School in Gaza as a Serious Violation of International Law", Agência das Nações Unidas de Assistência aos Refugiados da Palestina no Oriente Próximo, 30 de julho de 2014, http://www.unrwa.org/newsroom/official-statements/unrwa-strongly-condemns-israeli-shelling-its-school-gaza-serious.
39. Ibid.
40. "Secretary-General's Remarks to Media on Arrival in San Jose, Costa Rica", Nações Unidas, 30 de julho de 2014, http://www.un.org/sg/offthecuff/index.asp?nid=3503.
41. Barak Ravid, "UN Chief Condemns 'Shameful' Shelling of School in Gaza", *Ha'aretz*, 30 de julho de 2014.
42. Sudarsan Raghavan, William Booth e Ruth Eglash, "Israel, Hamas Agree to 72-Hour Humanitarian Cease-Fire", *Washington Post*, 1º de agosto de 2014.
43. Documento do Conselho de Segurança das Nações Unidas 337, s/1996/337, 7 de maio de 1996, http:// www.un.org/ga/search/view_doc.asp?symbol=S/1996/337.
44. Annemarie Heywood, *The Cassinga Event: An Investigation of the Records* (Arquivos Nacionais da Namíbia, 1996).
45. Amira Hass, "Reaping What We Have Sown in Gaza", *Ha'aretz*, 21 de julho de 2014.
46. "Gaza: Catholic Church Told to Evacuate Ahead of Israeli Bombing", *Independent Catholic News*, 29 de julho de 2014.
47. "Five Latin American Countries Withdraw Envoys from Israel", Middle East Monitor, 30 de julho de 2014.
48. Centro Palestino para Direitos Humanos Al Mezan, "Humanitarian Truce Fails and IOF Employ Carpet Bombardment in Rafah Killing

Dozens of People", comunicado à imprensa, 1º de agosto de 2014, http://www.mezan.org/en/post/19290/Humanitarian+Truce+-Fails+and+IOF+Employ+Carpet+Bombardment+in+Rafah+Killing+Dozens+of+people%3Cbr%3EAl+Mezan%3A+Death+Toll+Reaches+1,497%3B+81.8%25+Civilians%3B+358+Children+and+196+Women%3B+Excluding+Rafah.
49. Ezer Weizman, palestra registrada em *Ha'aretz*, 20 de março de 1972.
50. Ver Lou Pingeot eWolfgang Obenland, "In Whose Name? A Critical View on the Responsibility to Protect", Instituto de Política Global, maio de 2014, https:// www.globalpolicy.org/images/pdfs/images/pdfs/In_whose_name_web.pdf.
51. Ver Piero Gleijesus, *Visions of Freedom: Havana, Washington, Pretoria, and the Struggle for Southern Africa, 1976-1991* (University of North Carolina Press, 2013).
52. "Fuelling Conflict: Foreign Arms Supplies to Israel/Gaza". Anistia Internacional, 23 de fevereiro de 2009, https://www.amnesty.ie/sites/default/files/report/2010/04/Fuelling%20conflict_Final.pdf.
53. Barak Ravid, "US Senator Seeks to Cut Aid to Elite IDF Units Operating in West Bank and Gaza", *Ha'aretz*, 16 de agosto de 2011.

15. QUANTOS MINUTOS FALTAM PARA A MEIA-NOITE?

1. Wesley F. Craven e James L. Cate, eds., *The Army Air Forces in World War II*, volume 5 (Chicago: University of Chicago Press, 1953), 732--33; Makoto Oda, "The Meaning of 'Meaningless Death'", *Tenbo*, janeiro de 1965, traduzido no *Journal of Social and Political Ideas in Japan*, agosto de 1966, 75-84. Ver também Noam Chomsky, "On the Backgrounds of the Pacific War", *Liberation*, setembro-outubro de 1967, republicado em *Noam Chomsky, American Power and the New Mandarins: Historical and Political Essays* (Nova York: New Press, 2002; edição brasileira: *O Poder Americano e os Novos Mandarins*, Record, 2006).
2. General Lee Butler, pronunciamento na Rede Canadense Contra Armas Nucleares, Montreal, Canadá, 11 de março de 1999.
3. General Lee Butler, "At the End of the Journey: The Risks of Cold War Thinking in a New Era", *International Affairs* 82, nº 4 (julho de 2006): 763-69.
4. General Lee Butler, pronunciamento na Rede Canadense Contra Armas Nucleares, Montreal, Canadá, 11 de março de 1999.

5. McGeorge Bundy, *Danger and Survival: Choices About the Bomb in the First Fifty Years* (Nova York: Random House, 1988), 326.
6. Ibid.
7. James Warburg, *Germany: Key to Peace* (Cambridge: Harvard University Press, 1953), 189; Adam Ulam, "A Few Unresolved Mysteries About Stalin and the Cold War in Europe", *Journal of Cold War Studies* 1, nº 1 (inverno de 1999): 110-16.
8. Melvyn P. Leffler, "Inside Enemy Archives: The Cold War Reopened", *Foreign Affairs* 75, nº 4 (julho/agosto de 1996).
9. Noam Chomsky e Irene Gendzier, "Exposing Israel's Foreign Policy Myths: The Work of Amnon Kapeliuk", *Jerusalem Quarterly* 54, verão de 2013.
10. Benjamin B. Fischer, "A Cold War Conundrum: The 1983 Soviet War Scare", Centro para o Estudo de Inteligência, 7 de julho de 2008, https://www.cia.gov/library/center-for-the-study-of-intelligence/csi-publications/books-and-monographs/a-cold-war-conundrum/source.htm; Dmitry Dima Adamsky, "The 1983 Nuclear Crisis-Lessons for Deterrence Theory and Practice", *Journal of Strategic Studies* 36, nº1 (2013): 4-41.
11. Pavel Aksenov, "Stanislav Petrov: The Man Who May Have Saved the World", BBC News Europe, 26 de setembro de 2013, http://www.bbc.com/news/world-europe-24280831.
12. Eric Schlosser, *Command and Control: Nuclear Weapons, the Damascus Accident, and the Illusion of Safety* (Nova York: Penguin, 2013).
13. Presidente Bill Clinton, Discurso na Assembleia Geral da ONU, 27 de setembro de 1993, http://www.state.gov/p/io/potusunga/207375.htm; Secretário de Defesa William Cohen, Relatório Anual ao Presidente e ao Congresso: 1999 (Washington, DC: Departamento de Defesa, 1999) http://history.defense.gov/Portals/70/Documents/annual_reports/1999_DOD_AR.pdf.
14. "Essentials of Post-Cold War Deterrence", porções dessegredadas republicado em Hans Kristensen, *Nuclear Futures: Proliferation of Weapons of Mass Destruction and US Nuclear Strategy*, Conselho Britânico-Americano de Informações de Segurança, Apêndice 2, Relatório de Pesquisa Básica 98.2, março de 1998.
15. Michael Sherry, *The Rise of American Airpower: The Creation of Armageddon* (New Haven: Yale University Press, 1987).

16. Jon B. Wolfstahl, Jeffrey Lewis e Marc Quint, *The Trillion Dollar Nuclear Triad: US Strategic Nuclear Modernization over the Next Thirty Years*, Centro James Martin para os Estudos de Não Proliferação, janeiro de 2014, http://cns.miis.edu/opapers/pdfs/140107_trillion_dollar_nuclear_triad.pdf. See also Tom Z. Collina, "Nuclear Costs Undercounted, GAO Says", *Arms Control Today*, julho/agosto de 2014.
17. Casa Branca, Secretaria de Imprensa, "Comentários do presidente na Universidade de Defesa Nacional", comunicado à imprensa, 23 de março de 2013, https://www.whitehouse.gov/the-press-office/2013/05/23/remarks-president-national-defense-university.
18. Jeremy Scahill, *Dirty Wars: The World Is a Battlefield* (Nova York: Nation Books, 2013), 450, 443.

16. ACORDOS DE CESSAR-FOGO EM QUE AS VIOLAÇÕES NUNCA CESSAM

1. Ari Shavit, "The Big Freeze", *Ha'aretz*, 7 de outubro de 2004.
2. Idith Zertal e Akiva Eldar, *Lords of the Land: The War for Israel's Settlements in the Occupied Territories, 1967-2007* (Nova York: Nation Books, 2007), XII.
3. Nações Unidas, "United Nations Relief, Works Agency for Palestine Refugees Copes with Major Crises in Three Fields of Operations, Commissioner-General Tells Fourth Committee", comunicado à imprensa, 29 de outubro de 2008, http://www.un.org/press/en/2008/gaspd413.doc.htm.
4. Conselho de Segurança das Nações Unidas, "Security Council Calls for Immediate, Durable, Fully Respected Ceasefire in Gaza Leading to Full Withdrawal of Israeli Forces", comunicado à imprensa, 8 de janeiro de 2009, http://www.un.org/press/en/2009/sc9567.doc.htm.
5. Isabel Kershner, "Gaza Deaths Spike in 3rd Day of Air Assaults While Rockets Hit Israel", *The New York Times*, 10 de julho de 2014.
6. Amos Harel, Avi Issacharoff, Gili Cohen, Allison Kaplan Sommer, and news agencies, "Hamas Military Chief Ahmed Jabari Killed by Israeli Strike", *Ha'aretz*, 14 de novembro de 2012.
7. Reuters, "Text: Cease-Fire Agreement Between Israel and Hamas", *Ha'aretz*, 21 de novembro de 2012.
8. Nathan Thrall, "Hamas's Chances", *The London Review of Books* 36, nº 16 (21 de agosto de 2014): 10-12.

9. Amos Harel, "Notes from an Interrogation: How the Shin Bet Gets the Lowdown on Terror", *Ha'aretz*, 2 de setembro de 2014.
10. Akiva Eldar, "Bibi Uses Gaza as Wedge Between Abbas, Hamas", *Al-Monitor*, 1º de setembro de 2014.
11. Ibid.
12. Gideon Levy e Ariel Levac, "Behind the IDF Shooting of a 10-Year-Old Boy", *Ha'aretz*, 21 de agosto de 2014.
13. Gideon Levy, "The IDF's Real Face", *Ha'aretz*, 30 de agosto de 2014.
14. Zertal and Eldar, *Lords of the Land*, 13.
15. Noam Chomsky, *Deterring Democracy* (Nova York: Hill and Wang, 1991), 435 (edição brasileira: *Contendo a democracia*, Record, 2003).

17. Os EUA são o principal estado terrorista

1. Mark Mazzetti, "C.I.A. Study of Covert Aid Fueled Skepticism About Helping Syrian Rebels", *The New York Times*, 14 de outubro de 2014.
2. Piero Gleijeses, *Visions of Freedom: Havana, Washington, Pretoria and the Struggle for Southern Africa, 1976-1991* (Chapel Hill: University of North Carolina Press, 2013).
3. Noam Chomsky, *Pirates and Emperors, Old and New: International Terrorism in the Real World* (Chicago: Haymarket Books, 2015), p. VIII.
4. Kenneth B. Nobel, "Savimbi, Trailing, Hints at New War", *The New York Times*, 4 de outubro de 1992.
5. Isaac Risco, "Mandela, a Loyal Friend of Cuba's Fidel", *Havana Times*, 7 de dezembro de 2013.
6. William M. LeoGrande e Peter Kornbluh, *Back Channel to Cuba: The Hidden History of Negotiations Between Washington and Havana* (Chapel Hill: University of North Carolina Press, 2014), 145.
7. Súmula da decisão da Corte Internacional de Justiça, "The Military and Paramilitary Activities In and Against Nicaragua", Nicarágua contra Estados Unidos da America, 27 de junho de 1986, http://www.icj-cij.org/docket/?sum=367&p1=3&p2=3&case=70 &p3=5.
8. Keith Bolender, *Voices From the Other Side: An Oral History of Terrorism Against Cuba* (Londres: Pluto Press, 2010).
9. WIN/Gallup International, "End of Year Survey 2013", http://www.wingia.com/en/services/end_of_year_survey_2013/7/.

18. A HISTÓRICA MEDIDA DE OBAMA

1. Jon Lee Anderson, "Obama and Castro Seize History", *The New Yorker*, 18 de dezembro de 2014.
2. Papéis de John F. Kennedy, Papéis Presidenciais, Arquivos de Segurança Nacional, Série de Reuniões e Memorandos, Memorandos de Ação para a Segurança Nacional, Memorando de Ação para a Segurança Nacional nº 263, Biblioteca e Museu Presidencial John F. Kennedy, Boston, Massachusetts.
3. Michael Glennon, "Terrorism and 'Intentional Ignorance'", *Christian Science Monitor*, 20 de março de 1986.
4. Departamento de Estado dos EUA, Gabinete do Historiador, Relações Exteriores dos Estados Unidos, 1961-1963, Documento 158, "Notas sobre reunião do Gabinete", 20 de abril de 1961, https://history.state.gov/historicaldocuments/frus1961-63v10/d158.
5. Ernest R. May e Philip D. Zelikow, eds., *The Kennedy Tapes: Inside the White House During the Cuban Missile Crisis* (Cambridge: Harvard University Press, 1998), 84.
6. Cornelius Tacitus, *Annals of Tacitus*, livro XI (Nova York: Macmillan, 1888), 194.
7. Michael R. Beschloss, *Taking Charge: The Johnson White House Tapes 1963- 1964* (Nova York: Simon & Schuster, 1998), 87.
8. Lars Schoultz, *That Infernal Little Cuban Republic: The United States and the Cuban Revolution* (Chapel Hill: University of North Carolina Press, 2011), 5.
9. Nancy Reagan, *My Turn: The Memoirs of Nancy Reagan* (Nova York: Random House, 2011), 77.
10. Theodore Roosevelt a Henry L. White, 13 de setembro de 1906, Papéis de Roosevelt, Biblioteca do Congresso.
11. Noam Chomsky, *Hopes and Prospects* (Chicago: Haymarket Books, 2010), 50.
12. William M. LeoGrande e Peter Kornbluh, *Back Channel to Cuba: The Hidden History of Negotiations Between Washington and Havana* (Chapel Hill: University of North Carolina, 2014).
13. Casa Branca, Secretaria de Imprensa, "Declaração do presidente sobre as mudanças na política com relação a Cuba", comunicado à imprensa, 17 de dezembro de 2014, https://www.whitehouse.gov/the-press-office/2014/12/17/statement-president-cuba-policy-changes.

14. Pesquisa CNN/ORC, 18-21 de dezembro de 2014, http://i2.cdn.turner.com/cnn/2014/images/12/23/cuba.poll.pdf.
15. Chomsky, *Hopes and Prospects*, (Chicago: Haymarket Books, 2010), 116; Dennis Merrill e Thomas Paterson, *Major Problems in American Foreign Relations, volume II: Since 1914* (Boston: Cengage Learning, 2009), 394.
16. Noam Chomsky, *Deterring Democracy* (Nova York: Hill and Wang, 1991), 228.

19. "E PONTO FINAL"

1. Dan Bilefsky e Maïa de la Baume, "French Premier Declares 'War' on Radical Islam as Paris Girds for Rally", *The New York Times*, 10 de janeiro de 2015.
2. Jodi Rudoren, "Israelis Link Attacks to Their Own Struggles", *The New York Times*, 9 de janeiro de 2015.
3. Liz Alderman, "Recounting a Bustling Office at *Charlie Hebdo*, Then a 'Vision of Horror'", *The New York Times*, 8 de janeiro de 2015; Anand Giridharadas, https:// twitter.com/anandwrites/status/552825021878771713.
4. Steven Erlanger, "Days of Sirens, Fear and Blood: 'France Is Turned Upside Down'", *The New York Times*, 9 de janeiro de 2015.
5. A menos que citado de outra forma, o material precedente é citado de Lamis Steven Erlanger, "Crisis in the Balkans: Belgrade; Survivors of nato Attack on Serb tv Headquarters: Luck, Pluck and Resolve", *The New York Times*, 24 de abril de 1999.
6. Amy Goodman, "Pacifica Rejects Overseas Press Club Award", *Democracy Now!*, Pacifica Radio, 23 de abril de 1999.
7. Roy Gutman e Mousab Alhamadee, "U.S. Airstrike in Syria May Have Killed 50 Civilians", McClatchydc, 11 de janeiro de 2015.
8. David Holley e Zoran Cirjakovic, "Ex-Chief of Serb State tv Gets Prison", *Los Angeles Times*, 22 de junho de 2002; Tribunal Penal Internacional das Nações Unidas para a ex-Iugoslávia, "Final Report to the Prosecutor by the Committee Established to Review the NATO Bombing Campaign Against the Federal Republic of Yugoslavia", http://www.icty.org/x/file/Press/nato061300.pdf.

9. Floyd Abrams, "After the Terrorist Attack in Paris", carta ao editor, *The New York Times*, 8 de janeiro de 2015.
10. Richard A. Oppel Jr., "Early Target of Offensive Is a Hospital", *The New York Times*, 8 de novembro de 2004.

20. UM DIA NA VIDA DE UM LEITOR DO *THE NEW YORK TIMES*

1. Jonathan Mahler, "In Report on Rolling Stone, a Case Study in Failed Journalism", *The New York Times*, 5 de abril de 2015.
2. Thomas Fuller, "One Woman's Mission to Free Laos from Millions of Unexploded Bombs", *The New York Times*, 5 de abril de 2015.
3. Ibid.
4. Fred Branfman, *Voices from the Plain of Jars: Life Under an Air War* (Madison: University of Wisconsin Press, 2013).
5. Ibid., 36.
6. Fuller, "One Woman's Mission to Free Laos from Millions of Unexploded Bombs".
7. Thomas Friedman, "Iran and the Obama Doctrine", *The New York Times*, 5 de abril de 2015.
8. Ibid.
9. Enrique Krauze, "Cuba: The New Opening", *The New York Review of Books*, 2 de abril de 2015.
10. David Martosko e Associated Press, "Obama Tries 'New Approach' on Cuba with Normalized Trade Relations and Diplomacy Between Washington and Havana for the First Time in a Half-Century", *Daily Mail* (Londres), 17 de dezembro de 2014.
11. Peter Baker, "A Foreign Policy Gamble by Obama at a Moment of Truth", *The New York Times*, 2 de abril de 2015.
12. Jessica Matthews, "The Road from Westphalia", *The New York Review of Books*, 19 de março de 2015.

21. "A AMEAÇA IRANIANA": QUEM É O MAIOR E MAIS GRAVE PERIGO PARA A PAZ MUNDIAL?

1. Kelsey Davenport, "The P5+1 and Iran Nuclear Deal Alert, August 11", Arms Control Association, 11 de agosto de 2015, http://www.armscontrol.org/blog/ArmsControlNow/08-11-2015/The-P5-plus-1-and-Iran-Nuclear-Deal-Alert-August-11.

2. Scott Clement e Peyton M. Craighill, "Poll: Clear Majority Supports Nuclear Deal with Iran", *Washington Post*, 30 de março de 2015; Laura Meckler e Kristina Peterson, "U.S. Public Split on Iran Nuclear Deal-wsj/nbc Poll", *Washington Wire*, 3 de agosto de 2015, http://blogs.wsj.com/washwire/2015/08/03/american-public-split-on-iran-nuclear-deal-wsjnbc-poll/.
3. Philip Weiss, "Cruz Says Iran Could Set Off Electro Magnetic Pulse over East Coast, Killing 10s of Millions", *Mondoweiss*, 29 de julho de 2015.
4. Simon Maloy, "Scott Walker's Deranged Hawkishness: He's Ready to Bomb Iran During His Inauguration Speech", *Salon*, 20 de julho de 2015.
5. Amy Davidson, "Broken", *The New Yorker*, 3 de agosto de 2015; "Former Top Brass to Netanyahu: Accept Iran Accord as 'Done Deal'", *Ha'aretz*, 3 de agosto de 2015.
6. Thomas E. Mann e Norman J. Ornstein, "Finding the Common Good in an Era of Dysfunctional Governance", *Daedalus* 142, nº 2 (primavera de 2013).
7. Helene Cooper e Gardiner Harris, "Top General Gives 'Pragmatic' View of Iran Nuclear Deal", *The New York Times*, 29 de julho de 2015.
8. Dennis Ross, "How to Make Iran Keep Its Word", *Politico*, 29 de julho de 2015.
9. Dennis Ross, "Iran Will Cheat. Then What?", *Time*, 15 de julho de 2015; "Former Obama Adviser: Send B-52 Bombers to Irsael", *Ha'aretz*, 17 de julho de 2015.
10. Javad Zarif, "Iran Has Signed a Historic Nuclear Deal-Now It's Israel's Turn", op-ed., *The Guardian* (Londres), 31 de julho de 2015.
11. Jayantha Dhanapala e Sergio Duarte, "Is There a Future for the NPT?", *Arms Control Today*, julho/agosto de 2015.
12. WIN/Gallup, "Optimism Is Back in the World", 30 de dezembro de 2013, http://www.wingia.com/web/files/services/33/file/33.pdf?1439575556.
13. Anthony H. Cordesman, "Military Spending and Arms Sales in the Gulf", Centro para Estudos Estratégicos e Internacionais, 28 de abril de 2015, http://csis.org/files/publication/150428_military_spending.pdf.
14. Departamento de Defesa, Relatório Dessegredado sobre o Poderio Militar do Irã, abril de 2010, http://www.politico.com/static/PPM145_link_042010.html.
15. SIPRI Base de dados de Gastos Militares, http://www.sipri.org/research/armaments/milex/milex_database; Trita Parsi and Tyler Cullis, "The

Myth of the Iranian Military Giant", *Foreign Policy*, 10 de julho de 2015.
16. Parsi e Cullis, "The Myth of the Iranian Military Giant".
17. Cordesman, "Military Spending and Arms Sales in the Gulf", 4.
18. Seyed Hossein Mousavian e Shahir Shahidsaless, *Iran and the United States: An Insider's View on the Failed Past and the Road to Peace* (Nova York: Bloomsbury, 2014), 214-19.
19. William A. Dorman e Mansour Farhang, *The U.S. Press and Iran: Foreign Policy and the Journalism of Deference* (Berkeley: University of California Press, 1988).
20. Pervez Hoodbhoy e Zia Mian, "Changing Nuclear Thinking in Pakistan", Rede de Liderança Ásia-Pacífico para Não-Proliferação e Desarmamento Nuclear e Centro para Não-Proliferação e Desarmamento Nuclear, Sumário de Política nº 9, fevereiro de 2014, http://www.princeton.edu/sgs/faculty-staff/zia-mian/Hoodbhoy-Mian-Changing-Nuclear-Thinking.pdf.
21. Haroon Siddique, "Bush: Iran 'the World's Leading Supporter of Terrorism'", *The Guardian* (Londres), 28 de agosto de 2007.
22. Peter Bergen e Paul Cruickshank, "The Iraq Effect: War Has Increased Terrorism Sevenfold Worldwide", *Mother Jones*, 1º de março de 2007.
23. Somini Sengupta, "U.N. Moves to Lift Iran Sanctions After Nuclear Deal, Setting Up a Clash in Congress", *The New York Times*, 20 de julho de 2015.
24. Helene Cooper, "U.S. Defense Secretary Visits Israel to Soothe Ally After Iran Nuclear Deal", *The New York Times*, 20 de julho de 2015.
25. Anne Barnard, "120 Degrees and No Relief? ISIS Takes Back Seat for Iraqis", *The New York Times*, 1º de agosto de 2015.
26. WIN/Gallup, "Happiness Is on the Rise", 30 de dezembro de 2014, http://www.wingia.com/web/files/richeditor/filemanager/EOY_release_2014_-_FINAL.pdf.
27. James Chace, "How 'Moral' Can We Get?", *The New York Times Magazine*, 22 de maio de 1977.
28. Leon Wieseltier, "The Iran Deal and the Rut of History", *The Atlantic*, 27 de julho de 2015.
29. Shane Harris e Matthew M. Aid, "Exclusive: CIA Files Prove America Helped Saddam as He Gassed Iran", *Foreign Policy*, 26 de agosto de 2013.
30. Ver Alex Boraine, "Justice in Iraq: Let the UN Put Saddam on Trial", *The New York Times*, 21 de abril de 2003.

31. Gary Milhollin, "Building Saddam Hussein's Bomb", *The New York Times Magazine*, 8 de março de 1992.
32. Robert Litwak, "Iran's Nuclear Chess: Calculating America's Moves", Relatório do Wilson Center, 18 de julho de 2014, 29, https://www.wilsoncenter.org/publication/irans-nuclear-chess-calculating-americas-moves.
33. Por exemplo, David E. Sanger, "Obama Order Sped Up Wave of Cyberattacks Against Iran", *The New York Times*, 1º de junho de 2012; Farnaz Fassihi e Jay Solomon, "Scientist Killing Stokes U.S.-Iran Tensions", The Wall Street Journal, 12 de janeiro de 2012; Dan Raviv, "US Pushing Israel to Stop Assassinating Iranian Nuclear Scientists", CBSN.com, 1º de março de 2014.
34. "Contemporary Practices of the United States", *American Journal of International Law* 109, nº 1 (janeiro de 2015).
35. Charlie Savage, "Bush Asserts Authority to Bypass Defense Act", *Boston Globe*, 30 de janeiro de 2008.
36. Elaine Sciolino, "Iran's Nuclear Goals Lie in Half-Built Plant", *The New York Times*, 19 de maio de 1995.
37. Mousavian e Shahidsaless, *Iran and the United States: An Insider View on the Failed Past and the Road to Peace* (Nova York: Bloomsbury, 2014), 178.
38. Relatório da CIA (dessegredado pelo NSA e publicado no arquivo do NSA), "Special National Intelligence Estimate 4-1-74: Prospects for Further Proliferation of Nuclear Weapons", 23 de agosto de 1974, http://nsarchive.gwu.edu/NSAEBB/NSA EBB240/snie.pdf.
39. Roham Alvandi, *Nixon, Kissinger, and the Shah: The United States and Iran in the Cold War* (Oxford: Oxford University Press, 2014); Mousavian e Shahidsaless, *Iran and the United States: An Insider View on the Failed Past and the Road to Peace* (Nova York: Bloomsbury, 2014), 214.
40. Farah Stockman, "Iran's Nuclear Vision Initially Glimpsed at Institute", *Boston Globe*, 13 de março de 2007.
41. Dafna Linzer, "Past Arguments Don't Square with Current Iran Policy", *Washington Post*, 27 de março de 2005.
42. Samuel P. Huntington, "The Lonely Superpower", *Foreign Affairs* 78, nº 2 (março/abril de 1999).
43. Robert Jervis, "Weapons Without Purpose? Nuclear Strategy in the Post-Cold War Era", análise crítica de *The Price of Dominance: The New Weapons of Mass Destruction and Their Challenge to American Leadership*, de Jan Lodal, *Foreign Affairs* 80, nº 4 (julho/agosto de 2001).

44. Bill Clinton, "A National Security for a New Century", Arquivo de Estratégias de Segurança Nacional, 1º de dezembro de 1999, http://nssarchive.us/national-security-strategy-2000-2/.

22. O RELÓGIO DO JUÍZO FINAL

1. "2015: It Is Three Minutes to Midnight", *Bulletin of the Atomic Scientists*, http://thebulletin.org/clock/2015.
2. "In Greenland, Another Major Glacier Comes Undone", Jet Propulsion Lab, California Institute of Technology, 12 de novembro de 2015, http://www.jpl.nasa.gov/news/news.php?feature=4771.
3. Hannah Osborne, "COP21 Paris Climate Deal: Laurent Fabius Announces Draft Agreement to Limit Global Warming to 2C", *International Business Times*, 12 de dezembro de 2015. http://www.ibtimes.co.uk/cop21-paris-climate-deal-laurent-fabius-announces-draft-agreement-limit-global-warming-2c-1533045.
4. Coral Davenport, "Paris Deal Would Herald an Important First Step on Climate Change", *The New York Times*, 29 de novembro de 2015.
5. Coral Davenport, "Nations Approve Landmark Climate Accord in Paris", *The New York Times*, 12 de dezembro de 2015.
6. Os evangélicos dominam esmagadoramente a primeira convenção primária Republicana em Iowa. As sondagens lá realizadas demonstram que dos prováveis eleitores republicanos, "de seis a cada dez dizem que a mudança climática é um embuste, uma enganação. Mais da metade desejam deportações em massa de imigrantes ilegais. Seis em cada dez aboliriam o Imposto de Renda da Pessoa Física" (desse modo fornecendo um gigantesco presente aos super-ricos e ao setor corporativo). Trip Gabriel, "Ted Cruz Surges Past Donald Trump to Lead in Iowa Poll", *The New York Times*, 12 de dezembro de 2015.
7. Os sociólogos Rory McVeigh e David Cunningham constataram que um significativo previsor dos atuais padrões de voto Republicano no Sul é a existência prévia de uma forte ramificação da Ku Klux Klan na década de 1960. Bill Schaller, "Ku Klux Klan's Lasting Legacy on the U.S. Political System", *Brandeis Now*, 4 de dezembro de 2014. https://www.brandeis.edu/now/2014/december/cunningham-kkk-impact.html.
8. Shawn Donnan e Sam Fleming, "America's Middle-Class Meltdown: Fifth of US Adults Live in or near to Poverty", *Financial Times* (Londres), 11 de dezembro de 2015.

9. Sewell Chan e Melissa Eddy, "Republicans Make Presence Felt at Climate Talks by Ignoring Them", *The New York Times*, 10 de dezembro de 2015; David M. Herszenhorn, "Votes in Congress Move to Undercut Climate Pledge", *The New York Times*, 1º de dezembro de 2015; Samantha Page, "America's Scientists to House Science Committee: Go Away", *ClimateProgress*, 25 de novembro de 2015.
10. Giovanni Russonello, "Two-Thirds of Americans Want u.s. to Join Climate Change Pact", *The New York Times*, 30 de novembro de 2015.
11. Melvin Goodman, "The 'War Scare' in the Kremlin, Revisited: Is History Repeating Itself?", *Counterpunch*, 27 de outubro de 2015.
12. Aaron Tovish, "The Okinawa Missiles of October", op-ed, *Bulletin of the Atomic Scientists*, 25 de outubro de 2015.
13. David Hoffman, "Shattered Shield: Cold-War Doctrines Refuse to Die", *Washington Post*, 15 de março de 1998.
14. Seth Baum, "Nuclear War, the Black Swan We Can Never See", *Bulletin of the Atomic Scientists*, 21 de novembro de 2014.
15. Eric Schlosser, *Command and Control: Nuclear Weapons, the Damascus Accident, and the Illusion of Safety* (Nova York: Penguin, 2013).
16. Fiona S. Cunningham e M. Taylor Fravel, "Assuring Assured Retaliation: China's Nuclear Posture and u.s.-China Strategic Stability", *International Security*, outono de 2015.
17. Após a insurreição que instalou no poder o governo ucraniano pró-Ocidental, o parlamento decidiu "por 303 votos a 8 rescindir uma política de 'não alinhamento', e optar em vez disso pela busca de laços militares e estratégicos mais estreitos com o Ocidente [...] dando passos no sentido de tornar-se membro da OTAN". David M. Herszenhorn, "Ukraine Vote Takes Nation a Step Closer to NATO", *The New York Times*, 23 de dezembro de 2014.
18. Jonathan Steele, análise crítica de *Frontline Ukraine: Crisis in the Borderlands*, de Richard Sakwa, *The Guardian* (Londres), 19 de fevereiro de 2015.
19. Lauren McCauley, "In Wake of Turkey Provocation, Putin Orders Anti-aircraft Missiles to Syria", *Common Dreams*, 25 de novembro de 2015.
20. Michael Birnbaum, "u.s. Military Vehicles Paraded 300 Yards from the Russian Border", *WorldViews*, 24 de fevereiro de 2015, http://www.washingtonpost.com/blogs/worldviews/wp/2015/02/24/u-s-military-vehicles-paraded-300-yards-from-the-russian-border/.

21. Ian Kearns, "Avoiding War in Europe: The Risks From NATO-Russian Close Military Encounters", *Arms Control Today*, novembro de 2015.

23. Mestres da humanidade

1. Ver, entre outros, Marc Weisbrot, Failed (Nova York: Oxford University Press, 2015); David Kotz, *The Rise and Fall of Neoliberal Capitalism* (Cambridge: Harvard University Press, 2015); Mark Blyth, *Austerity: History of a Dangerous Idea* (Nova York: Oxford University Press, 2013).
2. Alison Smale e Andrew Higgins, "Election Results in Spain Cap a Bitter Year for Leaders in Europe", *The New York Times*, 23 de dezembro de 2015, parafraseando François Lafond, diretor do EuropaNova. Acerca das eleições espanholas e seus antecedentes históricos no desastre das políticas neoliberais de austeridade, ver Marc Weisbrot, *Al Jazeera America*, 23 de dezembro de 2015, http://america.aljazeera.com/opinions/2015/12/spain-votes-no-to-failed-economic-policies.html.
3. Trata-se de um dos temas mais relevantes dos progressistas ensaios de Walter Lippmann sobre democracia.
4. John Shy, *A People Numerous and Armed* (Nova York: Oxford University Press, 1976), 146.
5. William Polk, *Violent Politics: A History of Insurgency, Terrorism and Guerrilla War from the American Revolution to Iraq* (Nova York: HarperCollins, 2007). Extraordinário acadêmico especialista em Oriente Médio e história geral, Polk também se vale de sua experiência pessoal *in loco* e do contato direto com os mais altos escalões responsáveis pelo planejamento de políticas dos EUA.
6. Patrick Tyler, "A New Power in the Streets", *The New York Times*, 17 de fevereiro de 2003.
7. Bernard B. Fall, *Last Reflections on a War* (Nova York: Doubleday, 1967).
8. Gideon Rachman, "Preserving American Power After Obama", *National Interest*, janeiro/fevereiro de 2016.
9. Jeremy Page e Gordon Lubold, "U.S. Bomber Flies over Waters Claimed by China", *The Wall Street Journal*, 18 de dezembro de 2015.
10. Tim Craig e Simon Denver, "From the Mountains to the Sea: A Chinese Vision, a Pakistani Corridor", *Washington Post*, 23 de outubro de 2015; "China Adds Pakistan's Gwadar to 'String of Pearls'", http://store.businessmonitor.com/article/475258. Em termos mais gerais, Alfred

McCoy, "Washington's Great Game and Why It's Failing", *Tomdispatch*, 7 de junho de 2015, http://www.tomdispatch.com/blog/176007/tomgram%3A_alfred_mccoy%2C_washington%27s_great_game_and_why_it%27s_failing.

11. Jane Perlez, "Xi Hosts 56 Nations at Founding of Asian Infrastructure Bank", *The New York Times*, 19 de junho de 2015.
12. Richard Sakwa, *Frontline Ukraine: Crisis in the Borderlands* (Nova York: I. B. Tauris, 2015), 55.
13. Ibid., 46.
14. Ibid., 26.
15. Com relação a essas questões, o estudo acadêmico definitivo é o de Mary Elise Sarotte, *1989: The Struggle to Create Post-Cold War Europe* (Princeton: Princeton University Press, 2011).
16. Ver Noam Chomsky, *Hopes and Prospects* (Chicago: Haymarket Books, 2010), 185-86.
17. Sakwa, *Frontline Ukraine*, 4, 52.
18. John J. Mearsheimer, "Why the Ukraine Crisis Is the West's Fault: The Liberal Delusions That Provoked Putin", *Foreign Affairs* 93, nº 5 (setembro/outubro de 2014); Sakwa, *Frontline Ukraine*, 234-35.
19. William Polk, *Violent Politics: A History of Insurgency, Terrorism and Guerrilla War from the American Revolution to Iraq* (Nova York: Harper-Collins, 2007), 191
20. Richard A. Clarke, *Against All Enemies: Inside America's War on Terror* (Nova York: Free Press, 2004). Para discussão, ver o especialista em direito internacional Francis A. Boyle, "From 2001 Until Today: The Afghanistan War Was and Is Illegal", 9 de janeiro de 2016, http://www.larsschall.com/2016/01/09/from-2001-until-today-the-afghanistan-war-was-and-is-illegal/. Para material de análise crítica e fontes, ver Noam Chomsky, *Hegemony or Survival: America's Quest for Global Dominance* (Nova York: Henry Holt, 2003), capítulo 8.
21. See H. C. van Sponeck, *A Different Kind of War: The UN Sanctions Regime in Iraq* (Nova York: Berghahn, 2006). Estudo de importância crucial, que praticamente não recebe menção nos Estados Unidos e no Reino Unido. Tecnicamente, as sanções foram aplicadas pela ONU, mas são descritas como sanções dos EUA e do Reino Unido, e são um crime principalmente de Clinton.

22. Brian Katulis, Siwar al-Assad e William Morris, "One Year Later: Assessing the Coalition Campaign against ISIS", *Middle East Policy* 22, nº 4 (inverno de 2015).
23. Timo Kivimäki, "First Do No Harm: Do Air Raids Protect Civilians?", *Middle East Journal* 22, nº 4 (inverno de 2015). Ver também Chomsky, *Hopes and Prospects*, 241.
24. Alan Kuperman, "Obama's Libya Debacle", *Foreign Affairs* 94, nº 2 (março/abril de 2015); Alex de Waal, "African Roles in the Libyan Conflict of 2011", *International Affairs* 89, nº 2 (2013): 365-79.
25. Peter Bergen e Paul Cruickshank, "The Iraq Effect: War Has Increased Terrorism Sevenfold Worldwide", *Mother Jones*, 1º de março de 2007.
26. Physicians for Social Responsibility, "Body Count: Casualty Figures After 10 Years of the 'War on Terror,' Iraq, Afghanistan, Pakistan", março de 2015, http:// www.psr.org/assets/pdfs/body-count.pdf.
27. Kivimäki, "First Do No Harm".
28. Andrew Cockburn, *Kill Chain: The Rise of the High-Tech Assassins* (Nova York: Henry Holt, 2015); Bruce Hoffman, "ISIS Is Here: Return of the Jihadi", *National Interest*, janeiro/fevereiro de 2016.
29. Polk, *Violent Politics*, 33-34.
30. Scott Atran, "ISIS Is a Revolution", *Aeon*, 15 de dezembro de 2015, https://aeon.co/essays/why-isis-has-the-potential-to-be-a-world-altering-revolution; Hoffman, "ISIS Is Here".
31. Thomas Friedman falando no programa *Charlie Rose*, PBS, 29 de maio de 2003, https://www.youtube.com/watch?v=ZwFaSpca_3Q; Dan Murphy, "Thomas Friedman, Iraq War Booster", *Christian Science Monitor*, 18 de março de 2013.
32. Atran, "ISIS is a Revolution".
33. William R. Polk, "Falling into the Isis Trap", *Consortiumnews*, 17 de novembro de 2015, https://consortiumnews.com/2015/11/17/falling-into-the-isis-trap/.
34. Ayse Tekdal Fildis, "The Troubles in Syria: Spawned by French Divide and Rule", *Middle East Policy* 18, nº 4 (Winter 2011), citado por Anne Joyce, editorial, *Middle East Policy* 22, nº 4 (inverno de 2015).
35. Sobre a sórdida história da política de imigração dos EUA, ver Aviva Chomsky, *Undocumented: How Immigration Became Illegal* (Boston: Beacon Press, 2014).

Histórico de publicação

Os artigos abaixo listados foram publicados, com ligeiras alterações, nas seguintes publicações:

Al-Akhbar:
"Declínio norte-americano: causas e consequências"

Boston Review:
"A responsabilidade dos intelectuais, *redux*"

chomsky.info:
"Atrocidade"
"A histórica medida de Obama"

CNN:
"E ponto final"

Mondoweiss:
"Israel-Palestina: as opções concretas"

Republicação de conteúdo do jornal *The New York Times*:
"Os EUA são o principal Estado terrorista"

Peter Buck e Mohammed Omer, eds.; ***The Oslo Accords: A Critical Assessment*** [Os acordos de Oslo: uma avaliação crítica]
"Os acordos de paz de Oslo: seu contexto, suas consequências"

TomDispatch:
"Terroristas procurados no mundo inteiro"
"Os memorandos da tortura e a amnésia histórica"
"É o fim dos Estados Unidos?"
"A Magna Carta, o destino dela e o nosso"
"A semana em que o mundo parou"
"À beira da destruição"
"Segurança para quem? Como Washington protege a si e ao setor corporativo"
"Quantos minutos para a meia-noite?"
"Acordos de cessar-fogo em que as violações nunca cessam"
"'A ameaça iraniana': quem é o maior e mais grave perigo para a paz mundial?"

Revista Z:
"Um dia na vida de um leitor do jornal *The New York Times*"

Índice remissivo

11 de setembro
  ataques terroristas de 2001 25, 30, 33, 57, 58, 65, 123, 308, 309, 314
14ª Emenda Constitucional 120

A

Abbas, Mahmoud 207
Abdul Shafi, Haidar 147, 152, 156
Able Archer (Arqueiro Hábil), Operação 166, 289, 292
Abóbada de Cromo (Chrome Dome, CD) 131
Abrahamian, Ervand 137
Abrams, Floyd 261
Abu Ghraib, prisão 51, 53, 57
Achille Lauro (transatlântico) 34, 37
Acordo de Associação Transpacífico 200
Acordos de Camp David 153
Acordos de Paz 161
Acordos de Paz de Oslo 172, 174, 175, 208, 240, 312
Acordo sobre Movimentação e Acesso 235
Adams, John Quincy 49, 196
Administração Federal de Alimentos 15
Afeganistão 275, 279, 299, 309, 310, 311, 312

África 19, 23, 74, 81, 100, 101, 125, 183, 216, 219, 220, 243, 246, 247, 262, 279, 308, 311, 317
África do Sul 19, 246, 247
África Ocidental 279
Afro-americanos 100, 118, 120, 254
Agência Central de Inteligência (Central Intelligence Agency, CIA) 10, 28, 37, 39, 51, 53, 56, 97, 130, 140, 141, 142, 145, 195, 229, 246, 247, 248, 256, 282, 289, 308, 312
Agência das Nações Unidas de Assistência aos Refugiados da Palestina no Oriente Próximo (United Nations Relief and Works Agency for Palestine Refugees in the Near East — UNRWA) 209, 216, 218, 237, 318
Agência de Proteção Ambiental 288
Agência de Segurança Nacional dos EUA (National Security Agency, NSA) 199
Agência Internacional de Energia 94
Agha, Zakaria al- 156
Ahmadinejad, Mahmoud 277
Ajmi, Abdallah al- 58
Al-Barakaat 123, 124
Alemanha 75, 271, 317
  reunificação da 192, 226, 293
Alexander, Matthew (pseudônimo) 57

381

Aliança do Norte 55, 58
Ali, Muhammad 67
Allenby, Edmund 104
Allende, Salvador 29, 196
Allison, Graham 131, 144
al-Qaeda 28, 29, 45, 56, 314
al-Qaeda no Iraque 57
América Central 19, 21, 49, 68, 136, 197, 301, 308
América do Sul 80, 100, 127, 164
América Latina 7, 19, 20, 23, 29, 30, 34, 80, 136, 190, 193, 195, 197, 217, 253, 256, 257, 263, 298
Anati, Khalil 242
Anderson, Jon Lee 251
Andoni, Lamis 154
Angola 207, 216, 246, 247
Anistia Internacional 23, 220, 277
antiguerra, protestos 301
apartheid 19, 172, 220, 243
apatia dos eleitores 8
Arábia Saudita 104, 197, 201, 271, 275, 276, 278, 280, 283
Arafat, Yasser 147, 148, 150, 152, 154, 156, 158
Arar, Maher 121
Argélia 58
Argentina 23
   atentado a bomba na embaixada de Israel em Buenos Aires 42
A riqueza das nações (Smith) 68
Aristide, Jean=Bertrand 22
Arkhipov, Vasili 131, 290, 291
armas nucleares 26, 92, 106, 131, 132, 146, 170, 178, 179, 200, 224, 225, 230, 231, 271, 272, 275, 276, 282, 289, 294
Arquivo de Segurança Nacional 131
Ash, Timothy Garton 203
Ásia Central 55, 303
Assad, Bashar al- 312
assassinato 25, 34, 81, 121, 248, 261, 313
Associação de Controle de Armas dos EUA 271, 275
Atar, Intissar al- 151
Atlantic 81, 280
Ato de Neutralidade 248
Atran, Scott 314

Austrália 106, 113, 164, 304
Áustria 75
Autoridade Nacional de Comando 132
Autoridade Palestina (AP) 157, 207, 235, 240, 241
Awlaki, Anwar al- 121

B

Back Channel to Cuba (LeoGrande e Kornbluh) 247, 254
Bacon, Kenneth 260
Baghdadi, Abu Bakr al- 314
Bahrein 276, 283
Baker, Dean 84
Baker, James A. 149, 192
Baker, Peter 269
Baker, Russell 26
Ball, Desmond 143
Banco Asiático de Investimento (Asian Infraestructure Investment Bank, AIIB) 304
Banco Central Europeu 9
Banco Mundial 112, 304
bancos alemães 9
Ban Ki-moon 215
Bar-Illan, David 174
Bashkin, Gershon 238
Bassey, Nnimmo 125
Baum, Seth 291
Begin, Menachem 36, 172, 212
Bélgica 74
Belhaj, Abdel-Hakim 121
Belloc, Hilaire 231
Benn, Aluf 238
bens comuns 111, 112, 113
Bergen, Peter 311
Beria, Lavrenti 227
Berle, Adolf A. 62
Bernays, Edward 114
Blackmon, Douglas 119
Blackstone, William 109, 118
Blair, Bruce 290
Blair, Tony 91, 120
Blankfein, Lloyd 72
Bolender, Keith 140, 249

Bolívia 112, 127, 164, 217
Bordne, John 291
Boumediene contra Bush 54
Bourne, Randolph 15
Boustany, Nora 37
Bowles, Chester 253
Brandt, Willy 306
Branfman, Fred 266
Brasil 69, 102, 193, 217
   Golpe de 1964 21, 256
Breivik, Anders 261
Bretton Woods, sistema de 85, 304
Brugioni, Dino 130
Brunetière, Ferdinand 14, 16
Brzezinski, Zbigniew 290
Bulletin of the Atomic Scientists (Boletim de cientistas atômicos) 166, 285
Bundy, McGeorge 98, 134, 138, 225
Burchinal, David 132
Burnham, Walter Dean 8
Bush, George H. W. 79, 149, 177, 190, 196, 204, 206, 230, 248, 281
Bush, George W. 27, 28, 34, 45, 51, 52, 57, 58, 63, 80, 84, 91, 124, 147, 164, 168, 231, 281, 300, 308, 309
Bush, Jeb 272
Butler, Lee 224

C

Câmara dos Deputados dos EUA 83
   Comissão de Ciência, Espaço e Tecnologia 288
   Comissão Parlamentar de Apropriações dos EUA 84
Camboja 59, 89
Cameron, David 211
Campanha Vinhas da Ira 216
Canadá 22, 81, 100, 164, 165, 169, 183, 274, 293, 308
capitalismo 10, 17, 85, 94, 111, 112, 113, 185, 201
Carlos II, rei da Inglaterra 110
Carlos I, rei da Inglaterra 110
Carlson, David 204
Carothers, David 102
Carson, Ben 288
Carta da Floresta 109, 111, 116, 124, 126
Carta de Direitos 109, 111, 117, 121, 124
Carta Econômica das América 192
Carter, Ashton 279
Carter, Jimmy 16, 40, 52, 90, 116, 212
Casey, William 38
Cassinga, campo de refugiados 216
Castro, Fidel 50, 137, 140, 141, 142, 228, 247, 248, 257
Castro, Raúl 251
Centro de Combate ao Terrorismo da Academia Militar do EUA 314
Centro de Estudos Estratégicos e Internacionais (Center of Strategic and International Studies, CSIS) 276
Centro Palestino para Direitos Humanos Al Mezan em Gaza 218
Chace, James 280
Charlie Hebdo, ataques ao 263
Charlie Rose (programa de TV) 315
Chávez, Hugo 164
Chechênia 58
Cheney, Dick 45, 46, 51, 52, 57, 282, 301
Chennault, Claire 231
Cheyenne, índios 26
Chile 217
   Golpe de 1973 21, 29, 98, 196, 197, 280
China 59, 69, 70, 77, 78, 92, 93, 94, 95, 96, 107, 125, 275, 276, 292, 293, 302, 303, 304, 308
Chinweizu 231
Chipre 35
Churchill, Winston 109
Cisjordânia 36, 40, 42, 102, 103, 149, 152, 154, 157, 159, 160, 173, 174, 176, 208, 213, 219, 236, 239, 240, 241, 242, 243
"cidade no alto de uma montanha" 48
Citigroup 86
Clarke, Richard A. 309
Clawson, Don 131
Clinton, Bill 22, 41, 42, 43, 52, 53, 63, 73
Coatsworth, John 20
Cockburn, Andrew 314
Cockburn, Patrick 57
Cohen, Roger 47

COINTELRPO (Counterintelligence Program, Programa de Contrainteligência) 59
Cole, G. D. H. 186
colinas de Golã 176
Collingwood, Charles 138
Colômbia 23
Colombo, Cristóvão 26
Colônia da Baía de Massachusetts 48
colonialismo 50, 113
Columbia Journalism Review 201, 265
Comando Aéreo Estratégico (Strategic Air Command, SAC) 132, 291
Comando de Defesa Aeroespacial da América do Norte (The North American Aerospace Defense Command, NORAD) 290
Comando Estratégico dos Estados Unidos (United States Strategic Command, STRATCOM) 224
combustíveis fósseis 94, 125, 165
Comissão Colombiana Permanente para os Direitos Humanos 23
Comissão de Informação Pública 116
Comissão de Valores Mobiliários 84
Comissão Europeia 9
Comissão Executiva do Conselho de Segurança (Executive Committee of the National Security Council, ExComm) 129, 132, 133, 144
Comissão Trilateral 16
Command and Control (Schlosser) 230, 291
Comunidade dos Estados Latino--Americanos e Caribenhos (Community of Latin American and Caribbean States, CELAC) 100
comunismo 23, 74, 142, 194, 224, 227
Concílio Vaticano II 21
Conferência de Paris sobre mudança climática 285, 286
Conferência sobre mudança climática de Copenhague 127
Conflito Israel-Palestina 102, 147, 157, 160, 161, 178, 179
Congo 112, 318
Congresso dos EUA 9, 19, 24, 25, 53, 63, 73, 76, 82, 84, 85, 106, 198, 206, 207, 211, 230, 272, 287, 288

Conselho de Cooperação do Golfo 276
Conselho de Negócios 143
Conselho de Segurança da ONU (UN Security Council, UNSC) 35, 38, 69, 101, 103, 148, 152, 157, 175, 179, 190, 198, 238, 248, 271
  Resolução 242 157
  Resolução 338 157
  Resolução 687 179
  Resolução 1973 310
  Resolução sobre Gaza 238
Conselho de Segurança Nacional (National Security Council, NSC) 30, 65, 80, 98, 129, 134, 135, 145
  Memorando NSC-68 226
Conselho Nacional Palestino (PNC) 148
consenso, fabricação do 102
Constantino, imperador 21
Constituição dos EUA 17, 111, 117, 118, 199
contrainsurgência 21, 142
Contras 56
Convenção da ONU contra a Tortura (1984) 53
Convenções de Genebra 122
Corcoran, Paul 113
Coreia do Norte 167, 168, 275
Coreia do Sul 106, 169
corporações 10, 74, 82, 85, 93, 100, 138, 193, 201, 299
  pessoalidade e 120
Corte Internacional de Justiça 152, 175, 198, 247
Creveld, Martin van 68
Crimeia 202, 255
crises econômicas 73, 76
  crise de 2008 82, 87, 100, 119
Crisis of Democracy, The (Crozier) 16
cristãos evangélicos 273, 287
Cruickshank, Paul 311
Cruz, Ted 272, 288
Cuba 46, 49, 56, 90, 196, 202, 220, 249, 268, 308
  baía dos Porcos e 142, 145, 248, 253
  crise dos mísseis e 133, 166, 230, 248, 292
Cúpula dos Povos Frente às Mudanças Climáticas 127
curdos 123, 206, 279

D

Daily Mail (Londres) 205
Damasco, Síria 33
Danger and Survival (Brundy) 225
Darwish, Mahmoud 155
Davar 154
Dayan, Moshe 243
Debs, Eugene 15
Declaração de Balfour 104
Declaração de Independência 277
Declaração Universal dos Direitos da Mãe Terra 127
déficits federais 84
delatores e denunciantes 115
democracia 8, 15, 64, 68, 69, 81, 82, 84, 85, 87, 98, 102, 110, 114, 116, 172, 193, 237, 241, 255, 256, 298, 300, 306
Dempsey, Martin 273
Departamento Britânico da Informação 116
Departamento de Energia dos EUA 94, 126
Departamento de Estado 33, 56, 62, 69, 96, 125, 307
    Equipe de Planejamento de Políticas 137, 195
    lista de terroristas 19, 123, 206
Departamento de Justiça dos EUA 46, 54, 55, 121
Depressão 72, 78, 182
desemprego 72, 82, 84
desigualdade 9, 115, 184
desindustrialização 66
desregulamentação 71, 85, 99
Destino Manifesto 196
devido processo legal 55, 117
Dewey, John 15, 82
Dhanapala, Jayantha 274
Diem, Ngo Dinh 252
direitos das mulheres 113, 118
direitos humanos 15, 23, 52, 96, 185, 209, 218, 220, 238, 255, 256, 277, 280, 312
Diskin, Yuval 171
dívida 9, 72, 84
Dobbs, Michael 130, 135, 138, 141, 144
Dole, Bob 206
Domínguez, Jorge 134
Dorman, William 277
Dostum, Abdul Rashid 55
Doutrina Clinton 79, 230, 283
Doutrina da Grande Área 70
Doutrina de Segurança Nacional 23
Doutrina Monroe 137, 195, 196, 307
Doutrina Muasher 64
doutrinas providencialistas 104
doutrinas wahhabi-salafistas 197, 278
Dower, John 97
Dreazen, Yochi 81
Dreyfus, Alfred 13
drones 81, 121, 232, 261, 279, 313
Duarte, Sérgio 274
Dulles, John Foster 194

E

Ebadi, Shirin 20
economia clássica 68
economia de livre mercado 191
educação 73, 94
Egito 64, 65, 66, 67, 80, 101, 106, 148, 167, 175, 179, 191, 193, 218, 236, 241, 274
    Guerra contra Israel em 197
    Tratado de Israel com 220
Einstein, Albert 146
Eisenhower, Dwight D. 50, 61, 65, 67, 97, 130, 134, 136, 143, 193, 194, 195, 225, 253
Eitan, Rafael 36
Eldar, Akiva 236, 242
Eldar, Shlomi 214
eleições EUA 71, 85, 95
    1960 143
    1992 196
    2008 71
    2012 71
    2014 9
    2016 71
Ellacuría, padre Ignacio 25, 191
Ellsberg, Daniel 230
El Salvador 22, 24, 68, 112, 120, 190, 191, 217, 248

Emerson, Ralph Waldo 116
Emirados Árabes Unidos (EAU) 54, 276
emissões de carbono 85, 94, 288
energia 42, 85, 94, 126, 165, 282, 287
Equador 164, 165, 217
Erekat, Saeb 156
Erlanger, Steven 260
Escola das Américas 22
escravidão 66, 100, 113, 118, 119, 185, 187
Estados Unidos
  bases militares e 100
  como superpotência vilã 80, 246, 283
  concentração de riqueza nos 8, 72, 85, 100
  declínio dos 70, 88, 95, 302
  desenvolvimento industrial e 66
  dominação global e 62, 64, 77, 87, 96, 107, 137, 145, 189, 193, 225, 302
  fronteira com o México e 73
  opinião dos árabes sobre 64
estagnação da renda 72
Estônia 294
Europa 9, 62, 63, 68, 69, 71, 74, 102, 165, 289, 302
  Maior 306
EuropaNova 299
Evans, Gareth 219
expansão para o oeste 48

F

fábrica farmacêutica Al-Shifa 42
Fadlallah, Mohammad Hussein 37
Failure by Design [Fracasso de caso pensado] (Bivens) 99
Fall, Bernard 90, 301
Fall of the House of Labor, The (Montgomery) 181
Fallujah 262
Farhang, Mansour 277
Fatah 155, 213, 240
Federal Bureau of Investigation (Departamento Federal de Investigação, FBI) 59, 122
Federal Reserve [banco central dos Estados Unidos] 76, 87
Ferguson, Thomas 9, 85, 86
Filipinas 46, 50, 257
Financial Times (Londres) 33, 34, 39, 40, 41, 83, 94, 126, 156, 302
Finlândia 167
Fisk, Robert 29, 41, 317
Força Aérea dos EUA 132, 166, 291
Forças Especiais dos EUA 81, 122, 232
Ford, Gerald R. 52
Foreign Affairs 92
Franklin, Benjamin 75
Fried, Daniel 307
Friedman, Milton 72
Friedman, Thomas 268, 315
Fulbright, William 253
Fuller, Thomas 266
Fundo Monetário Internacional (FMI) 8, 9, 72, 298

G

G7, países do 8
Garrett, Hardin 112
Garthoff, Raymond 139, 144
gastos com despesas militares 79, 83, 275
Gaza 42, 149, 150, 151, 161, 174, 176, 207, 208, 209, 210, 211, 212, 213, 214, 215, 217, 218, 219, 221, 235, 244, 280
geleiras da Groenlândia 286
General Motors 120
George Washington, USS (porta-aviões) 70
Geórgia 305, 307
Gerges, Fawaz 39
Gilbert, Mads 209
Gilpatric, Roswell 143
Giridharadas, Anand 259
Glaberson, William 55
Gleijeses, Piero 142, 246
Glennon, Michael 253
Godwin, Paul 107
Goebbels, Joseph 116
Goldman, Melvin 10
Goldman Sachs 72
Golfo Pérsico 204, 304

Gonzales, Alberto 58
Goodman, Melvin 289
Gorbachev, Mikhail 63, 192, 230, 292, 305, 306
Gordon, Lincoln 257
Goulding, Marrack 247
Graham, Lindsey 272
Granada 256
Grande Carta, A (Blackstone) 109
Grécia 9
Greenspan, Alan 87
Greenwald, Glenn 54
Grupo de Segurança Contraterrorismo 309
Guantánamo 46, 54, 55, 57, 58, 202, 255
Guatemala 136, 193, 194, 248
guerra ao terror (guerra contra o terrorismo 7, 19, 27, 58, 124, 312
Guerra Civil Inglesa 110
guerra contra as drogas 24
Guerra da Coreia 168
Guerra da Independência dos Estados Unidos (Revolução Norte-Americana) 118, 299
Guerra do Golfo, primeira 313
Guerra do Vietnã 98, 257, 266
Guerra Fria 10, 78, 137, 199, 256, 305
  fim da 79, 191, 233, 302
Guerra Hispano-Americana 254
Guerra Irã-Iraque 281
Guerra Mexicano-Americana (Guerra Estados Unidos-México) 66
guerra preventiva 231
Guerras Árabe-Israelenses
  1967 197, 243, 291
  1973 145, 166, 228

H

Ha'aretz 238, 241
habeas corpus 54, 111
Haider, Jörg 75
Haig, Alexander 254
Haiti 22
Hamas 207, 212, 213, 214, 217, 235, 237, 239, 240, 241, 242, 278, 279
Hampton, Fred 59

Haq, Abdul 309
Harbury, Jennifer 51
Harding, Warren G. 15
Hasenfus, Eugene 56
Hass, Amira 216
Havaí 50
Havel, Václav 24
Hayek, F. A. 72
Herman, Edward 52
Herut, partido (Israel) 212
Herzog, Chaim 243
Herzog, Isaac 259
Hezbollah 33, 39, 40, 41, 42, 278, 279
Hill, The 207
Himmler, Heinrich 21
hipótese da eficiência dos mercados 76
Hiro, Dilip 205
Hiroshima 89, 131
Hitler, Adolf 97, 277
Hodgson, Godfrey 47
Hoffman, Bruce 314
Holder contra o Projeto de Direito Humanitário 123
Holocausto 74, 262
Honduras 56, 263, 318
Hoodbhoy, Pervez 278
Hoover Institution 19, 22
Hospital de Reabilitação Al-Wafa 215, 217
Hout, Shafiq al- 155
Hull, Cordell 231
Human Rights Watch (Observatório dos Direitos Humanos) 43, 56
Hungria 74
Huntington, Samuel P. 80, 198, 199, 283
Husseini, Faisal 148, 156
Hussein, Saddam 46, 91, 177, 179, 205, 281, 282

I

Ibrahim, Youssef 156
Ickes, Harold 104
Ieltsin, Boris 290
Iêmen 197, 283
Igreja Católica 21, 217
imigrantes 73, 262

imigrantes mexicanos 73
imperialismo 16, 49, 50, 138, 317
Império Otomano 317
Império Romano 21
imposto sobre transações financeiras 84
Índia 55, 59, 77, 92, 93, 94, 146, 164, 178, 274, 303
indígenas (nativos norte-americanos) 26, 27, 48, 49, 117, 194
Indochina 78, 89, 97, 267, 300, 301, 313
Indonésia 78, 97, 197, 219
Inglaterra 37, 75, 104, 114, 115, 152, 179, 199, 274, 277, 297, 300, 304, 310, 317
    império 59, 62, 67, 96, 105, 118, 193, 196, 317
Iniciativa de Defesa Estratégica (programa 229
Instituto de Pesquisa da Paz Internacional de Estocolmo (Stockholm International Peace Research Institute — SIPRI) 276
Instituto de Pesquisa Sobre a Paz Internacional de Oslo 312
Instituto de Política Econômica 99
Instituto Naval dos EUA, revista Proceedings 204
internacionalistas de esquerda 116, 300
International Security 292
intervenção humanitária 49, 50, 59, 79, 80, 311
Intifada 150, 151, 152, 154
Irã 7, 19, 27, 55, 64, 65, 69, 92, 102, 105, 106, 145, 167, 176, 177, 178, 205, 206, 269, 273, 275, 276, 277, 284, 303, 310
    golpe de 1953 137, 177, 193, 194, 281
    voo Iran Air 655 205
Iraque 45, 63, 206, 252, 299, 317
    invasão norte-americana do 27, 60, 63, 70, 83, 91, 179, 262, 269, 280, 300, 301, 312, 313, 315
Irlanda 50, 121
"Is There a Future for the NPT? (Dhanapala e Duarte) 275
ISIS (Estado Islâmico) 278, 279, 280, 314, 315, 316, 317

islã fundamentalista radical 198
Israel 43, 64, 105, 145, 198, 206, 283
    Acordos de Oslo e 161
    assentamentos e 102, 154, 159, 175, 176, 208, 209, 210, 220, 236, 240
    atentado a bomba na embaixada em Buenos Aires 40
    Coreia do Norte e 168
    demografia e 171, 174, 243
    Gaza e 42, 221, 244
    Grande 174
    Irã e 179, 278
    Líbano e 43
    Líbia e 206
    muro de separação e 174
    Tunísia e 34, 35
Iugoslávia 260, 261

J

Jabari, Ahmed 238
Japão 79, 97, 197, 223, 303, 304
Jefferson, Thomas 254
Jeju, ilha 106
Jenin, campo de refugiados 36
Jerusalém 104, 159, 211
    Grande 103, 152, 153, 172, 173
    Oriental 154
Jervis, Robert 80, 283
Jihad Islâmica 39
João XXIII, Papa 21
Jobbik, partido (Hungria) 74
Johnson, Lyndon B. 98, 225, 253, 267, 301
Johnson, Samuel 118
Jomini, Henry 314
Jones, Clive 171
Jordânia 175, 209, 316, 317
Journal of Strategic Studies 229

K

Kadhafi, Muammar 121, 311
Kapeliouk, Amnon 35

Kayani, Ashfaq Parvez 232
Keller, Bill 81
Kennan, George 96, 125, 305
Kennedy, John F. 98, 114, 129, 130, 131, 132, 133, 134, 135, 138, 139, 140, 143, 144, 146, 195, 196, 225, 227, 228, 252, 253, 256, 301
Kennedy, Robert 50, 135, 142, 248
Kern, Montague 140
Kerry, John 219
KGB 245
Khamenei, Sayyed Ali 277
Khamvongsa, Channapha 266
Khomeini, aiatolá 277
Khrushchev, Nikita 133, 135, 138, 141, 143, 146, 227, 228, 248
Kill Chain (Cockburn) 314
Kimmerling, Baruch 210
King, Martin Luther Jr. 184
Kinsley, Michael 56
Kissinger, Henry 30, 56, 89, 97, 98, 145, 166, 196, 228, 247, 282
Kivimäki, Timo 312, 313
Klinghoffer, Leon 34
Knesset (parlamento israelense) 40
Knox, Henry 49
Kornbluh, Peter 247, 254
Krähenbühl, Pierre 215
Krugman, Paul 46
Kull, Steven 82
Küng, Hans 21
Kuperman, Alan 311
Kuwait 58, 206, 276

L

Laden, Osama bin 26, 28, 33, 83, 309, 315
  assassinato de 25, 26, 81, 122, 232
Lansdale, Edward 142
Laos 266, 267
Lawson, Dominic 205
Leahy, Patrick 221
Leffler, Melvyn 227
Lei de Comissões Militares (2006) 53
Lei do Habeas Corpus (1679) 111

Lei do Habeas Corpus (Inglaterra, 1679) 120
Lei Gaysoot 262
LeoGrande, William 247, 254
Le Pen, Marine 74
Leste Asiático (Ásia Oriental) 71, 302, 303
Leste Europeu 20, 68, 78, 262, 302, 304
Levy, Gideon 243
Lewis, Anthony 25, 150
Líbano 237, 277, 279, 316, 317, 318
Liberty, USS, ataque 206
Líbia 74, 101, 310, 311
Liebknecht, Karl 15
Liga de Defesa Inglesa 75
Likud, partido (Israel) 149, 172, 212
Lincoln, Abraham 25, 185
Linebaugh, Peter 111
Lippman, Walter 114
livre comércio 74, 112, 120, 183, 200, 298
Locke, John 110, 113
Lodge, Henry Cabot 49, 50
Luftwaffe 26
Lukes, Steven 14
luta de classes 9, 84, 181, 187
Luxemburgo, Rosa 15

M

Madison, James 17
Madison, Wisconsin, revoltas em 61
Madri, negociações de 147, 148, 150, 152, 153
Maechling, Charles Jr. 21
Magna Carta 127, 313
maias 73, 194
Malaca, estreito de 303
Malaysia Airlines, voo MH17 da 203, 207
Mandela, Nelson 19, 247
Manifesto dos 93 14
"Manifesto dos Intelectuais" 13
Mann, Thomas 287
Mansfield, Lorde 118
Mansour, Riyad 207
mar do Sul da China 303
Margolis, Eric 28
Marines (Fuzileiros Navais dos EUA) 262

bombardeios a Beirute 37
Marinha dos EUA 302
   SEALS 122, 232
Marshall, George 231
Marx, Karl 186, 187
Massacre de My Lai 59
Mathews, Jessica 269
May, Ernest 196
Mazower, Mark 27
McConnell, Mitch 287
McCormack, Sean 33
McCoy, Alfred 51
McNamara, Robert 130, 142, 252, 337
Mearsheimer, John 307
Medicare e Medicaid 82
Médicos Internacionais para a Prevenção da Guerra Nuclear (International Physicians for the Prevention of Nuclear War, Alemanha) 312
Médicos pela Responsabilidade Social (Physicians for Social Responsibility) 312
Médicos pela Sobrevivência Global (Physicians for Global Survival) 312
Medvédev, Dimitri 305
Meehan, Bernadette 216
meio ambiente 75, 76, 120, 125, 165
Meir, Golda 207
Memorando de Ação para a Segurança Nacional (National Security Action Memorandum, NSAM) 139
Mendel, Yonatan 172
Merkel, Angela 75
mestres da humanidade 86, 182, 186
México 26, 34, 49, 66, 73, 120, 183, 192, 293, 308, 318
Mian, Zia 278
Milanović, Dragoljub 261
Mill, John Stuart 59, 186
Milosevic, Slobodan 260
Milton-Edwards, Beverly 171
Ministério Britânico da Informação 15
mito da excepcionalidade norte-americana (Hodgson) 47
Montgomery, David 65, 181
Morgan, Edmund 26
Morgenthau, Hans 47
Movimento dos Países Não Alinhados 273
movimento operário 181, 182
movimentos jihadistas 39, 314
movimentos Occupy (Ocupe) 99
mudança climática 94, 95, 126, 127, 285, 287, 361
Mughniyeh, Imad 33, 34
mundo árabe. Ver também Guerras Árabe-Israelenses; e países específicos
   intervenção ocidental no 317
   revoltas democráticas 61, 64, 68, 81, 101
mundo industrial tripolar 71, 79
mundo islâmico 278, 308
Muro de Berlim, queda do 19, 191
Murray, William (Lorde Mansfield) 118
Musawi, Abbas al- 40

N

nacionalismo 79, 98
Nações Unidas (ONU) 19, 124, 133, 173, 212, 236
   Assembleia Geral 148, 164, 167
   Carta 69, 93, 178, 231
   Gaza e 216
Nagasaki 89, 223
Nairn, Allan 51
Namíbia 216, 247
Nanquim, Massacre de (Violação de Nanquim) 59
Napoleão 314
nazistas 25, 62, 75, 116
Negroponte, John 56
neocolonialismo 173
neofascismo 74
neoliberalismo 10, 67, 287, 289, 299
Netanyahu, Benjamin 154, 174, 212, 213, 242, 244
New Republic, The 14, 16, 56, 70
New Yorker, The 251
New York Review of Books, The 26, 268, 269
New York Times, The 47, 55, 81, 85, 86, 97, 121, 122, 150, 156, 205, 206, 207, 215, 246, 247, 249, 259, 260, 261, 262, 265, 267, 268, 286, 288, 300, 315

Nicarágua 55, 57, 246, 247, 248
Nicholson, Mark 41
Nixon, Richard M. 30, 80, 126, 140, 228, 254
Noruega 152, 160

O

"O problema é o rejeicionismo palestino" (Kuperwasser e Lipner) 92
Obama, Barack 10, 28, 51, 71, 115, 157, 199
　América Latina e 318
　armas nucleares e 167, 231, 273, 274, 292
　assassinatos e 81, 121, 232, 261
　Cuba e 251, 256, 268
　economia e 83
　energia e 126, 165
　habeas corpus e 54
　Israel e 103, 173, 175, 207, 213, 217
　mudança climática e 287
　terrorismo e 123, 246, 308
　tortura e 51
Obeid, xeque Abdul Karim 41
Okinawa 70, 107, 135, 291
Omã 276
Operação Chumbo Fundido 220, 237, 238
Operação Gerônimo 26
Operação Mangusto 138, 142, 248
Operação Margem Protetora 214, 239, 241, 242
Operação Pilar de Defesa 237, 238
operações "Iron Fist" (Punho de Ferro) 38
opinião pública 106, 115, 126, 138, 186, 201, 207, 220, 232, 256, 272, 288, 300
Organização de Cooperação de Xangai (Shanghai Cooperation Organization, sco) 303
Organização do Povo do Sudoeste Africano (South West Africa People's Organization — swapo) 216
Organização do Tratado do Atlântico Norte (otan) 62, 63, 79, 131, 135, 136
Organização para a Libertação da Palestina (olp) 39, 161
Oriente Médio 79, 81, 92, 96, 98, 100, 157, 159, 160, 168, 171, 179, 191, 197, 208, 239, 273, 274, 275, 291, 302, 303, 308, 315, 317
Ornstein, Norman 272, 287
Orwell, George 136
Ostrom, Elinor 113
Oxfam 194
Ozanne, Julian 156

P

Pacific Rim, mineradora 112, 120
Painel Internacional de Mudanças Climáticas (International Panel on Climate Change, ipcc) 95
Palestine (Carter) 40, 212
Palestinos 37, 103, 148, 153, 179, 243 148, 154
　democracia secular binacional e 172
　eleições de 2006 102, 211, 212, 237
　Estado palestino 148, 149, 174, 211, 242
　expulsão de 174, 240
Palmerston, Lorde 67
Panamá 34, 190
Paquistão 25, 81, 146, 178, 232, 274, 275, 278, 279, 292, 303, 304, 312
Parlamento Britânico 110
Parlamento Europeu 167
Partido da Liberdade (Áustria) 75
Partido Democrata 71, 82, 85, 99, 105, 196, 283, 287
Partido dos Trabalhadores do Curdistão (ppk) 123
Partido Nacional Britânico 75
Partido Republicano 50, 71, 76, 82, 85, 86, 95, 99, 101, 105, 113, 126, 185, 201, 272, 286, 287, 288, 315, 361
Partido Trabalhista (Israel) 149, 154, 259
Paterson, Thomas 256
Pavor Vermelho 181
Paz Agora 152, 154
Pearl Harbor, ataques a 89
península do Sinai 210, 220
Pentágono 11, 19, 65, 69, 83, 106, 132, 138, 177, 191, 216, 260, 281, 289, 310

Peres, Shimon 35, 174, 216, 241
Pérez, Louis 254
Peri, Yoram 36
Perry, William 10
Peru 49, 217
pessoalidade (direitos de pessoa) 120
Peterson, David 260, 312
Petição de Direito 110
Petraeus, David 233
petróleo 101, 137, 140, 164, 165, 219, 278, 282, 303, 304
Petrov, Stanislav 229, 290, 291
Pinochet, Augusto 21, 29, 80, 98, 280
planície de Jars 266
plutonomia 86
Political Science Quarterly 140
Polk, William 299, 313, 314, 316
populações indígenas 112, 126, 127, 164
Porter, Bernard 50
Porto Rico 50
Power, Samantha 207, 279
Pravda 245
Presídio 1391 36
presídio na base aérea de Bagram (Afeganistão) 54
presunção de inocência 117, 122, 313
primazia estratégica 292
Primeira Guerra Mundial 14, 15, 16, 74, 104, 116, 181, 306, 317
"Princípios fundamentais da deterrência no pós-Guerra Fria" 230, 292
prisões e encarceramento 46, 119, 259
privatização 73, 111, 112, 117, 124
privatização da água 112
produção industrial 93, 100
  offshoring da produção (transferência de plantas industriais 85, 99, 100, 119
professores 73
Programa para Consultas Públicas 82
Projeto Custos da Guerra 28
Pugwash, conferências 274
Putin, Vladimir 202, 203, 245, 255, 305, 307, 308

Q

Qatar 276
Question of Torture, A (McCoy) 51

R

Rabbani, Mouin 208
Rabin, Yitzhak 40, 41, 147, 152, 153, 154, 158, 174
Rachman, Gideon 302
Rádio e Televisão da Sérvia (RTS) 260
Rashid, Jamal 36, 37
Rasul contra Rumsfeld 54
Raz, Avi 151
Reagan, Ronald 49, 66, 74, 105, 166, 272
  África do Sul e 19, 220
  América Latina e 21, 56, 73, 136, 194, 247, 256, 301
  armas nucleares e 145, 166, 229, 232, 289
  economia e 72, 83, 84, 87, 99, 183
  Irã/Iraque e 204, 281
  Israel e 39, 148
  prisões e 119
  terrorismo e 27, 35, 56, 308, 318
  tortura e 52
refugiados 36, 74, 148, 152, 155, 157, 209, 211, 215, 216, 218, 237, 243, 267, 280, 310, 311, 316, 317, 318
relações públicas 71, 114, 115, 201
rendição extraordinária 46, 120
República Democrática Alemã (Alemanha Oriental, RDA) 192, 226, 227, 293, 306
resgates financeiros 86
Reston, James 98
Revolução Industrial 66, 113, 119, 181, 184
Rhode Island 110
Ricardo, David 68, 86
Richard Holbrooke 261
Rolling Stone, revista 265
Roma 17
Romero, arcebispo Óscar 22

Roosevelt, Franklin Delano 62, 77, 104, 114, 231
Roosevelt, Theodore 254
Ross, Dennis 273
Rubinstein, Danny 153, 242
Rumsfeld, Donald 45, 46, 51, 54, 57, 282, 301
Russell, Bertrand 15, 146
Rússia 55, 62, 134, 136, 139, 142, 143, 145, 166, 182, 192, 202, 212, 226, 227, 228, 229, 245, 276, 293, 294, 303, 305, 306, 307
Ryala, Ali Abu 215

S

Sabra e Chatila, massacres de 39
Sakhárov, Andrei 20
Sakwa, Richard 305
Salon 54
Sarkozy, Nicolas 74
Sarrazin, Thilo 75
Savimbi, Jonas 246
Scarry, Elaine 25
Scheffer, Jaap de Hoop 63
Scheuer, Michael 28
Schlesinger, Arthur M., Jr. 50, 130, 142, 195, 228
Schlosser, Eric 230, 291
Schoultz, Lars 52, 254
Science 93
Segunda Guerra Mundial 7, 21, 62, 67, 70, 77, 81, 83, 87, 89, 95, 97, 119, 125, 138, 182, 184, 193, 225, 253, 268, 298, 313
segurança interna 21, 30, 157, 253
Senado dos EUA 286
  Comissão de Serviços Armados do Senado 45
separação entre Igreja e Estado 110
Sérvia 260
Serviço de Abastecimento de Água das Municipalidades Costeiras 218
Sexta Frota dos EUA 35
Shalit, Gilad 237
Shamir, Yitzhak 35, 36, 153, 154

Sharon, Ariel 210, 212, 236
Sheldon, Stern 136, 141
Shenon, Philip 205
Shin Bet 171
Shoigu, Sergei 294
Shultz, George 35, 308
sigilo 135, 141, 191, 198, 200
sionismo 104, 244
sionismo cristão 104
Síria 35, 121, 148, 175, 179, 198, 261, 279, 293, 302, 312, 317, 318
Sisi, Fattah al- 241
Smith, Adam 10, 17, 18, 66, 67, 74, 86, 182, 297
Smith, Lamar 288
Snowden, Edward 199
sociedades coloniais 112
Solow, Robert 87
solução de dois Estados 149, 171, 172, 175, 178, 212, 243
solução de Estado único 171, 172, 174, 243
Somália 123, 124, 199
Sourani, Raji 209
Stalingrado, Batalha de 62
Stálin, Joseph 97, 226, 227
Stark, USS, ataque 206
Stearns, Monteagle 267
Stern, Sheldon 129, 132
Stiglitz, Joseph 76
Story, Joseph 49
Sudão 42
Sudeste Asiático 78
Suharto 97, 98, 101
Summers, Lawrence 84
Suprema Corte dos EUA 49, 54, 111, 118, 120, 123
Supremo Tribunal de Justiça de Israel 42
Sykes-Picot, acordo 317

T

Tácito 253, 255
Tailândia 54
Talibã 29, 282, 309

tarifas 66, 67
taxação 82, 86
Taylor, William 203
Temple, Henry John (lorde Palmerston) 67
Teologia da Libertação 22
terra nullius 112, 113
Territórios Ocupados 147, 148, 150, 153, 158, 159, 175, 190, 210, 218, 219, 236, 244, 277
terrorismo 19, 24, 27, 34, 35, 38, 51, 55, 56, 123, 134, 140, 142, 245, 247, 248, 249, 253, 259, 263, 275, 278, 311, 314
Texaco 22
Texas 66, 256
Thatcher, Margaret 87
The Guardian (Londres) 200
The London Review of Books 27
Thorndike, Edward 18
Thrall, Nathan 239, 240
Timmermans, Frans 207
Timor Leste 98, 219
To Cook a Continent (Bassey) 125
TomDispatch (website) 81
tortura 20, 24, 29, 36, 60, 120, 125
trabalhadores 86, 187
Trabalhadores Industriais do Mundo 15
trabalho assalariado 113
Tratado de Não Proliferação Nuclear (Nuclear Nonproliferation Treaty, NPT) 106, 146, 176, 178, 231, 274, 295
Tratado Norte-americano de Livre Comércio (North American Free Trade Agreement, NAFTA) 73, 183
Tribunal de Nuremberg 117
Tribunal Penal Internacional para a antiga Iugoslávia 261
Truman, doutrina 199
Truman, Harry S. 17, 193
Trump, Donald 288
Truth, Torture, and the American Way (Harbury) 51
Tunísia 34, 35, 64, 101
Turquia 55, 69, 123, 133, 134, 135, 293, 300, 316, 318
Turse, Nick 81
TWA, sequestro do avião da 34

Tyler, Patrick 300

U

Ucrânia 203, 207, 293, 302, 305, 307
Ulam, Adam 226
União Africana 311
União Europeia 176, 212, 298, 299, 305
União Soviética 18, 20, 25, 68, 78, 135, 143, 199, 289
    armas nucleares e 227
    colapso da 77, 190, 305
    Cuba e 136, 146, 230, 248
    Israel e 146
UNITA (União Nacional para a Independência Total de Angola) 207, 246
United Fruit Company 193
Uruguai 23
Uzbequistão 55

V

vale do Jordão 154, 173, 174, 209, 240
Valls, Manuel 259
Vane, Henry, o Jovem 110
Varsóvia, Pacto de 293, 308
Vásquez Carrizosa, Alfredo 23
Veblen, Thorstein 11, 15, 114
Veil (Woodward) 38
Venezuela 145, 164, 165, 217
Vietnã do Norte 252, 267
Vietnã do Sul 252, 301
vigilância em massa 199
Vincennes, USS (cruzador) 204
Violent Politics (Polk) 299, 313
Visions of Freedom (Gleijeses) 246
Voices From the Other Side (Bolender) 140, 249
Voices from the Plain of Jars (Branfman) 266
voo 93 29

W

Waage, Hilde Henriksen 160
Waal, Alex de 311
Walker, Scott 272
Wall Street Journal, The 119
Waltz, Kenneth 227
Warburg, James 226
Warde, Ibrahim 124
Warner, Geoffrey 78
Warren, Steve 216
Washington, George 46, 50, 299
Washington Post 37, 38
Watergate, caso 59
Weisglass, Dov 210, 236
Weizman, Ezer 219
Wieseltier, Leon 280
WikiLeaks 65, 307
Williams, Roger 110
Wilson, Woodrow 116, 181
Winthrop, John 48
Wolf, Martin 83
Wolfowitz, Paul 300
Wood, Gordon 17
Woodward, Bob 38

X

xiitas 37, 41, 102, 269, 281

Y

Yarborough, William 23
Yglesias, Matthew 122
Yifrah, Shimon 151

Z

Zarif, Javad 273
Zarqawi, Abu Musab al- 57
Zawahiri, Ayman al- 314
Zelikow, Philip 196
Zertal, Idith 236
Zola, Émile 13
zona E1 103, 173
Zughayer, Kemal 36

Conheça também outros títulos do selo Crítica

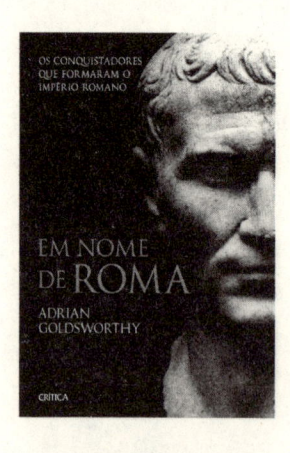

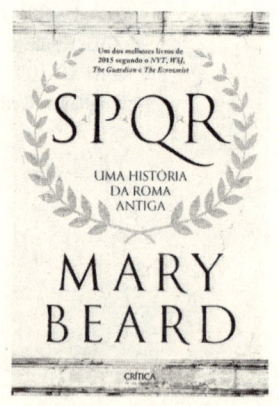

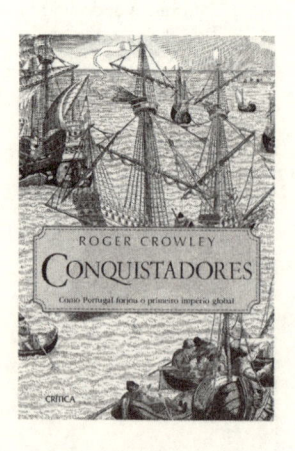

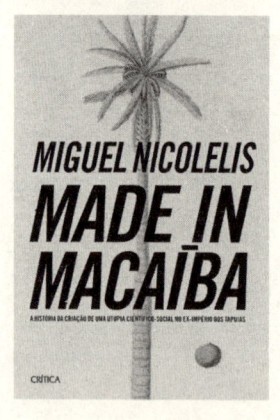

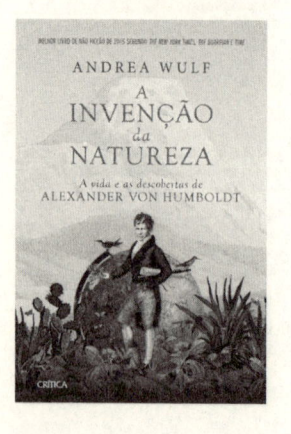

Uma breve história do Brasil
Mary Del Priore • Renato Venancio

Em nome de Roma
Adrian Goldsworthy

SPQR: Uma história da Roma antiga
Mary Beard

Conquistadores
Roger Crowley

Made in Macaíba
Miguel Nicolelis

Muito além do nosso eu
Miguel Nicolelis

A invenção da natureza
Andrea Wulf

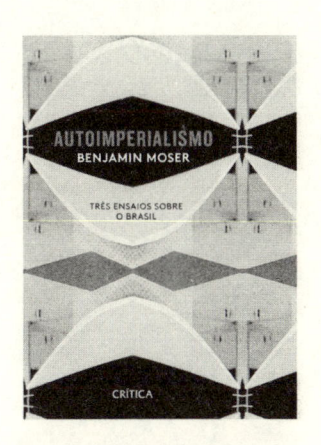

AUTOIMPERIALISMO
BENJAMIN MOSER
TRÊS ENSAIOS SOBRE O BRASIL
CRÍTICA

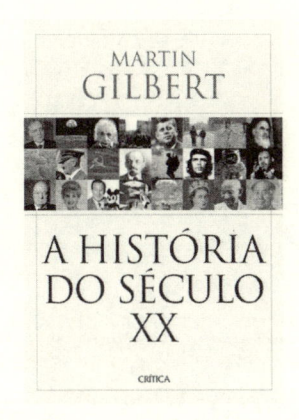

MARTIN GILBERT
A HISTÓRIA DO SÉCULO XX
CRÍTICA

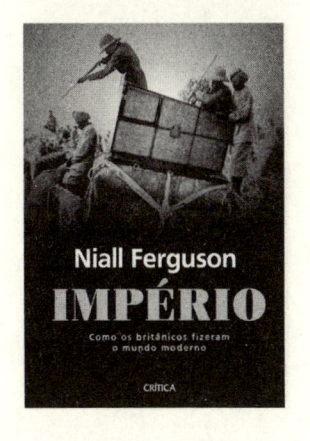

Niall Ferguson
IMPÉRIO
Como os britânicos fizeram o mundo moderno
CRÍTICA

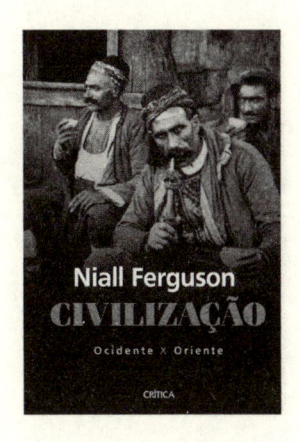

Niall Ferguson
CIVILIZAÇÃO
Ocidente × Oriente
CRÍTICA

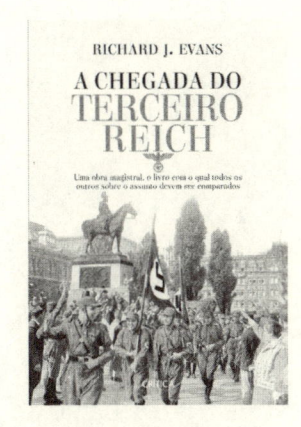

RICHARD J. EVANS
A CHEGADA DO TERCEIRO REICH
Uma obra magistral, o livro com o qual todos os outros sobre o assunto devem ser comparados

RICHARD J. EVANS
TERCEIRO REICH NO PODER
O relato mais completo e fascinante do regime nazista entre 1933 e 1939
CRÍTICA

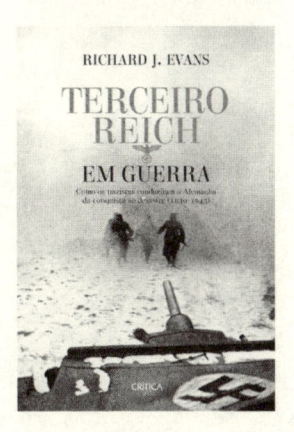

RICHARD J. EVANS
TERCEIRO REICH EM GUERRA
Como os nazistas conduziram a Alemanha da conquista ao desastre (1939-1945)
CRÍTICA

**Acreditamos
nos livros**

Este livro foi composto em Adobe Garamond
Pro e Bliss Pro e impresso pela Lis Gráfica para a
Editora Planeta do Brasil em julho de 2025.